S

Malla Nunn

Un hermoso lugar para morir
El primer caso del detective Cooper

Traducción del inglés de
Clara Ministral

Nuevos Tiempos **Ediciones Siruela**

En cubierta: *Trees at sunset*, Kenia © Getty Images
Título original: *A beautiful place to die*
Diseño gráfico: Gloria Gauger
© Malla Nunn, 2008
© De la traducción, Clara Ministral
© Ediciones Siruela, S. A., 2011
c/ Almagro 25, ppal. dcha.
28010 Madrid. Tel.: + 34 91 355 57 20
Fax: + 34 91 355 22 01
siruela@siruela.com   www.siruela.com
ISBN: 978-84-9841-565-0
Depósito legal: M-12.860-2011
Impreso en Cofás
Printed and made in Spain

Papel 100% procedente de bosques bien gestionados

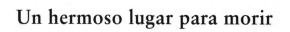

Un hermoso lugar para morir

A los ancestros

1

Sudáfrica, septiembre de 1952

El oficial de policía Emmanuel Cooper apagó el motor y miró a través del sucio parabrisas. Estaba en un lugar perdido en medio del campo. Para perderse aún más tendría que retroceder en el tiempo hasta las guerras zulúes. Dos camionetas Ford, un Mercedes blanco y una furgoneta policial aparcados a su derecha le situaron en el siglo xx. Delante de él, sobre una elevación del terreno, había un grupo de granjeros negros dándole la espalda. La marcada línea formada por sus hombros no dejaba ver lo que había detrás.

Desde la cresta de una ardiente colina verde, un pastor con quince vacas escuálidas observaba con inquietud el inusual grupo de personas desperdigadas por aquel lugar recóndito. De modo que la granja sí había sido escenario de un crimen –no era un bulo, como habían creído en la jefatura de policía del distrito–. Emmanuel salió del coche y se levantó el sombrero para saludar a un grupo de mujeres y niños sentados a la sombra de una higuera silvestre. Unos cuantos le devolvieron el saludo educadamente con la cabeza, en silencio y con miedo. Emmanuel se aseguró de que llevaba la libreta, el bolígrafo y la pistola, preparándose mentalmente para el trabajo.

Un anciano negro vestido con un peto harapiento salió de la sombra de la furgoneta policial y se acercó con la gorra en la mano.

–¿Es usted el *baas* de Jo'burgo? –preguntó.

–El mismo –contestó Emmanuel. Cerró el coche y se metió las llaves en el bolsillo de la chaqueta.

–El agente ha dicho que vaya usted al río –dijo señalando con un dedo huesudo el terreno elevado en el que estaban los granjeros–. Por favor, *ma' baas*, tiene que venir conmigo.

El anciano fue delante. Emmanuel le siguió y los granjeros se volvieron cuando se aproximó a ellos. Se acercó un poco más y examinó la hilera de rostros para intentar determinar qué clima se respiraba. Bajo el silencio de aquellos hombres, percibió el miedo.

–Tiene usted que ir allí, *ma' baas*.

El anciano señaló un sendero estrecho y serpenteante que, atravesando la alta hierba, llegaba hasta la orilla de un ancho y resplandeciente río.

Emmanuel dio las gracias haciendo un gesto con la cabeza y echó a andar por el camino de tierra. La brisa hizo susurrar la maleza y una pareja de canarios levantó el vuelo. Le llegó el olor a tierra húmeda y hierba aplastada. Se preguntó qué habría esperándole.

Al final del camino, llegó al borde del río y miró a lo lejos. Una extensión de *veld* de poca altura brillaba bajo el cielo despejado. A lo lejos, una cordillera rompía el horizonte con sus picos azules e irregulares. Pura África. Como en las fotos de las revistas inglesas que promocionaban las ventajas de la emigración.

Emmanuel empezó a caminar lentamente por la orilla del río. Al cabo de diez pasos vio el cadáver.

Muy cerca de la orilla había un hombre flotando, boca abajo y con los brazos extendidos como un paracaidista en caída libre. Emmanuel se fijó inmediatamente en el uniforme de policía. Un comisario. Ancho de hombros y robusto, con el pelo rubio y cortado al rape. Un grupo de pececillos plateados danzaban alrededor de lo que parecía una herida de bala en la cabeza y otro profundo corte en medio de la ancha espalda. El cuerpo estaba firmemente sujeto por unos juncos que impedían que se lo llevara la corriente.

Una manta acartonada por la sangre y un farol volcado con la mecha quemada indicaban que el lugar se había usado como puesto de pesca. Las lombrices para el cebo se habían salido de un bote de mermelada y estaban secas sobre la gruesa arena.

A Emmanuel le latía el corazón con fuerza en el pecho. Le habían mandado a él solo a investigar el asesinato de un comisario de policía blanco.

–¿Es usted el de la policía judicial?

La pregunta, en afrikáans, sonó como la de un muchacho insolente dirigiéndose al nuevo maestro.

Emmanuel se volvió y se encontró con un adolescente larguirucho vestido con un uniforme de policía. Un cinturón ancho de cuero le sujetaba el pantalón y la chaqueta de algodón azules a las estrechas caderas. Tenía una tenue pelusilla a lo largo de la línea de la mandíbula. La política del Partido Nacional de contratar afrikáners para los servicios públicos había llegado hasta el campo.

–Soy el oficial Emmanuel Cooper, de la policía judicial –dijo tendiéndole la mano–. ¿Es usted el agente encargado de este caso?

El chico se sonrojó.

–*Ja*, soy el agente Hansie Hepple. El subcomisario Uys está de vacaciones en Mozambique hasta dentro de dos días, y el comisario Pretorius está…, bueno…, está muerto.

Miraron hacia el comisario de policía, que nadaba en las aguas de la eternidad. Una mano blanca sin vida los saludó desde el agua poco profunda.

–¿Fue usted quien encontró el cadáver, agente Hepple? –preguntó Emmanuel.

–No –al joven afrikáner se le llenaron los ojos de lágrimas–. Lo encontraron unos niños *kaffir* del poblado esta mañana… Lleva aquí toda la noche.

Emmanuel esperó hasta que Hansie se calmó.

–¿Fue usted quien llamó a la policía judicial?

–No conseguía que me pusieran con la jefatura de policía del distrito –explicó el joven agente–. Le dije a mi hermana

13

que lo intentara hasta que consiguiera contactar. No quería dejar solo al comisario.

Un poco más adelante, siguiendo la orilla del río, había tres hombres blancos en un corrillo, turnándose para beber de una abollada petaca plateada. Eran grandes y fornidos, la clase de hombres que seguirían tirando de sus propios carromatos por el *veld* mucho después de que murieran los bueyes. Emmanuel los señaló.

–¿Quiénes son ésos? –preguntó.

–Tres de los hijos del comisario.

–¿Cuántos hijos tiene el comisario?

Emmanuel se imaginó a la madre, una mujer de anchas caderas que daba a luz cuando no estaba preparando pan o tendiendo la ropa.

–Cinco hijos varones. Son una buena familia. Auténtico *volk*.

El joven policía se metió las manos en los bolsillos y, con su bota con punta de acero, dio una patada a una piedra y la mandó rodando por la orilla. Ocho años después de las playas de Normandía y las ruinas de Berlín, en las llanuras africanas se seguía hablando del espíritu del pueblo y de la pureza racial.

Emmanuel observó a los hijos del comisario asesinado. De acuerdo, era verdad que eran auténticos afrikáners. Rubios musculosos sacados directamente de la victoria de la batalla del Río de la Sangre y ensalzados en las paredes del Monumento a los Voortrekkers. Los hijos del comisario deshicieron el corrillo y se dirigieron hacia él.

A Emmanuel le vinieron de pronto a la cabeza imágenes de su infancia. Niños con la piel blanca como la leche materna de los codos para arriba y del cuello para abajo. Con las narices torcidas de pelearse con los amigos, los indios, los ingleses o los mestizos lo suficientemente atrevidos para cuestionar su posición en lo más alto de la jerarquía.

Los hermanos llegaron hasta donde estaba Emmanuel y se detuvieron a una distancia muy corta de él. El más grande, el Líder, se puso delante. El Esbirro se quedó a su derecha, apretando los dientes. Medio paso más atrás, el tercer hermano estaba listo para recibir órdenes de los puestos superiores de la cadena de mando.

–¿Dónde está el resto de la brigada? –preguntó el Líder en un inglés tosco–. ¿Dónde están sus hombres?

–Yo soy la brigada –respondió Emmanuel–. No hay nadie más.

–¿Es una broma? –dijo el Esbirro, que añadió un dedo acusador a la conversación–. ¿Asesinan a un comisario de policía y la policía judicial envía a un oficial de mierda?

–No debería estar solo –reconoció Emmanuel. La muerte de un hombre blanco requería un equipo de oficiales. La muerte de un policía blanco, toda una división–. La información que recibimos en la jefatura era confusa. No se mencionó la raza, el sexo ni la profesión de la víctima...

El Esbirro interrumpió la explicación:

–Vas a tener que contarnos algo mejor que eso.

Emmanuel decidió centrarse en el Líder.

–Yo estaba trabajando en el caso del asesinato de los Preston, la pareja de blancos a la que dispararon en su tienda –dijo–. Seguimos al asesino hasta la granja de sus padres, a una hora de aquí hacia el oeste, y le detuvimos. El inspector Van Niekerk me llamó y me pidió que verificara un posible homicidio...

–¿Un «posible homicidio»? –el Esbirro no iba a permitir que le dejaran fuera de la conversación–. ¿Qué narices significa eso?

–Significa que la persona que llamó sólo le proporcionó un dato útil al operador que registró la llamada: el nombre del pueblo, Jacob's Rest. Ésa era toda la información de la que partíamos.

No mencionó la palabra «bulo».

–Si eso es verdad, ¿entonces cómo has llegado aquí? –preguntó el Esbirro–. Esto no es Jacob's Rest, es la granja del viejo Voster.

–Un africano me hizo señas para que me desviara de la carretera principal y después otro me indicó el camino hasta

15

el río –explicó Emmanuel. Los tres hermanos le miraron con un gesto de perplejidad; no tenían ni idea de lo que estaba hablando.

–No puede ser –dijo el Líder dirigiéndose directamente al joven agente de policía–. Tú les dijiste que habían asesinado a un comisario de policía, ¿verdad, Hansie?

El muchacho se escondió rápidamente detrás de Emmanuel. Se oyó su respiración entrecortada en el repentino silencio.

–Hansie... –el Esbirro olió el miedo–, ¿qué les dijiste?

–Yo le... –contestó el chico en voz baja–, le dije a Gertie que tenía que contarlo todo. Que tenía que explicar lo que pasaba.

–Gertie... ¿Tu hermana de doce años hizo la llamada?

–Yo no conseguía contactar –protestó Hansie–, intenté...

–*Domkop* –dijo el Líder echándose hacia un lado para poder golpear a Hansie sin obstáculos–. ¿De verdad eres tan tonto?

Los hermanos avanzaron en una línea infranqueable; llevaban preparados los puños, que tenían el tamaño de repollos. El agente se agarró a la chaqueta de Emmanuel y se acurrucó junto a su hombro.

Emmanuel se mantuvo firme y no apartó la mirada del hermano que lideraba el grupo.

–Pegándole un par de bofetadas al agente Hepple os sentiréis mejor, pero no podéis hacerlo aquí. Éste es el escenario de un crimen y yo tengo que ponerme a trabajar.

Los Pretorius se detuvieron y desplazaron la atención hacia al cadáver de su padre, que flotaba en las nítidas aguas del río.

Emmanuel rompió el silencio y alargó la mano.

–Oficial Emmanuel Cooper, de la policía judicial. Lamento la pérdida de vuestro padre.

–Henrick –dijo el Líder, y Emmanuel sintió cómo su mano se perdía dentro de una carnosa zarpa–. Éstos son Johannes y Erich, mis hermanos.

Los hermanos menores saludaron con la cabeza, mirando con recelo al policía de la ciudad con su traje planchado y su corbata de rayas verdes. En Jo'burgo parecía elegante y profesional. En el *veld*, con hombres que olían a tierra y a gasóleo, estaba fuera de lugar.

–El agente Hepple dice que sois cinco.

Devolvió la mirada a los hermanos y vio que tenían la piel enrojecida alrededor de los ojos y la nariz.

–Louis está en casa con nuestra madre. Es demasiado pequeño para ver esto –Henrick dio un trago de la petaca y se volvió para ocultar las lágrimas.

Erich, el Esbirro, tomó la palabra:

–A Paul le van a dar permiso en el ejército por motivos familiares. Llegará a casa mañana o pasado.

–¿En qué unidad está? –preguntó Emmanuel, sorprendido ante su propia curiosidad. Llevaba seis años fuera de servicio y aún llevaba los pantalones y las camisas planchados con unas rayas tan marcadas que habrían complacido a un sargento mayor. Le habían dado de baja del ejército, pero el ejército no le había dejado marchar.

–Paul está en los servicios de inteligencia –dijo Henrick, que ahora tenía la cara sonrosada por el brandy.

Emmanuel calculó las probabilidades de que Paul perteneciera a la vieja guardia del cuerpo de inteligencia, la que fracturaba dedos y rompía cabezas para sacar información. Exactamente la clase de gente a la que uno no quiere tener rondando en la investigación metódica de un asesinato.

Se fijó en la postura de los hermanos, con los hombros relajados y los puños abiertos, y decidió tomar el control de la situación ahora que tenía la oportunidad. Estaba solo, sin refuerzos, y había un caso de asesinato que resolver. Empezó con la clásica pregunta inicial que garantiza una reacción tanto de un idiota como de un genio:

–¿Se os ocurre alguien que haya podido hacerle esto a vuestro padre?

–No, nadie –respondió Henrick con absoluta seguridad–. Mi padre era un buen hombre.

–Hasta los hombres buenos tienen enemigos. Y más un comisario de policía.

17

–Puede que padre se ganara la antipatía de algunas personas, pero nada serio –insistió Erich–. La gente le respetaba. Nadie que le conociera podría hacer esto.

–¿Entonces diríais que ha sido alguien de fuera?

–Los contrabandistas utilizan este tramo del río para entrar y salir de Mozambique –dijo Henrick–. Armas, alcohol, hasta panfletos comunistas: todo entra en el país cuando no hay nadie mirando.

Johannes intervino por primera vez:

–Creemos que quizá padre sorprendió a algún delincuente que estaba entrando en Sudáfrica.

–Algún maleante que traía tabaco o whisky robado del puerto de Lorenzo Márquez –añadió Erich mientras le cogía la petaca a Henrick–. Algún *kaffir* sin nada que perder.

–Eso deja un radio bastante amplio –contestó Emmanuel, que recorrió con la mirada toda la ribera del río. A lo lejos, corriente arriba, había un hombre negro mayor con una gruesa chaqueta de lana y un uniforme de color caqui sentado a la sombra discontinua de un árbol indoni. Dos niños negros asustados se acurrucaban a su lado.

–¿Quién es ése? –preguntó.

–Shabalala –contestó Henrick–. También es policía. Es mitad zulú y mitad *shangaan*. Padre decía que su lado *shangaan* podía seguir el rastro de cualquier animal y que su lado zulú se aseguraría de matarlo.

Los hermanos Pretorius sonrieron al recordar la vieja explicación del comisario.

Hansie intervino ansiosamente:

–Ésos son los niños que encontraron el cadáver, oficial. Se lo dijeron a Shabalala y él vino al pueblo en la bici y nos lo dijo a nosotros.

–Quiero ver qué nos pueden contar.

Hansie sacó un silbato del bolsillo del pecho y emitió un pitido estridente.

–Agente Shabalala. Traiga a los niños, rápido.

Lentamente, Shabalala se levantó cuan largo era, más de un metro ochenta, y empezó a caminar hacia ellos. Los niños fueron detrás, a la sombra del cuerpo del policía. Emmanuel observó acercarse a Shabalala e inmediatamente se dio cuenta de que debía de haber sido él quien había organizado a la cadena de nativos para que le indicaran el camino hasta el lugar del crimen.

–¡Venga, hombre! –gritó Hansie–. ¿Lo está viendo, oficial? Les dices que se den prisa y así es como van.

Emmanuel se apretó con los dedos el hueso que sobresalía sobre la cuenca de su ojo izquierdo, donde le estaba empezando a doler la cabeza. La luz del campo, sin la nube de contaminación industrial, brillaba en su retina como la llama de un soplete.

–Oficial Cooper, éste es el agente Samuel Shabalala –Hansie hizo las presentaciones con su mejor voz de adulto–. Shabalala, este oficial de la policía judicial ha venido desde Jo'burgo para ayudarnos a averiguar quién ha matado al comisario. Tienes que ser un buen hombre y contarle todo lo que sabes, ¿de acuerdo?

Shabalala, que sacaba varias cabezas y diez o veinte años a todos los blancos que tenía delante, asintió y estrechó la mano que le había tendido Emmanuel. Su rostro, en calma como las aguas de un lago, no revelaba nada. Emmanuel le miró a los oscuros ojos marrones y no vio más que su propio reflejo.

–El oficial es inglés –le dijo Henrick directamente a Shabalala–. Tienes que hablar en inglés, ¿vale?

Emmanuel se volvió hacia los hermanos, que estaban detrás de él formando un semicírculo.

–Tenéis que retroceder veinte pasos mientras hago unas preguntas a los niños. Os avisaré cuando estemos listos para mover a vuestro padre.

Henrick contestó con un gruñido y los hermanos se alejaron. Emmanuel esperó a que volvieran a formar su corrillo antes de continuar. Se puso en cuclillas para estar a la altura de los niños y le preguntó a Shabalala:

–*Uno bani wena?*

Shabalala abrió los ojos de par en par con un gesto de

sorpresa, y después se agachó, poniéndose a la altura de los niños igual que Emmanuel. Tocó a los pequeños en el hombro con delicadeza, primero a uno y luego al otro. Contestó la pregunta de Emmanuel, también en zulú:

–Éste es Vusi y éste es Butana, el hermano pequeño.

Los niños aparentaban unos once y nueve años y tenían el pelo rapado y unos enormes ojos marrones. Las camisas raídas les quedaban apretadas sobre los estómagos abultados.

–Yo me llamo Emmanuel. Soy policía, de Jo'burgo. Sois unos chicos muy valientes. ¿Podéis contarme lo que pasó?

Butana levantó la mano y esperó a que le dieran la palabra.

–*Yebo?* –le animó Emmanuel.

–Por favor, *baas* –dijo Butana mientras su dedo daba vueltas dentro de un agujero en la parte delantera de la camisa–. Vinimos a pescar.

–¿De dónde veníais?

–De casa de nuestra madre, en el poblado –dijo el mayor–. Vinimos cuando aún no había casi luz porque al *baas* Voster no le gusta que pesquemos aquí.

–Voster dice que los nativos roban el pescado –dijo Hansie, que se agachó para unirse a la acción. Emmanuel siguió como si no le hubiera oído.

–¿Por dónde llegasteis al río? –preguntó.

–Vinimos por ese camino de allí.

Vusi señaló un estrecho sendero, más allá de donde se encontraban la manta y el farol sobre la arena, que desaparecía en el exuberante *veld*.

–Llegamos hasta aquí y yo vi que había un hombre blanco en el agua –dijo Butana–. Era el comisario Pretorius. Muerto.

–¿Y qué hicisteis? –preguntó Emmanuel.

–Nos fuimos corriendo –Vusi se frotó las palmas de las manos una contra la otra para producir un sonido silbante–. Rápido, rápido. Sin parar.

–¿Os fuisteis a casa?

–No, *baas* –dijo Vusi negando con la cabeza–. Fuimos a casa del policía y le contamos lo que habíamos visto.

–¿Qué hora era? –preguntó Emmanuel a Shabalala.

–Poco más de las seis de la mañana –respondió el policía negro.

–Ellos siempre saben la hora que es –aportó Hansie amablemente–. No necesitan relojes como nosotros. Los negros de Sudáfrica necesitaban muy poco. Un poco menos cada día, ésa era la regla general. El trabajo en la policía judicial era uno de los pocos que no estaban sujetos a la normativa que prohibía el contacto entre las distintas razas. Los agentes desentrañaban los hechos, presentaban el informe y aportaban ante el tribunal pruebas que respaldaran el caso. Daba igual que uno fuera blanco, negro, mestizo o indio; el asesinato era un delito capital independientemente de la raza del criminal.

Emmanuel se dirigió al hermano mayor:

–¿Visteis u oísteis algo extraño al llegar al río esta mañana?

–Lo raro fue el cuerpo del comisario en el agua –dijo Vusi.

–¿Y tú? ¿Notaste algo diferente, aparte del comisario en el agua? –le preguntó al pequeño.

–No, nada –contestó el hermano menor.

–Cuando visteis el cuerpo, ¿pensasteis en alguien a quien conozcáis que pudiera haber hecho daño al comisario Pretorius?

Los niños se quedaron pensando en la pregunta durante unos instantes, concentrados y con los ojos muy abiertos.

Vusi sacudió la cabeza y dijo:

–No. Yo sólo pensé que hoy no era un buen día para ir a pescar.

Emmanuel sonrió.

–Hicisteis muy bien en contarle al agente Shabalala lo que habíais visto. Algún día seréis unos policías excelentes.

Vusi hinchó el pecho con orgullo, pero a su hermano pequeño se le llenaron los ojos de lágrimas.

–¿Qué te pasa? –preguntó Emmanuel.

–Yo no quiero ser policía, *nkosana* –contestó el niño–. Yo quiero ser maestro.

El pánico provocado por el descubrimiento del cadáver

21

afloró por fin en el pequeño testigo. Shabalala le puso la mano en el hombro al niño que lloraba y esperó la señal para dejar marchar a los pequeños. Emmanuel asintió con la cabeza.

–Para ser maestro, antes tienes que ir a la escuela –dijo el policía negro, que le hizo un gesto con la mano a uno de los granjeros que estaban en lo alto del terreno elevado–. Musa os llevará a casa.

Shabalala pasó delante de los hermanos Pretorius con los niños y los llevó hasta un hombre que estaba en lo alto del camino. El hombre les hizo un gesto con las manos para que fueran con él.

Emmanuel observó la ribera del río. El verde *veld* primaveral y el vasto cielo azul llenaban todo su campo de visión. Sacó la libreta y escribió la palabra «agradable» porque fue lo primero que le vino a la cabeza al examinar el entorno en el que había tenido lugar el asesinato.

Debía de haber habido un momento, justo después de extender la manta y encender el farol al máximo, en el que el comisario había mirado el río y experimentado una sensación placentera al contemplar aquel lugar. Puede que hasta estuviera sonriendo cuando le alcanzó la bala.

–¿Y bien? –era Erich, que seguía molesto por haber sido apartado del interrogatorio–. ¿Has conseguido algo?

–No –contestó Emmanuel–, nada.

–La única razón por la que no nos hemos llevado a padre a casa –dijo Henrick– es porque él habría querido que siguiéramos las reglas...

–Pero si no estás consiguiendo nada –dijo Erich, a quien se le estaba agotando la poca paciencia que tenía–, no hay razón para quedarnos aquí quietos como termiteros cuando podríamos estar ayudando a padre.

Esperar a que el policía de la gran ciudad examinara el lugar del crimen había afectado a los hermanos. Emmanuel sabía que estaban resistiendo las ganas de poner al comisario boca arriba para que le diera un poco el aire.

–Voy a echar un vistazo a la manta y después llevaremos

inmediatamente a vuestro padre al pueblo –dijo cuando Shabalala volvió a incorporarse al grupo–. Hepple y Shabalala, vosotros venís conmigo.

Se agacharon junto a la manta ensangrentada. Era de color gris y de un material tosco, áspero, y tan cómodo para sentarse encima como una chapa de hierro ondulado. No había ninguna celebración al aire libre, camioneta de granja o *braai* en la que faltaran las mantas como ésa.

La sangre había adquirido un color óxido al secarse sobre el tejido y había sobrepasado el borde de la manta, llegando hasta la arena. Había profundos regueros de sangre, interrumpidos a intervalos irregulares, que iban desde la manta hasta la orilla del río. Alguien había disparado al comisario y después lo había arrastrado hasta el río y lo había tirado al agua. Ninguna tontería.

–¿Qué pensáis? –preguntó Emmanuel señalando el tejido endurecido por la sangre.

–Veamos –dijo Hansie acercándose–. El comisario vino a pescar, como hacía todas las semanas, y alguien le disparó.

–Sí, Hepple, ésos son los hechos –Emmanuel echó una mirada a Shabalala. Si el comisario no se equivocaba, el lado *shangaan* del silencioso policía negro vería algo más que lo evidente–. ¿Y bien?

El agente negro vaciló.

–Dime qué crees que ocurrió –dijo Emmanuel, consciente de que Shabalala no quería poner en evidencia el pobre análisis de la situación que había hecho Hansie.

–Dispararon al comisario aquí, en la manta, y después lo arrastraron por la arena hasta el agua. Pero el asesino no es una persona fuerte.

–¿Y eso?

–Tuvo que pararse a descansar muchas veces –dijo Shabalala señalando las depresiones poco profundas que interrumpían el reguero de sangre entre la manta y el agua–. Ésta es la marca de las botas del comisario. Aquí es donde apoyaron el cuerpo. Aquí tenía la cabeza.

En el terreno hundido había un charco de sangre seca y

un mechón de pelo rubio enmarañado. La distancia entre las depresiones del terreno era cada vez menor, y los charcos de sangre cada vez mayores, a medida que el asesino se iba deteniendo más a menudo para recuperar el aliento.

–Alguien quería asegurarse de que el comisario no volviera –murmuró Emmanuel–. ¿Seguro que no tenía enemigos?

–Ninguno –contestó Hansie sin vacilar–. El comisario se llevaba bien con todo el mundo, incluso con los nativos, ¿verdad, Shabalala?

–*Yebo* –dijo el agente negro. Se quedó mirando fijamente las pruebas, que no decían lo mismo.

–En algunos sitios hay problemas entre los grupos, pero aquí no –insistió Hansie–. Ha tenido que ser un desconocido. Alguien de fuera.

Aún no había mucho con lo que ponerse a trabajar. Si había sido un crimen pasional, quizá el asesino habría cometido errores: ausencia de coartada, un escondite obvio para el arma, sangre seca en los cordones de los zapatos... Si el asesinato había sido premeditado, sólo con un meticuloso trabajo policial se podría atrapar al asesino. Fuese de dentro o de fuera, había que tener agallas para matar a un comisario de policía blanco.

–Rastrea la orilla –le ordenó a Hansie–. Ve hasta el camino por el que llegaron los niños. Ve despacio. Si encuentras algo extraño, no lo toques. Avísame.

–Sí, señor –dijo Hansie, que se puso en marcha como un perro labrador.

Emmanuel inspeccionó el lugar. El asesino había arrastrado el cuerpo hasta el agua y no se le había caído nada al suelo.

–¿Tenía enemigos? –le preguntó a Shabalala.

–Las malas personas no le apreciaban, pero las buenas sí.

El rostro del policía negro no revelaba nada.

–¿Qué crees realmente que ha pasado aquí?

–Esta mañana ha llovido. Muchas de las huellas se han borrado.

Emmanuel no se lo tragaba.

–Dímelo de todas formas.

–El comisario estaba de rodillas y mirando hacia allá –dijo Shabalala señalando en la dirección que había tomado Hansie–. Las huellas de las botas de un hombre llegan hasta aquí por detrás. Una bala en la cabeza y el comisario se desploma. Después otra bala en la espalda. La arena revelaba la huella de una bota con ranuras rectas y profundas.

–¿Cómo coño consiguió el asesino efectuar un disparo limpio de noche? –preguntó Emmanuel.

–Ayer había luna llena y era una noche clara. También estaba encendido el farol.

–¿Cuánta gente hay que pueda disparar así incluso en pleno día?

–Mucha –respondió el policía negro–. Los blancos aprenden a disparar en su club. El comisario Pretorius y sus hijos han ganado muchos trofeos –Shabalala se quedó pensando un momento–. La señora Pretorius también.

Emmanuel volvió a apretarse la cuenca del ojo izquierdo, donde estaba empezando el dolor de cabeza. Había ido a parar a un pueblo de granjeros afrikáners endogámicos con una puntería asombrosa.

–¿Adónde fue el asesino después de tirar el cuerpo?

–Al río.

Shabalala caminó hasta el borde del agua y señaló el lugar en el que las marcas de los tacones del comisario y las huellas del asesino desaparecían en la corriente.

En la otra orilla había unos cuantos juncos con los tallos rotos. Un pequeño camino se perdía entre la maleza.

–¿El asesino se fue por allí? –dijo señalando los juncos pisoteados.

–Eso creo.

–¿De quién es esa granja? –preguntó Emmanuel, que sintió una descarga de adrenalina que conocía bien: el entusiasmo ante la primera pista en un nuevo caso. Podrían seguir al asesino hasta su puerta y cerrar el caso antes de que acabara el día. Con un poco de suerte, estaría de vuelta en Jo'burgo para el fin de semana.

—No es una granja —fue la respuesta—. Es Mozambique.

—Vaya, ¿estás seguro?

—*Yebo*. Mo. Zam. Bi. Que —Shabalala repitió el nombre, lentamente y alargando los sonidos, para que no hubiera duda.

Las sílabas recalcaban que lo que había al otro lado del río era otro país, con sus propias leyes y su propia policía. Emmanuel y Shabalala se quedaron mirando a la otra orilla durante largo rato, uno al lado del otro. Cinco minutos al otro lado del río podrían proporcionarles alguna pista con la que poder resolver el caso. Emmanuel hizo un cálculo rápido: si le pillaban al otro lado de la frontera, se pasaría los dos años siguientes revisando documentos de identidad en baños públicos para blancos. Ni siquiera el inspector Van Niekerk, un astuto animal político con contactos, podría arreglar una torpe visita al otro lado de la frontera.

Se volvió hacia Sudáfrica y se concentró en las pruebas que tenía delante. La pulcritud en el lugar del crimen y la puntería de francotirador con la que el asesino había alcanzado la cabeza y la columna vertebral de la víctima indicaban que había sido obra de una mano fría y metódica. La ubicación del cadáver también era deliberada. ¿Por qué se había molestado en arrastrarlo hasta el agua cuando podría haberlo dejado en la arena?

La teoría del contrabandista sugerida por el hijo tampoco se sostenía. ¿Por qué no iba a cruzar el contrabandista por otro tramo del río, corriente arriba, evitando así llamar la atención y otras complicaciones? Y no sólo eso, ¿por qué iba a arriesgarse a que le pillaran cruzando la frontera asesinando a un blanco?

—¿Vino el asesino del río? —preguntó Emmanuel.

El policía zulú sacudió la cabeza.

—Cuando llegué yo, los pastores habían venido con sus bueyes a beber al río. Si había huellas aquí, se han borrado.

—Oficial —dijo Hansie, que venía caminando hacia ellos, sonrojado por el esfuerzo.

26

—¿Has visto algo?

—Sólo arena, oficial.

El cadáver seguía flotando en el agua. Empezó a caer una lluvia primaveral, ligera como una neblina.

—Vamos a sacar al comisario —dijo Emmanuel.

—*Yebo*.

Una sombra de tristeza recorrió por un instante el rostro del hombre negro y después desapareció.

2

El café solo estaba caliente y tenía brandy suficiente para calmar el dolor de los músculos de Emmanuel. Los hombres de la orilla no volvieron a los coches hasta una hora después de empezar a sacar al comisario, con los hombros y las piernas doloridos del cansancio. Extraer el cadáver del lugar del crimen no había sido mucho más fácil que sacar un tanque Sherman del barro.

—¿Un *koeksister*? —preguntó la esposa del viejo Voster, una mujer con cara de sapo y el pelo cano y poco abundante.

—Gracias.

Emmanuel cogió uno de los pegajosos pasteles y se apoyó en el Packard.

Recorrió el grupo de personas y vehículos con la mirada. Había dos criadas negras sirviendo café recién hecho y repartiendo toallas secas mientras unos trabajadores de la granja atendían el fuego para calentar el agua y la leche. Voster, confinado en una silla de ruedas, y su familia, un hijo y dos hijas, estaban enfrascados en una conversación con los hermanos Pretorius mientras una jauría de robustos crestados rodesianos olfateaba el suelo a sus pies. Un grupo de niños blancos y negros corrían zigagueando entre los coches, jugando al escondite ruidosamente. El comisario estaba en la parte trasera de la furgoneta policial, envuelto en sábanas blancas limpias.

Emmanuel apuró su café y se acercó a los hermanos Pretorius. La investigación tenía que empezar a rodar enseguida. Hasta el momento sólo tenían un cadáver y un asesino que andaba suelto por Mozambique.

–Es hora de irse –dijo Emmanuel–. Vamos a llevar al comisario al hospital para que lo examine el médico.

–Vamos a llevárnoslo a casa –contestó Henrick rotundamente–. Mi madre ya ha esperado bastante para verle.

Emmanuel sintió la fuerza de los hermanos cuando volvieron sus ojos hacia él. Aguantó las miradas y absorbió la rabia y la tensión, ahora doblemente exacerbadas por el alcohol y el cansancio.

–Necesitamos una opinión médica sobre la hora y la causa de la muerte. Y un certificado de defunción firmado. Es el procedimiento policial habitual.

–Joder, ¿es que eres ciego además de sordo? –dijo Erich–. ¿Te hace falta un médico para saber que le dispararon? ¿Qué clase de policía eres, oficial?

–Soy la clase de policía que resuelve casos, Erich. Por eso me ha mandado el inspector Van Niekerk. ¿Prefieres que se lo dejemos a él?

Señaló la hoguera junto a la que estaba Hansie, sentado con las piernas cruzadas y con un plato de *koeksisters* en las rodillas. Les llegó el débil sonido de su tarareo mientras escogía otro dulce.

–No vamos a dejar que un médico le abra como a un animal –dijo Henrick–. Es una criatura de Dios, aunque su espíritu haya abandonado su cuerpo. Padre jamás lo habría consentido y nosotros tampoco vamos a permitirlo.

Auténticos afrikáners, y además religiosos. Se habían desatado guerras por menos. Los Pretorius estaban dispuestos a tomar las armas para defender sus creencias. Era hora de andarse con cuidado: estaba solo, sin refuerzos y sin compañero. Alguna clase de exploración del cuerpo sería mejor que nada.

–No habrá autopsia –dijo Emmanuel–, sólo un examen para determinar la hora y la causa de la muerte. Estoy seguro de que el comisario habría consentido eso.

29

–*Ja*, de acuerdo –dijo Erich, y la agresividad desapareció.
–Decidle a vuestra madre que le llevaremos a casa lo antes posible. El agente Shabalala y yo cuidaremos de él.

Henrick le dio las llaves de la furgoneta policial, que había encontrado en el bolsillo del comisario al sacarle del río.

–Hansie y Shabalala le indicarán el camino al hospital y después a casa de nuestros padres. Como tarde más de la cuenta, mis hermanos y yo iremos a por usted, oficial.

Emmanuel miró por el espejo retrovisor de la furgoneta policial y vio que Hansie iba detrás, en el Packard, con la bicicleta de Shabalala atada al techo. El joven conducía bien, con firmeza y confianza. Si el asesino conducía un coche de carreras, pensó Emmanuel, quizá Hansie tendría la oportunidad de ganarse su paga en la policía, posiblemente por primera vez.

Los vehículos entraron en el pueblo de Jacob's Rest por la calle Piet Retief, la única vía asfaltada de la localidad. Un poco más adelante, giraron por un camino de tierra y pasaron por delante de una serie de construcciones de poca altura apiñadas bajo la nube de flores violeta de un grupo de jacarandas. Shabalala condujo a Emmanuel hacia una calle circular bordeada de piedras encaladas. Emmanuel paró delante de la entrada principal del hospital Gracia Divina.

Las dos puertas principales tenían talladas crudas representaciones de Cristo crucificado. Emmanuel y Shabalala salieron de la furgoneta y se quedaron a los lados del mugriento capó. Llenos de salpicaduras de barro y manchas de sudor, llevaban con ellos el olor de las malas noticias.

–¿Y ahora? –preguntó Emmanuel a Shabalala. Era casi mediodía y el comisario se estaba asando lentamente en la parte trasera de la furgoneta.

Las puertas del hospital se abrieron y una mujer negra y corpulenta con un hábito de monja apareció en lo alto de las escaleras como una locomotora a toda máquina. A su lado había otra monja, con la piel blanca y diminuta como una gallina bantam. Las hermanas miraron al exterior desde la sombra que proyectaban sus tocas.

—Hermanas —dijo Emmanuel levantándose el sombrero, como un vagabundo practicando sus buenos modales—. Soy el oficial Emmanuel Cooper, de la policía judicial. Me imagino que ya conocen a los otros policías.

—Sí, sí, claro —dijo la diminuta monja blanca mientras corría escaleras abajo, seguida por su robusta sombra negra—. Yo soy la hermana Bernadette y ésta es la hermana Angelina. Por favor, disculpe nuestra sorpresa. ¿En qué podemos ayudarle, oficial Cooper?

—Tenemos al comisario Pretorius en la furgoneta...

El grito ahogado de las hermanas interrumpió su discurso. Empezó de nuevo, intentando adoptar un tono más suave:

—El comisario está...

—Muerto —lloriqueó Hansie—. Le han asesinado. Alguien le disparó en la cabeza y en la espalda..., tiene un agujero...

—Agente... —Emmanuel apoyó todo el peso de su mano sobre el hombro del muchacho. No hacía falta ir pregonando información concreta sobre el caso tan pronto. Era un pueblo pequeño. Todo el mundo estaría al corriente de los detalles escabrosos enseguida.

—Que el Señor lo tenga en su gloria —dijo la hermana Bernadette.

—Que Dios se apiade de su alma —entonó la hermana Angelina.

Emmanuel esperó a que las hermanas se santiguaran para continuar:

—Necesitamos que el médico examine al comisario Pretorius para determinar la hora y la causa de la muerte y para expedir el certificado de defunción.

—Ay, Dios mío, Dios mío... —murmuró la hermana Bernadette, ahora con un fuerte acento irlandés—. Me temo que no podemos ayudarle, oficial Cooper. El médico se ha marchado esta mañana a hacer visitas.

—¿Cuándo estará de vuelta?

Emmanuel calculó que disponía de un máximo de cuatro

horas hasta que aparecieran los hermanos Pretorius reclamando el cadáver.

–Dentro de dos días, puede que tres –dijo la hermana Bernadette–. Ha habido un brote de bilharziasis en un internado cerca de Bremer. Puede que tarde más, depende del número de casos que haya. Lo siento muchísimo.

Días, no horas. El tiempo en el campo iba demasiado despacio para su gusto.

–¿Qué harían si el comisario Pretorius estuviera herido de gravedad pero aún vivo? –preguntó.

–Mandarle a Mooihoek. En el hospital hay un médico todo el tiempo.

No se hizo muchas ilusiones. Era una situación JIDA, como les gustaba decir a los soldados yanquis. Jodida e Imposible De Arreglar. Lo intentó de todas formas.

–¿Cuánto se tarda en llegar?

–Si la carretera está en buen estado, algo menos de dos horas –la hermana Bernadette dio la buena noticia con una tímida sonrisa y después buscó una cara más amable, una que entendiera de geografía–. ¿No es así, agente Shabalala?

Shabalala asintió.

–Sí, se tarda eso si la carretera está bien.

–¿Y lo está? –preguntó Emmanuel. De repente sintió las punzadas y las luces blancas y rojas provocadas por el dolor de cabeza detrás del ojo izquierdo. Esperó a que alguien contestara a su pregunta.

–Está bien hasta la granja de Ver Maak –explicó Shabalala cuando quedó claro que nadie más iba a contestar–. Ver Maak le dijo al comisario que había una *donga* en la carretera, pero él la rodeó para venir al pueblo.

El barranco producido en la carretera se podía sortear, pero alargaría el viaje a Mooihoek. No quería arriesgarse a airear el caso así. Estaba claro que una furgoneta policial con el cadáver de un comisario de policía llamaría la atención, especialmente en Mooihoek, donde bastaría una simple llamada telefónica para tener a la prensa encima en un santiamén.

–Oficial Cooper... –dijo la hermana Bernadette, que se llevó los dedos a la cruz de plata que llevaba en el cuello y sintió el tacto reconfortante de las marcadas costillas de Jesús–. Está el señor Zweigman.

–¿Quién es el señor Zweigman?

–El viejo judío –dijo Hansie rápidamente–. Tiene una tienda de confecciones al lado de la parada del autobús. Los *kaffirs* y los mestizos compran allí.

Emmanuel mantuvo la mirada fija en la hermana Bernadette, la paloma de Dios vestida de negro y lista para emprender el vuelo a la mínima señal.

–¿Qué pasa con el señor Zweigman?

La hermana Bernadette dejó escapar el aliento que había estado conteniendo.

–Hace unos meses atropellaron a un niño nativo y el señor Zweigman le atendió en el lugar del accidente. Después el niño vino al hospital y se notaba que... le había curado un profesional.

Emmanuel miró a Shabalala. El agente asintió. La historia era cierta.

–¿Es médico?

–Dice que era médico en los campos de refugiados en Alemania, pero... –la hermana Bernadette apretó con fuerza la cruz de plata y pidió perdón al Señor por la confidencia que estaba a punto de revelar–. Le hemos pedido al señor Zweigman que atendiera un par de casos cuando no estaba el doctor Kruger. No oficialmente, claro. No, no. Sólo un vistacito, nada más. Preferiríamos que el doctor no se enterara.

–El viejo judío no es médico –Hansie se enfureció sólo de pensarlo–. El doctor Kruger es el único médico de la zona, lo sabe todo el mundo. ¿Qué tonterías está diciendo?

La hermana Angelina dio un paso adelante con una sonrisa angelical. Podría haber aplastado a Hansie con su enorme puño negro, pero prefirió parecer insignificante delante del joven policía henchido de orgullo.

–Sí, por supuesto –dijo con un tono de voz cálido–. El doctor Kruger es el único médico de verdad, eso es cierto, agente.

El señor Zweigman es sólo para los nativos, que no necesitamos una atención médica tan buena. Sólo para los nativos.

Emmanuel seguía sin saber si el viejo judío era médico o un tendero con un certificado de primeros auxilios.

–Shabalala –dijo haciendo un gesto al policía para que le acompañara detrás de la furgoneta, donde no pudieran oírlos–. ¿Qué sabes de este asunto?

–El comisario me dijo: si te pones enfermo, ve a ver al viejo judío. Te curará mejor que el doctor Kruger.

Mejor, no peor. Ésa era la opinión del comisario y aquél era su pueblo. Emmanuel sacó del bolsillo las llaves del Packard.

–Es aquí.

Shabalala señaló una fila de tiendas apretujadas bajo unas chapas de hierro ondulado llenas de óxido. Una acera llena de agujeros daba una apariencia de abandono aún mayor a los negocios, que tenían las puertas abiertas a la calle. Khan's Emporium despedía un acre olor a especias. A su lado había una tienda de «licores de primera calidad» atendida por dos muchachos mestizos que jugaban a las cartas en la entrada con cara de aburrimiento. El siguiente comercio era una tienda llamada Poppies, que parecía a punto de salirse de los cimientos de madera y caer sobre la parcela vacía de al lado.

En la acera de enfrente había un taller mecánico quemado, con un surtidor de gasolina calcinado y pilas de neumáticos llenos de ampollas. Un hombre larguirucho con la piel de color nogal estaba revisando los escombros con paciencia, recogiendo ladrillos y trozos de metal retorcido y echándolos en una carretilla.

Una mujer negra con un bebé atado a la espalda pasó caminando lentamente y un niño mulato, un «mestizo», atravesó la acera empujando un coche de juguete hecho de alambre. No había ingleses ni afrikáners. Habían salido de la África blanca.

–La última es la del viejo judío –dijo Shabalala señalando la tienda Poppies. Emmanuel apagó el motor y dejó su optimismo en suspenso. Una tienda destartalada en el lado equivocado de la frontera racial no era sitio para un médico titulado, a menos que estuviera loco o le hubieran prohibido ejercer la medicina.

Poppies estaba abarrotada de sacos de maíz, tarros de mermelada y latas de carne en conserva. El ambiente olía a algodón en rama y en el extremo de un largo mostrador de madera había apoyados rollos de telas lisas y estampadas. Detrás del mostrador había un hombre delgado con unas gafas redondas con montura metálica y una mata de pelo blanco brillante que salía disparada de su cabeza como un signo de admiración.

Un chiflado, juzgó inmediatamente Emmanuel, que vio que «el viejo judío» no era tan viejo como había imaginado. Zweigman no llegaba a los cincuenta, a pesar del pelo y de los hombros encorvados. Los ojos marrones brillaron como los de un cuervo cuando se fijó en los dos hombres salpicados de barro sin mostrar ninguna reacción.

–¿En qué puedo ayudarle, agente? –preguntó con un acento que Emmanuel conocía bien. Alemán culto trasplantado a un inglés tosco y sin gracia.

–Coja su instrumental médico y su licencia. Le necesitamos en el hospital.

Se aseguró de que Zweigman viera la placa policial que había puesto bruscamente sobre el mostrador.

–Un momento, por favor –respondió Zweigman educadamente antes de desaparecer en una trastienda situada detrás de una cortina de rayas amarillas y blancas. El zumbido mecánico de unas máquinas de coser fue perdiendo intensidad y luego se interrumpió de golpe. Se oyeron voces, con un tono suave y apremiante, y el tendero reapareció con su maletín de médico. Detrás de Zweigman, siguiéndole muy de cerca, salió una mujer morena con un elegante vestido de satén azul entallado que se ajustaba a sus generosas curvas.

El viejo judío y la mujer eran tan diferentes como una bota de agua y un traje de noche. Zweigman podría haber sido cualquier anciano detrás de cualquier mostrador polvoriento de Sudáfrica, pero el sitio de la mujer estaba en algún lugar de clima frío, con alfombras persas y un piano de cola en el rincón.

De su boca salió varias veces la palabra *liebchen*, en un bucle que sólo se interrumpió cuando Zweigman le puso los dedos sobre los labios con delicadeza. Se quedaron quietos, muy juntos, envueltos en una tristeza que dejó asombrado a Emmanuel.

Había vuelto el dolor de cabeza, un resplandor ardiente detrás de la cuenca del ojo. Se apretó el ojo con la palma de la mano, intentando eliminar la visión borrosa. En la retina apareció grabada una imagen de Angela, su propia esposa, efímera y con la piel clara, llamándole desde un rincón del pasado. ¿Habían compartido alguna vez un momento tan íntimo como el que estaban compartiendo en ese mismo instante el viejo judío y su preocupada esposa?

–Vámonos –dijo Emmanuel dirigiéndose a la puerta.

La luz del exterior era débil y blanca y estaba atravesada por pequeñas partículas de polvo. Delante de la licorería, los muchachos mestizos levantaron la mirada y enseguida volvieron a dirigirla a su partida de cartas. Ver a un policía pasar de largo era mejor que tenerlo allí parado haciendo preguntas.

Emmanuel se sentó en el asiento del conductor, arrancó el motor y esperó. Zweigman entró en el coche y se sentó a su lado con su maletín de médico apoyado sobre las rodillas. Nadie dijo nada mientras el coche se apartaba lentamente del bordillo y se ponía en marcha hacia el hospital.

–¿Dónde se licenció en medicina? –preguntó Emmanuel. Había que verificarlo todo antes de permitir que Zweigman tocara el cadáver del comisario.

–En la Charité Universitätsmedizin de Berlín.

–¿Tiene la cualificación para ejercer en Sudáfrica?

No se imaginaba al Partido Nacional rechazando títulos alemanes, ni siquiera si el titulado era judío.

Zweigman dio unos golpecitos con el dedo en el maletín de cuero rígido; parecía estar pensando en la pregunta.

Salieron de la calle Piet Retief, con sus negocios con propietarios blancos, y siguieron por General Kruger. Cada calle de Jacob's Rest era la respuesta a una pregunta de un examen de historia afrikáner.

–¿Tiene la cualificación? –volvió a preguntar Emmanuel.

El tendero esquivó la pregunta agitando la mano.

–Ya no me siento cualificado para ejercer la medicina en ningún país.

Emmanuel levantó el pie del acelerador y se dispuso a dar media vuelta y regresar a Poppies.

–¿Le han prohibido ejercer la medicina en Alemania o en Sudáfrica por alguna razón, doctor Zweigman? –preguntó.

–Nunca –dijo el tendero–. Y ya no atiendo al nombre de «doctor». Llámeme «el viejo judío» como todo el mundo, por favor.

–Lo haría –contestó Emmanuel mientras paraba delante del hospital Gracia Divina y apagaba el motor–, pero no es usted tan viejo.

–Aaaah... –dijo Zweigman, emitiendo un sonido tan seco como un pergamino–. No se deje engañar por mi aspecto juvenil, oficial. En realidad, bajo esta apariencia soy el judío prehistórico.

Esas extrañas expresiones eran un posible motivo por el que el teutón chiflado estaba sentado a su lado y no en algún consultorio ostentoso de Ciudad del Cabo o Jo'burgo.

–Creo que le llamaré «el judío extraño», le pega más. Ahora vamos a ver sus papeles.

Hacer amistad con un hombre lo suficientemente chiflado para preferir ser tendero antes que médico no estaba en su lista de cosas que hacer. Sólo quería verificar sus títulos y después conseguir algo para aliviar el martilleo que sentía en la cabeza.

La luz del sol alcanzó la montura de las gafas de Zweigman cuando se inclinó hacia delante, por lo que Emmanuel no estaba seguro de si había vislumbrado un gesto risueño en los ojos castaños del médico. Zweigman le dio los documentos; los primeros estaban en alemán.

–¿Lee usted *Deutsch*, oficial?

–Sólo los menús de las cervecerías.

Pasó a los títulos sudafricanos en inglés y leyó la información despacio. Después volvió a leerla. Cirujano, miembro del Real Colegio de Cirujanos. Era como encontrar una moneda de oro dentro de un calcetín sucio.

Emmanuel miró fijamente a Zweigman, que le devolvió la mirada sin pestañear. Tenía que haber una explicación sencilla para que aquel alemán de pelo cano estuviera en Jacob's Rest. Un pueblo recóndito en medio del campo era el lugar perfecto para esconder a un cirujano al que le temblaban las manos. ¿Era el buen médico aficionado a la bebida?

–No, oficial –Zweigman le leyó el pensamiento–, no pruebo el alcohol.

Emmanuel le devolvió los papeles encogiéndose de hombros. Zweigman estaba de sobra cualificado para hacer lo que le pedían. Eso era todo lo que requería el caso.

Lo suficientemente lejos de los edificios principales como para crear una zona de transición entre los vivos y los muertos, una choza de adobe de forma circular hacía las veces de depósito de cadáveres y almacén del hospital.

Emmanuel se detuvo a la sombra de una jacaranda y dejó que Shabalala y Zweigman se adelantaran. El médico encorvado y el altísimo policía negro se acercaron al depósito caminando sobre la alfombra formada por las flores caídas de la jacaranda. Al final del camino, la hermana Angelina y la hermana Bernadette estaban dando cucharadas de aceite de hígado de bacalao a una fila de niños harapientos mientras Hansie dormía el profundo sueño del tonto del pueblo con la cabeza apoyada en la puerta del depósito.

«Mi equipo», pensó Emmanuel. Salió de la sombra y volvió a sentir cómo le golpeaba el dolor de cabeza. El tejado de paja de la choza se mezcló con el cielo y la hierba se fundió con las paredes blancas de los edificios hasta que todo pareció una acuarela pintada por un niño. Se apretó con fuerza la cuenca del ojo con la palma de la mano, pero la visión borrosa y el dolor no desaparecieron. Al atardecer, la jaqueca sería una afilada esquirla de intensa luz que le dejaría el ojo completamente cerrado. Cuando estuviera resuelto el asunto del examen del cadáver les pediría a las monjas una dosis triple de aspirina. Dos para ahora y otra que podría tomarse con un whisky antes de irse a dormir. Al menos sabía dónde estaba la licorería.

–Durmiendo en horas de servicio –le dijo a Hansie al tiempo que le golpeaba en el hombro con fuerza–. Podría expedientarle por eso, Hepple.

Hansie se puso en posición de firme de un salto para demostrar que estaba alerta.

–No estaba dormido, estaba descansando la vista –dijo Hansie, que en ese momento vio a Zweigman–. ¿Qué hace él aquí? Pensé que había ido a buscar a los hermanos Pretorius.

–Nos hemos perdido.

Emmanuel esquivó a Hansie y abrió la puerta del depósito de cadáveres. Dentro hacía fresco y estaba oscuro. Miró por encima del hombro y vio a Zweigman acercarse a las monjas, que estaban sonrojadas e incómodas ante el hombre cuya confianza habían traicionado.

–Hermana Angelina, hermana Bernadette –el alemán de pelo cano no dio ninguna muestra de estar allí por invitación de la policía–, ¿serán tan amables de ayudarme?

–Sí, doctor –contestó la hermana Bernadette–. Discúlpenos mientras preparamos lo necesario.

Las monjas llevaron a los niños al edificio principal, donde las ventanas se llenaron de caras negras y marrones pegadas a los cristales. El ala reservada a los blancos estaba vacía. Los niños de color tendrían algo que contar a sus visitas por la tarde: «¡Se ha muerto el comisario, el gran jefe Pretorius!».

–¿Doctor? –Hansie estaba completamente despierto y mirando a Zweigman con cara de pocos amigos–. Ése es el viejo judío. No es médico. Vende alubias a los *kaffirs* y a los mestizos.

–Está cualificado para tratar a nativos, mestizos y cadáveres –dijo Emmanuel, que se refugió en el interior del oscuro depósito. Detrás del ojo, las pulsaciones disminuyeron ligeramente, pero no lo suficiente. Encendió la lámpara quirúrgica. Hansie y Shabalala entraron y se situaron junto a la pared. Cuando volvieran las monjas, les pediría directamente los calmantes. Iba a ser imposible aguantar todo el examen con la intensa luz blanca en aquella agobiante morgue.

Retiró la sábana y dejó al descubierto el cuerpo uniformado del comisario. Zweigman parecía a punto de echar las tripas en el suelo de cemento. Los nudillos se le pusieron blancos de apretar el asa de cuero de su maletín de médico.

–¿Eran amigos usted y el comisario? –preguntó Emmanuel.

–Nos conocíamos –la voz de Zweigman había perdido la mitad de su fuerza y el acento gutural era más marcado que antes–. Una relación que, por lo visto, ha acabado muy repentinamente.

A Zweigman le volvió el color a la cara y empezó a despejar una encimera de un lado de la sala con la precisión de un robot. ¿Había un ligero dejo de satisfacción en su comentario sobre el final repentino?

–Así que no eran amigos –dijo Emmanuel.

–Pocos blancos en este pueblo me considerarían un amigo –contestó el judío sin volverse. Se remangó la camisa hasta los codos pausadamente y abrió su maletín.

–¿Y eso por qué?

–No llegué aquí en los carromatos de los primeros *trekboers* y no entiendo cómo, o ni siquiera por qué, se juega al rugby.

Emmanuel se protegió los ojos de la cruda luz para ver mejor a Zweigman. Notaba el martilleo de la jaqueca detrás del globo ocular. Zweigman había pasado del shock a la calma en un abrir y cerrar de ojos.

–¿Dónde pongo esto, doctor?

La hermana Angelina había entrado en el depósito de cadáveres con un enorme barreño lleno de agua caliente en sus musculosos brazos. Encima del hábito llevaba un delantal blanco almidonado que le llegaba hasta las rodillas. Zweigman señaló la encimera que había despejado. La hermana Bernadette entró arrastrando los pies, cargada con una pila de toallas de distintos tamaños. Lo prepararon todo en silencio, moviéndose como bailarinas de un ballet bien ensayado. Zweigman se lavó bien las manos y los antebrazos y se secó con una toalla pequeña.

–¿Doctor? –dijo la hermana Bernadette, que sostenía en alto una bata quirúrgica blanca con el nombre «Kruger» bordado en azul oscuro en el bolsillo. Zweigman se la puso y dejó que la hermana Bernadette le anudara las cintas a la espalda. Era evidente que ya habían trabajado juntos.

–¿Qué es lo que quiere? –preguntó Zweigman.

–Hora de la muerte. Causa de la muerte y un certificado de defunción firmado. Sin autopsia.

Emmanuel sacó la libreta, pero el dolor de cabeza desdibujó sus anotaciones y las convirtió en manchas oscuras.

–¿Oficial?

Emmanuel volvió a enfocar y vio que tenía delante a la hermana Angelina con un vaso de agua en una mano y cuatro pastillas blancas en la palma de la otra.

–El doctor dice que se tome esto inmediatamente.

Se metió las pastillas en la boca y se las tragó con el agua. Una dosis doble, como siempre que no se le pasaba la visión borrosa. Quizá «el judío perspicaz» fuera un nombre más apropiado para Zweigman.

–Gracias.

–No hay de qué –dijo Zweigman volviéndose hacia el cadáver. El rostro fantasmal brillaba con blancura bajo la luz de la bombilla desnuda–. Empecemos con la ropa.

La hermana Angelina cogió unas tijeras de podar, fue cortando el duro tejido por la fila de botones que iba del cuello a la cintura y después abrió el uniforme como la cáscara de

41

un fruto, dejando al descubierto la piel blanca del torso hinchado del comisario.

Emmanuel se acercó. Tenía que ir despacio hasta que se le pasara la visión borrosa y anotar toda la información sin entrar en pormenores. Los detalles obvios tendrían que ajustarse a descripciones de una o dos palabras en la libreta, al menos hasta que pudiera ver con claridad.

La primera palabra fue «grande». La altura y la fuerza de los hermanos Pretorius eran herencia de su padre. El comisario medía más de un metro ochenta y tenía el cuerpo musculoso por el trabajo físico.

–¿El comisario aún hacía deporte? –preguntó Emmanuel sin dirigirse a nadie en concreto. La nariz del comisario, rota y después recolocada sin demasiada delicadeza, probablemente fuera el resultado de su paso por los embarrados campos de juego que salpicaban la nación afrikáner.

–Entrenaba al equipo de rugby –respondió Hansie.

–Y corría –continuó la hermana Bernadette–. Corría por todo el pueblo y a veces por el campo.

–¿Todos los días a la misma hora?

–Todos los días excepto el domingo, por ser el día del Señor –dijo la hermana Bernadette con un tono que rezumaba admiración–. A veces iba a correr por la mañana y otras le veíamos pasar corriendo bien entrada la noche.

Eso explicaba por qué el comisario no había acumulado grasa como muchos de los policías de alto rango del cuerpo. Mantener un peso normal después de más de diez años de servicio iba prácticamente en contra del procedimiento policial.

–Sí –dijo Zweigman mientras desataba el cordón de una de las botas–. Por la mañana temprano o a altas horas de la noche. Era imposible saber cuándo pasaría corriendo el comisario. O cuándo se detendría para mantener una charla amistosa.

Emmanuel escribió «¿Zweigman vs. Comisario?» en la libreta. Percibía cierta acritud en las palabras del médico. Indagaría los detalles más tarde.

–Ay, sí –dijo la hermana Bernadette con un suspiro–. El comisario siempre se paraba cuando tenía tiempo. Conocía por su nombre a todos nuestros pequeños huérfanos.

–Los pantalones.

Zweigman se hizo a un lado y la hermana Angelina cortó las dos perneras con las tijeras de podar. Los dos primeros botones de la bragueta estaban desabrochados y la hebilla del cinturón de cuero se había abierto con la fuerte corriente del río.

–Hermana Bernadette –dijo Zweigman–, retire los pantalones mientras nosotros lo levantamos, por favor.

Se situó a la altura de los hombros del comisario.

–Por favor, doctor –la hermana Angelina le hizo un gesto para que se apartara y, con una sola mano, incorporó al comisario empujando su cuerpo inerte mientras su diminuta compañera irlandesa le quitaba el sucio uniforme y lo tiraba al suelo. Repitieron la operación con los pantalones y dejaron al comisario desnudo y pálido sobre la camilla. La hermana Angelina tapó discretamente con una toalla los genitales, que habían quedado a la vista.

–Pobre comisario Pretorius –dijo la hermana Bernadette mientras volvía a poner en la camilla los brazos que habían quedado colgando–. Habría dado igual el estado en el que estuviera el cuerpo, le habría reconocido de cualquier forma.

No tenía ninguna marca que le identificara. ¿Había algo en el cuerpo desnudo del comisario que sólo podía reconocer la pequeña monja?

La hermana Bernadette le levantó una mano muerta.

–Jamás le vi sin este reloj. Siempre lo llevaba puesto.

–No se lo quitaba nunca –apuntó Hansie. Se le estaban enrojeciendo los ojos–. Se lo regaló la señora Pretorius por su cuarenta cumpleaños. La correa es de piel de cocodrilo auténtica.

Incluso bajo las capas de suciedad se apreciaba claramente la calidad del reloj. Era de oro mate con una correa con relieve. Elegante. No era una palabra que casara muy bien con el fornido comisario ni con sus hijos. Emmanuel le levantó la mano. Tenía moratones recientes que ensombrecían la piel de los nudillos. El comisario Pretorius había golpeado algo con fuerza recientemente. Hizo una breve anotación en la libreta y le dio la vuelta a la mano. Tenía unos cuantos callos repartidos por la palma, grande como una bandeja.

–¿Qué tipo de trabajo físico hacía el comisario?

–Le gustaba arreglar motores con Louis. Estaban reparando una vieja moto juntos –Hansie se sorbió la nariz.

–No –dijo Emmanuel. Algunos de los callos mostraban bordes suaves y rotos que indicaban la presencia de ampollas recientes. Aquélla era la mano de alguien que hacía un trabajo físico y que había estado levantando y moviendo peso hasta el día de su muerte–. Me refiero a trabajo duro. Trabajo de sudar.

–A veces echaba una mano a Henrick en la granja –dijo Hansie en voz baja–. Si era época de desinfectar o marcar el ganado, le gustaba estar allí mirando porque se crió en una granja y echaba de menos la vida en...

Shabalala no dijo nada. Mantuvo la mirada fija en el suelo de hormigón sobre el que descansaba el uniforme del comisario, hecho pedazos y abandonado. Si el policía negro sabía la respuesta, no estaba dispuesto a compartirla.

Emmanuel dio la vuelta a la fría mano del comisario y retrocedió. Quizá los hijos tendrían algo que decir. Apuntó «trabajo duro / ampollas en la manos» en la libreta. Los trazos negros se quedaron quietos sobre el papel. La medicación estaba haciendo efecto.

Zweigman comenzó a examinar el cuerpo de arriba abajo:

–Traumatismo severo en la cabeza. Parece la herida de entrada de un proyectil de arma de fuego. Contusiones en los hombros, la parte superior de los brazos y la zona axilar...

De arrastrar el cuerpo, pensó Emmanuel. El asesino tuvo que agarrarlo con fuerza y tirar de él como una mula para llegar hasta el agua. ¿Por qué se molestó? ¿Por qué no disparó y salió corriendo para desaparecer en la oscuridad?

Zweigman siguió hacia abajo, fijándose meticulosamente en todos los detalles.

–Traumatismo severo en la espina dorsal. Parece la herida de entrada de otro proyectil. Contusiones en los nudillos. Palmas de las manos ampolladas...

El cirujano alemán estaba totalmente concentrado en la tarea y su rostro brillaba con algo parecido a la satisfacción. Con esa evidente pericia, ¿qué hacía atendiendo detrás del mostrador de una tienda destartalada?

–Vamos a lavarlo –dijo Zweigman.

La hermana Angelina escurrió el agua templada de una toalla de mano y empezó a limpiar la piel blanca con el toque firme y eficiente de las niñeras de los hogares ingleses y afrikáners de toda Sudáfrica. El comisario estaba abandonando la vida igual que había llegado a ella cuarenta y tantos años antes, en manos de una mujer negra.

–No, no, no –dijo Hansie, que salió disparado hacia delante jadeando–. Al comisario no le gustaría eso.

–¿El qué no le gustaría, Hepple? –preguntó Emmanuel.

–Que una mujer *kaffir* le tocara ahí abajo. Él estaba en contra de esas cosas.

Hubo un silencio lleno de tensión, empañado por la horrible nube de la historia reciente. Ahora la Ley de Inmoralidad que prohibía las relaciones sexuales entre blancos y personas de otras razas formaba parte de la legislación vigente, y los infractores eran sometidos a la humillación pública y a penas de cárcel.

–Salga a que le dé un poco el aire –dijo Emmanuel–. Le avisaré cuando le necesitemos.

–Por favor, oficial, quiero ayudar.

–Ya nos ha ayudado, ahora puede tomarse un descanso. Salga a tomar un poco de aire fresco.

–*Ja* –Hansie se encaminó a la salida con los hombros encorvados. Iba a necesitar bastante tiempo para borrar de su mente la imagen del comisario, desnudo y toqueteado por una mujer negra.

Emmanuel esperó a que se cerrara la puerta para dirigirse a la hermana Angelina y a Zweigman, que se habían mantenido apartados del cadáver durante el arrebato del joven

45

policía. Un adolescente blanco con un uniforme y una placa estaba claramente por encima de un judío extranjero y una monja negra.

–Continúen –dijo, intentando librarse del profundo sentimiento de vergüenza que le embargaba. Los afrikáners habían votado al Partido Nacional. La segregación racial era cosa de gente como el comisario Pretorius y sus hijos. Un oficial de la policía judicial no tenía que cumplir las nuevas leyes. El asesinato no era de ningún color.

–Mejor así –dijo Zweigman después de susurrar una orden a las monjas, que desdoblaron una sábana blanca y la sujetaron delante del cuerpo del comisario para que no se le viera. Zweigman fue a buscar el termómetro para uso interno, vaciló y lanzó una mirada de preocupación a Shabalala.

–Salga si quiere –le dijo Emmanuel al agente zulú.

–No –contestó Shabalala sin mover un dedo–. Me quedo aquí con él.

Zweigman asintió con la cabeza y continuó con la macabra tarea de extraer información del muerto. Comprobó la temperatura en el termómetro, volvió a observar la película lechosa que cubría los ojos del comisario y después examinó el cuerpo limpio una segunda vez.

–La causa de la muerte fue el traumatismo en la cabeza y en la columna causado por una bala. El traumatismo en estas zonas está tan localizado y es tan severo que es muy probable que la víctima ya estuviera muerta antes de llegar al agua. No he explorado los pulmones para confirmarlo, pero ésa es mi opinión.

–¿Cómo sabe que le encontraron en el agua?

Emmanuel estaba seguro de que no le había mencionado ese detalle a Zweigman.

–Por los sedimentos en la ropa mojada y en el pelo. El comisario Pretorius huele a río.

Emmanuel tenía los zapatos cubiertos de barro y hojas podridas. Parecía que tanto a él como a Shabalala los habían dragado en el río y luego los habían tendido para que se secaran.

–¿Hora de la muerte? –preguntó.

–Es difícil de decir. La ausencia de grasa corporal y la baja temperatura del agua en la que se encontró el cadáver dificultan los cálculos. Lo más que puedo decir es que se produjo entre las ocho de la tarde y la medianoche de ayer.

El tendero de pelo cano le dio el termómetro a la hermana Bernadette y se quitó los guantes.

El uniforme de policía hecho jirones estaba tirado en el suelo. Los botones todavía brillaban.

–Shabalala, ¿iba siempre el comisario a pescar con el uniforme?

–A veces, cuando era tarde, iba a pescar directamente desde la comisaría. No le gustaba molestar a la señora después de la cena.

–O a lo mejor simplemente le gustaba llevar el uniforme –dijo Zweigman mientras se quitaba la bata quirúrgica que se había desatado y la dejaba en la encimera.

Emmanuel volvió atrás en su libreta e hizo una marca al lado de «¿Zweigman vs. Comisario?». El comentario sobre el uniforme era relativamente inofensivo, pero tenía un toque incisivo. ¿Había aprovechado Pretorius su posición para sancionar al tendero por alguna pequeña infracción? El Partido Nacional introducía una decena de formas nuevas de infringir la ley cada año. Zweigman no habría sido el primero al que pillaban.

–Si me disculpan, voy a cumplimentar el certificado de defunción y después me marcho. Aquí tiene calmantes de reserva para la cabeza –dijo Zweigman dándole un frasco entero–. No se ofenda, oficial, pero espero no volver a verle.

–¿Se le ocurre alguien que haya podido hacer esto? –preguntó Emmanuel mientras se metía las pastillas en el bolsillo y le abría la puerta del depósito al médico.

–Soy el viejo judío que vende telas a los nativos y a los mestizos. Nadie viene a contarme sus secretos, oficial.

–¿Qué tal una conjetura con algún fundamento?

–No tenía enemigos, que yo sepa. Si el asesino es alguien de este pueblo, ha mantenido bien ocultos sus sentimientos.

—¿Entonces cree que el asesinato fue personal y premeditado?

Zweigman levantó una ceja.

—Eso no lo sé, ya que no tengo conocimiento de ninguna discusión que condujera al desafortunado fallecimiento del comisario. ¿Es todo, oficial?

—Por ahora.

Había muy pocas cosas seguras en una fase tan temprana de un caso, pero una estaba clara: volvería a ver al viejo judío y no para comprarle lentejas.

—¡Agente Hepple! —gritó Emmanuel.

El joven policía se acercó corriendo.

—Ve a buscar a los hermanos Pretorius. Diles que su padre está listo para ir a casa.

3

El despacho de la entrada de la comisaría de policía de Jacob's Rest era una habitación grande con dos mesas de madera, cinco sillas y un archivador metálico pegado a la pared del fondo. Unas líneas grises en el limpio suelo de hormigón dibujaban un mapa del trayecto diario de cada policía de la puerta al escritorio y del escritorio al armario. Una puerta lateral daba a las celdas y otra en la pared del fondo conducía a otro despacho. No se veía a Shabalala por ningún lado.

Emmanuel entró en el despacho del fondo. La mesa del comisario Pretorius era más grande y estaba más ordenada que las otras y tenía un teléfono negro en una esquina. Levantó el auricular y marcó el número de la jefatura de policía del distrito.

–Enhorabuena –la refinada voz del inspector Van Niekerk se oyó entre interferencias al tercer intento del operador de ponerlos en contacto.

–¿Por qué, señor?

–Por unir al país. En cuanto se publique la noticia, los de la prensa nativa, inglesa y afrikáner por fin van a tener algo en lo que estar de acuerdo: la policía judicial no tiene suficiente personal, está mal informada y está perdiendo la batalla contra la delincuencia. Un solo oficial para investigar el asesinato de un policía blanco; los periódicos van a tener que sacar tiradas extra.

Emmanuel sintió una sacudida.

—¿Está al corriente del caso, señor?

—Acabo de recibir una llamada de los chicos del Partido Nacional —la afirmación fue pronunciada con un tono de indiferencia y despreocupación muy poco convincente—. Nada menos que del Departamento de Seguridad. Creen que el asesinato de Pretorius puede ser un asunto político.

—¿El Departamento de Seguridad? —Emmanuel se puso tenso—. ¿Cómo se han enterado tan rápido?

—La información no ha salido de mí, Cooper. Ha tenido que darles el chivatazo alguien de allí.

Era imposible que Hansie Hepple o Shabalala tuvieran contacto con esos pesos pesados. El Departamento de Seguridad no era un organismo regional encargado de llevar el control de las precipitaciones y las cosechas. Estaba a cargo de asuntos de seguridad nacional y tenía poder para complicarle las cosas a cualquiera..., incluidos el inspector Van Niekerk y toda la policía judicial. ¿Tenían esa clase de contactos los hermanos Pretorius?

—¿Qué quieren decir con «un asunto político»? —preguntó Emmanuel.

—Están cagados con la campaña de desobediencia civil. Creen que el asesinato puede ser el comienzo de una sublevación de estilo comunista por parte de los nativos.

—¿De dónde se han sacado eso? —dijo Emmanuel. La idea de la revolución tendría gracia si viniera de cualquiera menos de los del Departamento de Seguridad—. Los manifestantes de la campaña de desobediencia civil prefieren quemar sus pases y organizar marchas de protesta a los ayuntamientos después del toque de queda. Quieren que se deroguen las leyes de segregación del Partido Nacional. Asesinar a policías no es su estilo.

—A lo mejor el Departamento de Seguridad sabe algo que nosotros no sabemos. En cualquier caso, se han asegurado de que me quedara claro que van a interesarse en el caso y que esperan ser informados de todos los avances que se produzcan.

–¿Simplemente van a interesarse en el caso?

Hasta los policías de a pie sabían que «interesarse» era la palabra en clave para decir «hacerse con el control».

Hubo una larga pausa.

–Yo diría que si la campaña de desobediencia civil se calma, se apartarán del caso. Si no, no hay forma de saber lo que harán. Los tiempos han cambiado, Cooper.

Emmanuel no creía que la campaña de desobediencia civil estuviera dando ninguna muestra de ir a calmarse. El primer ministro Malan y el Partido Nacional habían empezado a implantar su plan nada más subir al poder. Las nuevas leyes de segregación dividían a la población en grupos raciales, diciéndoles dónde podían vivir y dónde podían trabajar. La Ley de Inmoralidad incluso les decía con quién se podían acostar y a quién podían amar. La intensificación de la campaña de desobediencia civil significaba que el Departamento de Seguridad –o Departamento Especial, como lo llamaban en la calle– se iba a meter de cabeza en la investigación de Emmanuel e iba a ser quien llevara la batuta.

–¿Cuándo puede incorporar a más hombres al caso, señor?

–Veinticuatro horas –contestó Van Niekerk–. Aquí todo el mundo tiene la atención puesta en un cadáver que ha aparecido al lado de las vías del tren. Es blanca, gracias a Dios. Eso significa que la prensa seguirá centrada en esa noticia. Tengo un día para sacar a unos cuantos hombres de la jefatura y meterlos en tu caso sin hacer ruido.

Al inspector Van Niekerk, el producto de una madre inglesa de alta cuna y un padre holandés con dinero, no le gustaba que nada se interpusiera entre él y su objetivo último: comisario principal de la policía. Su puesto actual de inspector no era suficiente para él. Su lema era muy sencillo: lo que es bueno para mí es bueno para Sudáfrica. Mandar a un solo oficial a cubrir lo que había resultado ser un homicidio real tras una extraña llamada no era algo que tuviera muchas ganas de divulgar.

–¿Y el Departamento de Seguridad? –preguntó Emmanuel.

51

—Yo me encargo de ellos —Van Niekerk hizo que pareciera algo fácil, pero iba a ser más bien como quitarle una navaja a un gitano—. Mientras tanto, tienes la oportunidad de tratar este asesinato como un homicidio normal, no como un caso que ponga a prueba la buena salud de las nuevas leyes de segregación racial. Considérate...

Las interferencias se tragaron el resto de la frase y enviaron por la línea el sonido de un silbido industrial.

—¿Inspector?

El sonsonete «pi, pi, pi» indicó que la comunicación se había cortado. Emmanuel colgó. ¿Afortunado? ¿Era ésa la última palabra del inspector? ¿Considérate afortunado?

Emmanuel volcó el contenido del cajón del comisario sobre la mesa y se puso a revisarlo. Colocó los impresos para las fichas policiales, los clips, los lápices y las gomas elásticas a un lado de la mesa. Quedaban una pequeña caja de munición y un periódico de hacía una semana. En la caja había varias filas de balas doradas. En el periódico, noticias que había leído el miércoles anterior. No hubo suerte.

—¿Oficial?

Shabalala estaba en la puerta con una taza de humeante té en la mano. Para un hombre de su tamaño, se movía con un silencio inquietante. Se había quedado en camiseta interior y tenía húmeda la parte de los pantalones que había estado intentando limpiar. El poblado negro, a ocho kilómetros al norte del pueblo, quedaba demasiado lejos para ir en bicicleta a cambiarse de ropa.

—Gracias, agente.

Emmanuel cogió el té, consciente de que él llevaba una camisa bien planchada que se había puesto media hora antes. La pensión Protea, la casa de huéspedes donde había dejado su maleta y después se había lavado y cambiado de ropa, estaba en el centro del pueblo, rodeada de otras casas con propietarios blancos. Shabalala tendría que esperar hasta la noche para lavarse y quitarse de la piel el olor del comisario muerto.

—¿Dónde está tu mesa? —preguntó Emmanuel. El despacho de la entrada, al igual que en la jefatura de policía del distrito, era sólo para los policías europeos.

–Aquí –contestó Shabalala retrocediendo y dándole paso por la puerta lateral a una habitación en la que había dos celdas y un pequeño hueco con una mesa y una silla. De una fila de ganchos en la pared, sobre la mesa, colgaban las llaves de las celdas y una fusta de piel de rinoceronte llamada *shambok*, la mortífera versión sudafricana de la porra de los policías ingleses. Había una ventana que daba al patio trasero y, debajo, una pequeña mesa con una caja de té *rooibos*, una tetera y unas cuantas tazas de porcelana disparejas. En una repisa distinta había platos, tazas y cucharas de hojalata para el policía nativo.

–¿Qué hay ahí fuera?

Shabalala abrió la puerta trasera y le cedió el paso amablemente. Emmanuel cogió el té del policía negro de la mesa y le alcanzó la taza de hojalata. El patio de la comisaría era una pequeña parcela llena de polvo. Un enorme aguacate con una franja de sombra alrededor del tronco dominaba el extremo más alejado de la puerta. Más cerca ardía una pequeña hoguera dentro de un círculo de piedras. En unas sillas colocadas alrededor de aquella lumbre al aire libre estaban colgados el abrigo y la chaqueta de Shabalala, que habían pasado de estar mugrientos a estar sucios tras pasarles un paño húmedo. Bastaba oler ligeramente el aire para imaginarse el olor del *braai* y las jarras de cerveza fría de los viernes por la noche en la comisaría.

–¿Hacía mucho que conocías al comisario?

El té de Emmanuel estaba dulce y lechoso, supuso que como le gustaba a Pretorius. El policía negro se movió incómodo.

–Desde antes.

Emmanuel cambió al zulú:

–¿Crecisteis juntos?

–*Yebo*.

Siguieron de pie bebiendo té mientras el silencio llenaba el espacio entre los dos. Emmanuel notó la tensión en el cuello y los hombros de Shabalala. El policía negro tenía algo en la cabeza. Emmanuel dejó que fuera él quien diera el primer paso.

—El comisario... —dijo Shabalala mirando al patio—. Él no era como los otros holandeses...

Emmanuel hizo un ruido a modo de asentimiento, pero no dijo nada. Tenía miedo de romper el frágil vínculo que sentía entre él y el agente nativo.

—Él era...

Emmanuel esperó. De la boca de Shabalala no salió nada. Su rostro mostraba el extraño gesto inexpresivo que había advertido Emmanuel en el lugar del crimen. Era como si aquel hombre zulú-*shangaan* hubiera pulsado un interruptor en algún lugar muy profundo de sí mismo y hubiera cortado la corriente. Se había roto la conexión. Fuera lo que fuera lo que tenía Shabalala en la cabeza, había decidido dejarlo allí guardado bajo llave.

Sin embargo, Emmanuel necesitaba saber por qué el Departamento de Seguridad estaba husmeando aquel homicidio.

—¿A qué clubs pertenecía el comisario? —le preguntó a Shabalala.

—Siempre iba a la iglesia de los holandeses los domingos, y también al Club Deportivo, donde hacían deporte él y sus hijos.

Si el comisario había sido miembro de alguna organización bóer secreta como la Broederbond, Shabalala sería la última persona en saberlo. Tenía que encontrar una forma más sencilla de hallar la conexión con el Departamento de Seguridad.

—¿Hay algún otro teléfono en el pueblo además de este de la comisaría?

—El hospital, el viejo judío, el taller mecánico y el hotel tienen teléfono —dijo Shabalala—. La oficina de correos tiene una máquina para mandar telegramas.

Emmanuel se bebió el resto del té. Que él supiera, se habían hecho dos llamadas en relación con el asesinato. Una a

Van Niekerk, que habría preferido comer mierda de caballo antes que llamar al Departamento de Seguridad, y la otra a Paul Pretorius, de los servicios de inteligencia del ejército. Era hora de ir directamente al origen, a la casa familiar, y descubrir qué información salía de allí.

–Voy a ir a presentar mis respetos a la viuda –dijo Emmanuel–. ¿Está lejos la casa del comisario?

–No –contestó Shabalala, que abrió la puerta y le dejó pasar delante–. Tiene que ir hasta la gasolinera y después girar a la derecha por la calle Van Riebeeck. Es la casa blanca que tiene muchas flores.

Emmanuel se imaginó una valla hecha de ruedas de carromato y una puerta de hierro forjado adornada con gacelas saltarinas migratorias. La propia casa probablemente tendría un nombre como Die Groot Trek, la Gran Marcha, escrito sobre la puerta. Los auténticos bóers no necesitaban buen gusto; tenían a Dios de su lado.

El sol de la última hora de la tarde empezó a declinar y la llana calzada de la calle principal se llenó de sombras azules. Un puñado de tiendas se mantenía gracias al goteo de turistas que paraban de camino a las playas de Mozambique y a las agrestes tierras del Parque Nacional Kruger. Estaba OK Bazaar, para los vestidos con estampados de flores, las faldas lisas y los uniformes escolares, todo de cómodo algodón. Donny's All Goods, para cualquier cosa, desde cigarrillos sueltos hasta patrones de costura Lady Fair. Kloppers, que vendía zapatos Bata y botas de granjero. La peluquería Moira, que había cerrado el resto del día. A continuación, en la esquina y detrás de una alambrada, estaba el almacén de material agrícola Pretorius.

Sujeto a la valla había un cartel escrito a mano: «Cerrado por circunstancias imprevistas». Imprevistas. Probablemente ésa fuera la forma más fácil de asimilar el asesinato de tu padre. Dentro del recinto, un vigilante negro caminaba de un lado a otro por delante de la fachada del gran almacén mientras un pastor alemán, atado con una cadena a un pincho clavado en el suelo, daba vueltas nerviosamente por su territorio.

Enfrente, cruzando una pequeña bocacalle, estaba el taller que había mencionado Shabalala. En el letrero colgado encima de los tres surtidores de gasolina ponía: «Gasolinera y taller mecánico Pretorius». Estaba abierto, atendido por un anciano mestizo vestido con un mono lleno de grasa al que seguramente habían avisado en el último momento para que fuera a vigilar a los adolescentes negros encargados de manejar los surtidores. ¿Por qué Jacob's Rest no se llamaba Pretoriusburgo? La familia era dueña de buena parte del pueblo.

Emmanuel giró a la derecha por la calle Van Riebeeck. Las pulcras casas de campo, con sus cuidados macizos de aloes y sus proteas en flor, tenían un aire desierto. No había ni rastro de los jardineros, que normalmente a esa hora estaban terminando su jornada. La ropa seca ondeaba en las cuerdas de los patios. No había criadas. Tampoco «señora» ni *baas*.

Supuso que la noticia se había difundido. Un vistazo rápido a la calle Van Riebeeck lo confirmó. Al final de la calle, delante de una casa, se había congregado un grupo de vecinos del comisario. Las criadas y los jardineros, muchos con el pelo cano aunque se los llamara «mozos de jardín», formaban otro corrillo dos casas más abajo: lo suficientemente cerca para mirar pero lo suficientemente lejos para mostrar respeto.

El sollozo de una mujer atravesó el aire vespertino. Emmanuel se acercó a una ancha entrada de grava para coches llena de vehículos que obstruían el paso. Una elegante casa de estilo holandés de El Cabo se enclavaba en un jardín bien cultivado. Un tejado de paja oscura descansaba sobre los elegantes hastiales y las relucientes paredes encaladas. Las contraventanas de madera, de idéntico color al del tejado, estaban cerradas. Una larga galería, decorada con macetas, se extendía a lo largo de toda la casa. No se veían ruedas de carromato.

Igual que el reloj fabricado a mano del comisario, la casa fue una sorpresa. ¿Dónde estaba el cráneo de antílope blanqueado que esperaba encontrar clavado encima de la entrada? Pasó por delante del parachoques delantero de un polvoriento Mercedes y entró en el jardín.

–¡Eh! ¿Quién eres tú?

Una mano se posó sobre su hombro y se quedó allí quieta. Un hombre enjuto con los ojos azules y llorosos le miró fijamente sin apartar la vista. Todos los presentes se volvieron para observar al intruso.

–Soy el oficial Emmanuel Cooper, de la policía judicial –dijo mientras abría la placa y se la ponía a una distancia incómoda de la cara–. Soy el policía que está investigando este caso. ¿Es usted familiar?

La mano se retiró.

–No. Sólo quiero asegurarme de que todos nos portamos como es debido con el comisario Pretorius y su familia.

Emmanuel volvió a meterse la placa en el bolsillo y sonrió para dar a entender que no estaba molesto.

–No pasa nada, Athol, déjale pasar.

Hansie estaba en el porche con su uniforme lleno de mugre y las mejillas encendidas con un tono rosado como de cáscara de huevo. Ejercer su autoridad en público le iba al pelo.

–Por aquí, oficial –Hansie le hizo un gesto para que le siguiera a través del jardín, radiante con el colorido del comienzo de la primavera, y subiera las escaleras hacia la imponente puerta principal. Emmanuel se quitó el sombrero.

–He venido a presentar mis respetos a la señora Pretorius. ¿Está toda la familia aquí?

–Todos menos Paul –contestó Hansie, que abrió la puerta principal y le condujo al interior–. La señora Pretorius y sus nueras están ocupándose del comisario. Los demás están en el porche trasero.

Entraron en un pequeño recibidor que por un lado conducía a una serie de puertas cerradas, seguramente los dormitorios. Hansie se dirigió hacia la izquierda y entró en una gran habitación dominada por robustos muebles de madera, la clase de muebles fabricados para aguantar generaciones de golpes de muchachos desobedientes y hombres de piel basta. Las lustrosas baldosas del suelo se veían suaves como piel de serpiente bajo la luz amarilla de las lámparas de cristal. Un enorme aparador lleno de trofeos y fotografías enmarcadas ocupaba todo un lado de la habitación.

Las fotografías abarcaban varias generaciones del clan Pretorius. Había una niña con coletas jugando en la nieve, seguida de un clérigo con gesto adusto rodeado de un ejército de niños igual de serios. En la siguiente foto aparecía un joven comisario Pretorius con una hermosa mujer de veintitantos años, sentados en un banco de un parque. A continuación había una foto que hizo pararse en seco a Emmanuel. Salían los hermanos Pretorius, con edades comprendidas entre los cinco y los quince años, hombro con hombro y vestidos con sus uniformes de Voortrekker Scouts. Era de noche, y sus rostros y uniformes resplandecían a la luz de las antorchas encendidas que sostenían en alto. Sintió cómo sus miradas se clavaban en él, severas y llenas de orgullo afrikáner. Emmanuel pensó en Núremberg, en todos aquellos muchachos alemanes con las mejillas sonrosadas marchando hacia la derrota.

–Es la conmemoración de la Gran Marcha –dijo Hansie–. El comisario y la señora Pretorius nos llevaron a los Voortrekker Scouts de excursión a Pretoria para la ceremonia. Nos dejaron tirar las antorchas a una hoguera enorme.

Emmanuel recordaba bien su propia excursión a esa misma celebración. Recordaba el calor de las llamas en su rostro y la sensación incómoda de no formar parte del círculo de aquellos a los que Dios había elegido para ser puros.

–Lo vi en los periódicos –dijo mientras pasaba a la siguiente fotografía. Paul con el uniforme del ejército, tan corpulento como sus hermanos y con el cuello tan grueso como ellos, y después un retrato familiar de los Pretorius que no tendría más de uno o dos años. Se concentró en el hijo menor, más esbelto que sus hermanos, con la boca delicada y una maraña de pelo rubio cayéndole sobre la frente. Al comisario y a su mujer se les había acabado la fuerza para cuando llegó la hora de hacer a Louis.

–Pasó por el pueblo un inglés con una cámara que hacía fotos por una libra. Nosotros también tenemos una en casa, salgo yo con mi madre y mis hermanas.

Siguieron hasta la cocina, donde había dos criadas negras poniendo embutidos y gruesas rebanadas de pan en una enorme fuente. Una tercera criada, muy mayor y con el pelo cano, estaba sentada delante de una pequeña mesa y de vez en cuando prorrumpía en suaves sollozos.

–Ésa es Aggie –susurró Hansie–. Lleva con la familia desde que Henrick era un bebé. Ya no es lo que era, pero el comisario no quería que se fuese.

Atravesaron un comedor presidido por una mesa y unas sillas de madera que despedían un ligero aroma a bosque bávaro. Las grandes ventanas daban a un porche trasero cubierto por un emparrado en el que había unos cuantos hombres mayores, granjeros toscos con prendas de color caqui, formando un corrillo muy cerrado.

–Los consuegros –explicó Hansie. Salieron de la casa y se dirigieron al porche. Seis niños de alturas muy variadas jugaban con una peonza de madera que se bamboleaba y botaba entre ellos. Una niña negra acunaba a un bebé blanco sobre la rodilla. Los hermanos Pretorius tenían su propio corrillo en el césped del jardín. Todos menos Louis.

Emmanuel se acercó a ellos. Erich saltó inmediatamente:

–Dice Hansie que ha sido el viejo judío el que ha examinado a padre, ¿eso cómo ha sido?

–Yo mismo he comprobado sus papeles y todo estaba en orden. Estaba cualificado para llevar a cabo el examen.

Esperó a que los hermanos le replicaran irritados, pero no lo hicieron. Le miraron con el gesto inalterado.

–Padre tenía razón –dijo Henrick. Pronunció las palabras demasiado despacio, el resultado de haber estado bebiendo toda la tarde–. Siempre decía que el viejo judío ocultaba algo.

–Menudo zorro –añadió Erich–, ¿quién sino el viejo judío iba a mentir sobre algo así? Seguramente no sabe decir la verdad. Le falta práctica.

A los hermanos Pretorius no les quedaba mucho para estar como cubas y no tenían ninguna prisa por retrasarlo.

–¿Tuvieron alguna desavenencia vuestro padre y el viejo judío últimamente?

–No, hace tiempo que no –dijo Henrick–. Padre fue a verle un par de veces este año, simplemente para explicarle cómo funcionan las cosas aquí en Jacob's Rest. Para darle algunas pautas, vamos. Para ahorrarle problemas.

–Muy amable por su parte –dijo Emmanuel suavemente, recordando el comentario de Zweigman sobre las visitas del comisario para mantener «charlas amistosas»–. ¿Creéis que al viejo judío le molestaba que vuestro padre intentara ayudarle?

Henrick se encogió de hombros.

–Puede ser.

–¿Tanto como para matarle? –continuó Emmanuel, aprovechando que los hermanos estaban relajados. Estando sobrios era difícil encontrar una brecha por la que acceder a ellos.

Erich contestó con desdén:

–¿Ése, matar a mi padre?

–Al viejo judío le dan miedo las armas –explicó Henrick–. No quiere ni tocarlas. Ni siquiera vende balas en su tienda.

–Sería incapaz de estrangular una gallina sin ayuda –dijo Johannes.

–Sería incapaz de mear en una hoguera sin que su mujer le ayudara a apuntar –añadió Erich con una risita maliciosa que hizo reír a sus hermanos.

Emmanuel esperó a que se apagaran las risas. Unas horas más tarde, cuando se les hubiera pasado la fanfarronería provocada por el whisky, sentirían todo el peso del asesinato de su padre y recordarían que el asesino todavía andaba suelto entre ellos.

–Mira, papá. Ven, mira –exclamó un niño de unos diez

años desde el porche mientras una peonza bajaba las escaleras tambaleándose y rodaba por el césped. Los niños fueron detrás con una ola de agudos gritos.

Henrick cogió en brazos a una niña muy pequeña y la lanzó hacia arriba. Los otros niños se agolparon a su alrededor, suplicando ser los siguientes. Emmanuel se preguntó dónde estaría escondido el hermano menor.

–¿Dónde está Louis?

–En el cobertizo –dijo Henrick–. Lleva ahí todo el día, trabajando en la moto esa de las narices.

–*Ja* –dijo Erich mientras le alborotaba el pelo a un niño que tenía delante–. Ve a ver si consigues que salga, Hansie. Madre va a necesitar su ayuda pronto.

Hansie se volvió hacia el extremo del jardín, donde había un pequeño cobertizo pegado a la valla trasera. Por detrás de la estructura de chapa ondulada salían disparadas las pobladas ramas de los árboles de copa plana, recortadas contra el cielo abierto.

–Voy contigo.

Emmanuel se apartó del grupo de familiares y echó a andar al lado de Hansie. El cobertizo de un hombre era un buen lugar para empezar a tantear al propio hombre. Había algo en el comisario que le había hecho víctima de una muerte violenta y había algo en su muerte que había llamado la atención del Departamento de Seguridad. Tenía que averiguar por qué y no había tiempo que perder.

Hansie llamó a la puerta del cobertizo.

–Louis, soy yo.

–Pasa.

La puerta se abrió y Louis, un muchacho de unos diecinueve años, retrocedió para dejarlos pasar. Con su constitución de peso pluma, el hijo menor del comisario era más delicado de lo que sugería la foto de la casa. Si los otros hermanos eran de piedra, Louis era de papel.

–Louis, éste es el policía de Jo'burgo –Hansie hizo las presentaciones a toda prisa, avergonzado de adoptar un papel de adulto delante de su amigo adolescente.

–Oficial Emmanuel Cooper, de la policía judicial –dijo Emmanuel estrechándole la mano a Louis. La mano del muchacho tenía una fuerza que desdecía la delicadeza de su apariencia.

–Oficial Emmanuel Cooper, de la policía judicial –repitió Louis, como si estuviera memorizando su rango. En ese momento vio las manchas de grasa en la mano de Emmanuel–. Lo siento, oficial, le he manchado.

–No te preocupes.

Emmanuel se limpió las manos con su pañuelo y Louis retrocedió hacia un montón de piezas de motor que tenía extendidas sobre una vieja alfombra. El chasis restaurado de una motocicleta Indian negra descansaba sobre unos soportes cerca de la puerta trasera.

Louis se arrodilló y siguió limpiando trozos de metal con un trapo. Le temblaba todo el cuerpo del esfuerzo que estaba haciendo.

–Llevo todo el día limpiando piezas y se me olvidó…

–¿Qué es esto? –preguntó Hansie mientras se agachaba junto a su amigo–. Pensaba que ya tenías terminado el motor.

Louis negó con la cabeza.

–Tengo que esperar a que llegue una pieza de Jo'burgo. ¿Entiende usted de mecánica, oficial?

–No mucho –respondió Emmanuel con sinceridad.

La parte derecha del cobertizo estaba dedicada a la caza. Unos enormes cuernos de kudú colgaban sobre un armero que sostenía tres rifles con mira. Debajo de las armas había una preciosa *assagai* zulú, una lanza de guerrero con ribetes de piel de león, y debajo de la lanza, un escritorio de madera con dos cajones. En la parte izquierda del cobertizo, la motocicleta Indian estaba rodeada de piezas del motor y herramientas. En la pared había pegadas hojas con diagramas y cálculos, debajo de un dibujo del fabricante en el que aparecía la motocicleta desmontada en sus mejores tiempos. La organización del cobertizo hacía pensar en una mente lúcida y metódica. La puerta trasera estaba abierta, sujeta con un ladrillo para que entrara la brisa de la tarde, y no era difícil imaginarse al comisario trabajando a gusto en aquel lugar.

–Tú sí que entiendes de mecánica –dijo Emmanuel mientras pasaba por encima de las piezas de repuesto y se dirigía al escritorio de la zona de caza.

–Qué va –dijo Louis–, mi padre es el que lo sabe todo sobre cómo arreglar cosas.

Hubo un silencio incómodo, seguido del estruendo de las piezas de metal golpeándose entre sí que provocó Louis al revolver en un montón de llaves inglesas con las manos temblorosas.

–Puedes terminar la moto tú, ¿eh, Louis? –dijo Hansie con un tono lleno de entusiasmo–. Le pides a ese mecánico mestizo que te ayude y dentro de nada la tienes acabada.

–Puede –contestó Louis en voz baja antes de empezar a clasificar los tornillos y pernos limpios en montones ordenados en el suelo. Emmanuel observó la conducta compulsiva del muchacho durante un instante y después se adentró un poco más en el cobertizo. El dolor hacía actuar a la gente de formas extrañas; podía abrirla en canal o cerrarla a cal y canto.

Examinó las armas y comprobó que estaban limpias y sin usar. En los cajones del escritorio encontró artículos de periódico sobre actividades campestres, como el arte de preparar *biltong* y los cuidados adecuados de los cuchillos de monte. Se arrodilló y se asomó al hueco vacío del cajón.

–¿Está buscando revistas guarras, oficial? –preguntó Louis.

Emmanuel percibió la agresividad de la mirada del joven.

–¿Quieres enseñarme tú dónde las escondía, Louis? –preguntó con naturalidad, consciente de que era un torpe intento de pillar al chico desprevenido, pero también de que merecía la pena intentarlo.

Louis se sonrojó y empezó a revolver otra vez en la caja de llaves inglesas.

–No, porque no hay ninguna. Mi padre era muy decente para esas cosas. Si le conociera, lo entendería.

–Es verdad –dijo Hansie, asumiendo la lucha por Louis y lanzándole a Emmanuel una mirada de asco.

–No he sido yo quien ha mencionado las revistas guarras –señaló Emmanuel. ¿Tenía el comisario un escondite secreto en algún sitio? ¿O era una revista con páginas marcadas escondida en su propio dormitorio lo que preocupaba a Louis?

Dos criadas y un jardinero pasaron apresuradamente por delante de la puerta trasera del cobertizo sin aflojar el paso ni mirar hacia el interior. Las tres figuras desaparecieron en el *veld*, sobre el que estaba cayendo la noche.

–¿Qué es eso? –preguntó Emmanuel señalando el camino de hierba por el que se habían ido los criados.

–Es un camino *kaffir*. Los usan los *kaffirs* para ir de un lado a otro –explicó Hansie–. Atraviesan todo el pueblo y se juntan cerca del poblado. Es más rápido que ir por las calles principales.

–¿A la gente no le importa?

–No. Nadie usa los caminos del pueblo después de las ocho y media. Si pillan a un *kaffir* andando por aquí entre esa hora y el amanecer, se mete en un buen lío.

–¿Los usáis vosotros alguna vez?

–Son caminos *kaffir*. Para los *kaffirs* –Hansie tenía el gesto de asombro de un idiota al que habían pedido que le explicara a un imbécil de dónde vienen los niños–. Los mestizos los usan a veces, pero nosotros nunca.

–¿Entonces cómo sabes que no los usan por la noche? –preguntó Emmanuel mientras salía al camino desde el cobertizo.

–Por el comisario –contestó Hansie–. Él corría por esos caminos tres o cuatro veces a la semana. Algunas veces por la mañana, otras por la noche. Shabalala se encargaba de los caminos de cerca del poblado.

Emmanuel se estaba adentrando en el *veld* cuando un segundo grupo de criados, decididos a despejar la zona blanca del pueblo antes del toque de queda, pasaron andando a buen paso y cantando. Emmanuel conocía la canción:

–*Shosholoza, shosholoza… Kulezontaba…*

La traducción aproximada era «Ve más deprisa, andas vagando por esas montañas. El tren viene de Sudáfrica». La propia palabra *shosholoza* sonaba como el silbido de un tren de vapor.

El aire trajo el rítmico canto de los criados a sus oídos y Emmanuel sintió el calor de la noche africana en su piel y su pelo. Las voces de los criados se fueron apagando y él se volvió hacia la casa del comisario.

–¿Con qué frecuencia patrullabais tú y el subcomisario Uys?

–Patrullábamos cuando nos lo encargaba el comisario –contestó Hansie–. Hubo una vez que salimos todas las noches durante una semana, luego no volvimos a salir en mucho tiempo. No era algo regular.

–Al azar –dijo Emmanuel, consciente de la táctica sencilla pero brillante en la que se basaba el sistema del comisario. Zweigman estaba al corriente de la estrecha vigilancia de las patrullas y no le gustaba. ¿Cuánto veía y oía el comisario cuando recorría el pueblo a intervalos constantes pero irregulares? ¿Había descubierto un secreto que alguien quería proteger tanto como para estar dispuesto a asesinar?

Emmanuel volvió a entrar en el cobertizo, donde Louis estaba guardando sus últimas herramientas en una caja metálica roja. El muchacho parecía absorto en su tarea, pero había una tensión en sus hombros que sugería una actitud alerta y consciente.

–Eh, Louis –la puerta del cobertizo se abrió y entró Henrick–. Ve a lavarte, es hora de cenar y madre te necesita.

–*Ja.*

Louis salió del cobertizo esquivando a su hermano mayor y se dirigió rápidamente hacia la casa. Subió las escaleras y atravesó el porche a toda prisa, como un cangrejo corriendo a ponerse a salvo por un saliente rocoso.

–Mi madre le recibirá ahora, oficial –dijo Henrick–. No se encuentra bien, así que no se alargue.

–Por supuesto –contestó Emmanuel. La actitud de líder de Henrick estaba empezando a sacarle de quicio.

La luz de una lámpara titilaba sobre un grupo de mujeres jóvenes de luto agrupadas en torno a una mujer rubia y menuda que estaba sentada en un enorme sillón. Su rostro, de piel clara e inundado de dolor, no era más que pómulos y una boca grande. Aún se apreciaban vestigios de la hermosa joven que se había casado con un policía grandullón y había producido cinco hijos para engrosar las filas de los Voortrekker Scouts y la Iglesia Reformada Holandesa.

–¿Quién es? –preguntó. Emmanuel notó cómo la mujer de ojos azules fijaba la vista en él por primera vez–. ¿Quién es este señor?

–Es el oficial de la policía judicial –explicó Henrick desde la puerta. Aquella habitación se había convertido en un espacio femenino en el que no quería entrar–. El oficial Cooper ha venido de Jo'burgo para dirigir la investigación. Va a ayudar a averiguar quién le ha hecho esto a padre.

La señora Pretorius se incorporó como un sonámbulo al que hubieran despertado.

–¿Qué hace usted aquí? Debería estar ahí fuera deteniendo al que haya cometido esta infamia.

–Necesito su ayuda. Sé que es duro, pero hay cosas sobre su marido que no puede decirme nadie más que usted.

–Willem –era la primera vez que se pronunciaba el nombre del comisario–. Se han llevado a mi Willem...

La diminuta mujer dejó escapar un aullido de angustia, balanceándose adelante y atrás como una marioneta con las cuerdas rotas. Emmanuel se sentó, respiró hondo y se permitió observar sin implicarse. No implicarse. Ésa era la parte más difícil del trabajo, la parte en la que él destacaba.

–Ya, mamá, ya...

Louis había entrado en la habitación y se había arrodillado al lado de su madre. La besó en la mejilla, y madre e hijo se quedaron abrazados durante largo rato. Había un asombroso parecido entre el pequeño de los Pretorius y la frágil mujer que le estrechaba entre sus brazos.

Sin su mono lleno de grasa, Louis se encontraba a gusto en aquella habitación llena de mujeres. Era más rubio y más delgado que sus cuñadas, chicas de granja rollizas con cuerpos preparados para sobrevivir a la hambruna en el *veld*.

Emmanuel echó una mirada a Henrick y percibió un atisbo de incomodidad. ¿Qué pensaba el comisario de aquel muchacho delicado que no guardaba ningún parecido con los duros hombres Pretorius?

–Tranquila –susurró Louis–. Yo te cuidaré, mamá. Te lo prometo.

Emmanuel esperó hasta que madre e hijo se separaron. Las nueras murmuraron palabras de consuelo.

–Señora Pretorius... –Emmanuel sabía que estaba a punto de ganarse la antipatía de los presentes–. ¿Puedo hablar con usted a solas? Tengo algunas preguntas a las que necesito que me conteste y sería mejor si tuviéramos un poco de intimidad.

–Louis no –dijo la señora Pretorius–. Louis se queda.

Las nueras le dirigieron miradas hostiles y salieron de la habitación para sumarse a los grupos de familiares reunidos en el porche trasero. Esperó a que se apagaran sus murmullos y entonces dijo:

–Señora Pretorius, ¿cuándo fue la última vez que vio a su marido con vida?

La mujer le cogió la mano a Louis.

–Ayer por la mañana. Desayunamos juntos antes de que se fuera a trabajar.

–¿Mencionó si iba a ir a algún sitio inusual o a ver a alguien en particular?

–No. Dijo que iba a ir a pescar después del trabajo y que me vería por la mañana.

–¿Solía estar usted dormida cuando él volvía de pescar?

–Sí, Willem se quedaba en el cuarto de invitados para no molestarme –contestó apretando la mano de Louis–. Yo no tenía ni idea de que no estaba en casa hasta que vino Hansie...

Se echó a llorar y Henrick entró en la habitación. Emmanuel puso la mano en alto como un guardia de tráfico y Henrick se paró en seco.

–¿Se le ocurre alguien que haya podido hacerle esto a su marido, señora Pretorius? Cualquier cosa que le haya podido contar él sería de ayuda –dijo Emmanuel, manteniendo un tono de voz dulce y apremiante.

–Venga, mamá –dijo Louis–, dile al oficial lo que sepas.

La mujer rubia respiró hondo. Cuando levantó la vista, tenía la mirada acerada como un sable.

–El viejo judío –dijo rotundamente–. Willem dijo que le había pillado rondando por la zona de los mestizos de noche. Estaba metido en algún asunto raro.

–¿Le pilló su marido haciendo algo?

Eso explicaría el resentimiento de Zweigman.

–No. Ya sabe lo listos que son los judíos. Willem le vio entrando y saliendo de las casas de distintas chicas mestizas después del anochecer. Estaba claro lo que estaba haciendo, así que Willem le llamó la atención.

–¿Le dijo cómo reaccionó Zweigman?

–Sé que no le hizo gracia. Willem tuvo que ir a verle unas cuantas veces hasta que se aseguró de que Zweigman había dejado de hacerlo.

–¿Tenía el comisario Pretorius problemas con alguien más?

La mujer le llevaba ventaja y ya tenía preparada la respuesta:

–Con ese pervertido de Donny Rooke. Willem le metió en la cárcel por hacer fotos obscenas a las chicas de Du Toit. Hace cuatro o cinco meses que volvió a Jacob's Rest.

–Vive pasada la zona de los mestizos –apuntó Henrick desde la puerta–. No viene al pueblo salvo que no le quede más remedio. Ahora la tienda la lleva su hermano.

Emmanuel recordaba la tienda Donny's All Goods de la calle principal.

–¿Estaba enfadado con el comisario por haberle metido en la cárcel?

–Claro. Los peores pecadores no creen que deban ser castigados por sus pecados –no cabía duda del desprecio que sentía la señora Pretorius por quienes daban muestras de flaqueza moral–. Willem ayudaba a guiar este pueblo y ahora han acabado con él. Ruego a Dios que el asesino reciba pronto su castigo.

−Amén −dijo Louis.

Emmanuel se movió en su asiento, incómodo ante la intensidad de la mujer que tenía delante. En ella no había lugar para el perdón.

−¿Alguien más?

La señora Pretorius suspiró.

−Siempre había problemas con los mestizos: con la bebida, las peleas, ese tipo de cosas. Les cuesta controlar sus emociones, por mucha sangre blanca que tengan. Willem lo entendía e intentaba no ser demasiado duro con ellos.

Emmanuel pasó la hoja de su libreta para empezar una página en blanco. Había oído toda clase de teorías raciales en Sudáfrica. Ya no le sorprendía ninguna.

−¿Recuerda algún nombre en particular?

−No. El subcomisario Uys conocerá todos los casos de los mestizos. Shabalala conocerá los de los nativos. Eran un buen equipo, Willem y Shabalala. Todo el mundo los respetaba. Todo el mundo...

Sus ojos volvieron a llenarse de lágrimas y Emmanuel se levantó antes de que Henrick pudiera echarle. Cerró la libreta y se la metió en el bolsillo.

−Gracias por su atención, señora Pretorius. Reciba mi más sincero pésame por la pérdida de su marido.

Louis se levantó de un salto y llegó a la entrada principal antes que él. Abrió la puerta y apoyó el hombro en el marco de madera.

−Atrapará al asesino, ¿verdad, oficial?

−Lo intentaré −dijo Emmanuel mientras salía a la galería−. Eso es lo máximo que puedo prometerte, Louis.

−Mi abuelo era Frikkie van Brandenburg y mi padre era comisario de policía. Su jefe ha enviado al mejor oficial, ¿verdad?

Louis, que se había pasado todo el día metido en el cobertizo, no tenía ni idea de la torpe llamada de la hermanita Gertie a la jefatura de policía. Hasta donde él sabía, la policía había elegido cuidadosamente a Emmanuel para resolver el caso.

Emmanuel intentó no ser duro con él:

–He resuelto bastantes casos y haré todo lo posible por resolver éste. Buenas noches, Louis.

–Buenas noches, oficial.

La voz de Louis le siguió mientras atravesaba el porche y bajaba las escaleras hacia el jardín. Se puso en camino hacia la comisaría.

Se detuvo en la esquina de las calles Van Riebeeck y Piet Retief y sintió que algo tiraba de él hacia la licorería. Sin embargo, giró y se encaminó a la comisaría y al agente Shabalala.

Ahora lo entendía: Frikkie van Brandenburg era la razón por la que estaba involucrado el Departamento de Seguridad. El comisario Pretorius era el yerno de uno de los pesos pesados del nacionalismo afrikáner, un hombre que predicaba la historia sagrada de la civilización blanca como un profeta del Antiguo Testamento. Con razón los hermanos Pretorius odiaban a Zweigman. En un pueblo tan pequeño como Jacob's Rest no había sitio para dos tribus que afirmaban ser el pueblo elegido de Dios.

La calle principal estaba vacía. Las luces del taller formaban un círculo amarillo en mitad de la oscuridad. Le vino a la cabeza un pequeño recuerdo. Iba corriendo descalzo por un caminito de tierra, envuelto por un olor a hogueras de leña. Corría rápidamente hacia una luz. El recuerdo se hizo más intenso y Emmanuel lo apartó de su mente. Después lo desconectó.

4

–Es ahí.

Shabalala señaló una chabola de chapa ondulada que se mantenía pegada al suelo con piedras y trozos de cuerda: la casa de Donny Rooke desde su caída en desgracia. Emmanuel detuvo el sedán en la pequeña parcela con suelo de tierra que era el patio delantero. La luz de la primera hora de la mañana no conseguía suavizar la dureza de la miseria.

Salió del coche y la primera piedra, pequeña y afilada, le alcanzó la mejilla y le hizo sangre. La segunda y la tercera, lanzadas con fuerza, le golpearon en el pecho y en la pierna. Las pedradas eran fuertes y perdió la cuenta mientras corría a protegerse detrás del coche. Se agachó al lado de Shabalala, que se estaba limpiando tranquilamente la sangre de un pequeño corte en su propio cuello.

–Las chicas –dijo Shabalala levantando la voz por encima del estruendo provocado por las piedras que golpeaban el techo del coche.

–¿Qué chicas? –gritó Emmanuel.

Shabalala le hizo un gesto para que fuera con él hacia la parte delantera del coche. Emmanuel le siguió y se arriesgó a echar un vistazo rápido. De pie a un lado de la chabola había dos muchachas, flacas como perros callejeros, con un montón de piedras delante. Detrás de ellas, un hombre con el pelo de color rojo encendido echó a correr por el *veld*.

–Vaya a por él –dijo el policía negro al tiempo que se llenaba los bolsillos de piedras–, yo me encargo de las chicas.

Emmanuel asintió y salió corriendo a toda velocidad a través del patio de tierra. Una piedra le tiró el sombrero al suelo y otra le pasó rozando el hombro, pero mantuvo el ritmo, con la mirada puesta en el hombre pelirrojo que iba corriendo a campo traviesa.

–¡Ayyyyy!

Se oyó un chillido agudo, seguido de unos gritos. Shabalala fue caminando pausadamente hacia las chicas, dando con sus piedras en el blanco con puntería de francotirador. Las chicas corrieron a refugiarse dentro de la chabola.

Emmanuel saltó por encima del borde del deteriorado huerto y corrió a toda velocidad. La distancia entre los dos hombres se acortó. Donny aminoró la marcha para recuperar el aliento y apoyó las manos en las rodillas. Un minuto más tarde, Emmanuel se abalanzó violentamente sobre Donny, que cayó al suelo con un gemido. Sujetó contra el suelo la cara del hombre pelirrojo más tiempo del necesario y oyó cómo se le llenaba la boca de polvo. Las abolladuras del Packard significaban que iba a tener que redactar un parte de daños detallado. Apretó más fuerte.

–¿Adónde ibas, Donny?

Le dio la vuelta al hombre, que se estaba ahogando, y le miró a la cara sucia.

–Yo no he sido. Por Dios, yo no le hice nada al comisario.

Emmanuel le pisó el pecho con la rodilla.

–¿Qué te hace suponer que estoy aquí por el comisario Pretorius?

Donny empezó a llorar y Emmanuel le levantó del suelo de un tirón.

–¿Qué te hace suponer que estoy aquí para hablar del comisario Pretorius?

–Todo el mundo lo sabe –contestó Donny mientras sollozaba entrecortadamente–. Él fue quien me metió en la cárcel. Él me obligó a vivir aquí como un *kaffir*.

Emmanuel empujó a Donny hacia la chabola. Le escocía la mejilla, donde la piedra le había lacerado la piel, y tenía el traje lleno de polvo. Todo por perseguir a un hombre con menos cerebro que un mosquito.

–Ahí tienes a tu ejército.

Dio un empujón a Donny entre los omóplatos y le obligó a mirar a las chicas, que ahora estaban agachadas en el suelo al lado de Shabalala. La delgadez y la dureza de sus rostros eran el resultado de vivir en la penuria.

–Adentro –dijo Emmanuel–. Vamos a tener una charla todos.

Las chicas se levantaron y entraron por la puerta oxidada. Emmanuel fue detrás con Shabalala y Donny.

–Bonita casa –dijo Emmanuel. No había un solo mueble que no estuviera sujeto con un ladrillo para mantenerse en pie o atado con tiras de tela para no desmoronarse. Hasta el aire era insuficiente en el interior de la chabola.

–Yo antes tenía una buena casa –dijo Donny desde un extremo del desvencijado sofá–. Era empresario. Tenía mi propio negocio.

–¿Y qué pasó?

–Me... –empezó a decir Donny, que en ese momento se inclinó hacia delante y dejó escapar un gemido. El brazo derecho le colgaba fláccido al lado del cuerpo.

–Le has *pegao* y le has hecho daño –dijo la mayor de las chicas–. No tienes derecho a hacerle daño. Él no ha hecho nada.

Emmanuel tiró de Donny para incorporarle. Había sido brusco con él, pero nada más. Ese dolor era de otra cosa.

–Quítate la camisa –dijo con calma.

–No, estoy bien. De verdad.

–Que te la quites.

Donny se desabrochó la descolorida camisa y dejó a la vista un grupo de oscuros moratones repartidos por la tripa y el pecho.

–¿Qué te he pasado?

–Me caí de la bici y aterricé en unas piedras.

Emmanuel le miró la cara surcada por las lágrimas y vio la hinchazón en la comisura de los endebles labios.

–¿También te diste con una piedra en la boca?

–*Ja*, casi me rompo los dientes.

Emmanuel miró a Shabalala, que se encogió de hombros cuan ancho era. Si Donny se había llevado una paliza, él no sabía nada.

–Me estabas contando lo de tu negocio.

–Donny's All Goods, ésa era mi tienda.

–¿Y qué pasó?

Donny se tiró del lóbulo de la oreja.

–Los de la policía de la frontera le contaron al comisario Pretorius que yo había traído unas fotos de Mozambique. A él no le gustaron y se encargó de que me metieran en la cárcel.

–¿Qué clase de fotos?

–Fotos artísticas.

–¿Y por qué no le gustaron al comisario?

–Porque él estaba casado con ese viejo trozo de *biltong* y yo mientras estaba aquí con dos mujeres para mí solo.

–¿Estaba celoso?

–No le gustaba que nadie tuviera más que él. Él siempre tenía que estar por encima de los demás. Siempre tenía que meter las narices en los asuntos de todo el mundo.

–¿No te caía bien?

–Yo no le caía bien a él –ahora Donny estaba lanzado–. Me robó mis fotos y mi cámara y luego me metió en la cárcel. Y ahora míreme, pelado como un *kaffir*. Él es el que tendría que haber ido a la cárcel, no yo.

–¿Dónde estuviste ayer por la noche, Donny?

Donny pestañeó. Le había pillado desprevenido. Se llevó la lengua a la magulladura de la comisura de los labios.

–Nosotras estuvimos aquí con Donny *toa* la noche –dijo la mayor de las chicas–. *To'* el rato hemos *estao* con él.

Emmanuel llevó la mirada de una de las muchachas de duras facciones a la otra. Entre las dos no podían sumar más de treinta años. Las chicas, acostumbradas a los enfrentamientos violentos y a mucho más, no apartaron la mirada. Se volvió hacia Donny.

–¿Dónde estuviste?

La chica le había dado tiempo para serenarse.

–Estuve aquí todo el día y toda la noche con mi mujer y su hermana. Lo juro por Dios.

–¿Por qué has salido corriendo? –preguntó Emmanuel con voz queda.

–Tenía miedo –habían vuelto las lágrimas, que convirtieron la cara de Donny en un charco de barro–. Sabía que intentarían echarme la culpa a mí. Me he ido corriendo porque pensaba que usted haría cualquier cosa que le pidieran.

–Hemos *estao* aquí con él *to'* el rato –insistió la niña esposa–. Ahora tienes que dejarle en paz. Somos sus *testigas*.

–¿Estás seguro de que estuviste aquí, Donny?

–Totalmente seguro. Aquí fue donde estuve, oficial.

Emmanuel asimiló el sórdido desastre que era la vida de Donny Rooke. El hombre era un pervertido y un mentiroso que había conseguido armar una endeble coartada, pero no se iba a mover de allí.

–No salgas del pueblo –le dijo–, no me gustaría nada tener que volver a perseguirte.

Fuera de la miserable casa de Donny el aire olía a lluvia y a hierba silvestre.

–Oficial –dijo Donny mientras salía corriendo detrás de ellos con el mugriento sombrero de Emmanuel como ofrenda–, me gustaría recuperar mi cámara cuando la encuentre. Costó mucho dinero y quiero recuperarla. Gracias, oficial.

Emmanuel tiró el sombrero al interior del coche y se volvió para mirar al escuálido pelirrojo.

–Sólo para tu información, Donny: eso no son mujeres, son niñas.

Entró en el sedán y pisó el acelerador, deseoso de dejar atrás la chabola. Las ruedas del coche fueron dando botes por la carretera llena de baches y levantando una fina serpiente de polvo a su paso.

–¿Dónde están los padres? –le preguntó a Shabalala.

–La madre murió. El padre, Du Toit, le tiene más cariño a la bebida que a sus hijas. Dio a la mayor como esposa y a la menor como pequeña esposa.

Hicieron el resto del trayecto en silencio.

El murmullo mecánico de las máquinas de coser llenaba la tienda Poppies cuando Emmanuel y Shabalala entraron en ella por segunda vez. Zweigman estaba detrás del mostrador, atendiendo a una anciana negra. La mujer se metió el cambio en el bolsillo y se fue con un paquete de telas bajo el brazo. Zweigman fue detrás y cerró las puertas cuando ella salió. Colgó el cartel de «Cerrado» y se volvió hacia sus visitantes.

–Hay una sala de estar siguiendo por aquí –dijo Zweigman antes de desaparecer en la trastienda. Emmanuel le siguió. Para ser un hombre a punto de ser interrogado en relación con un homicidio, Zweigman mostraba una tranquilidad pasmosa. Estaba claro que los estaba esperando.

La trastienda era un pequeño taller con cinco máquinas de coser y maniquíes de costura cubiertos con telas. Las mujeres mestizas que estaban utilizando las máquinas levantaron la vista nerviosamente ante la intrusión de la policía.

–Señoras –dijo Zweigman sonriendo–, éste es el oficial Emmanuel Cooper, de la policía judicial de Johannesburgo. Ya conocen al agente Shabalala.

–Preséntemelas, por favor –pidió Emmanuel cortésmente. Quería ver bien a las costureras. Quizá las venenosas acusaciones de la señora Pretorius tuvieran algún fundamento. Zweigman tenía acceso a cinco mujeres mestizas menores de cuarenta años.

A Zweigman se le heló la sonrisa en los labios.

–Por supuesto: ésa es Betty, después Sally, Angie, Tottie y Davida.

Emmanuel saludó a las mujeres con la cabeza y se fijó con atención en sus rostros. Les puso burdas etiquetas. Betty: risueña y con la cara picada de viruelas. Sally: flaca y nerviosa.

Angie: mayor que las demás y malhumorada. Tottie: nacida para hacer llorar a hombres adultos. Davida: un tímido pajarito mestizo.

Si hubiera tenido que apostar cuál le gustaba a Zweigman, se lo habría jugado todo a Tottie. Seductora y de piel clara, era la clase de mujer que usaban los de la policía antivicio como cebo en las emboscadas relacionadas con la Ley de Inmoralidad, y que después se llevaban a casa para relajarse un poco después del trabajo.

–Caballeros –dijo Zweigman mientras descorría una segunda cortina y los conducía a una pequeña habitación amueblada con una mesa y varias sillas. La mujer morena, tan nerviosa el día anterior, estaba ahora sirviendo té en tres tazas con una mano firme.

–Ésta es mi mujer, Lilliana.

–Oficial Cooper –respondió ella amablemente al tiempo que les hacía un gesto para que se acercaran a la mesa, donde estaban preparados el té y un pequeño plato de galletas. Emmanuel se sentó con todos sus sentidos en alerta. Avisándoles con unas horas, el viejo judío y su esposa habían vuelto a levantar sus defensas y no habían dejado ni una rendija por la que asomarse.

–¿A cuál de esas mujeres se está *ficken*? –preguntó coloquialmente, utilizando argot alemán para conseguir un mayor impacto.

Zweigman se sonrojó y a su mujer se le cayó el plato de galletas sobre la mesa con un fuerte golpe. Hubo un silencio interminable mientras recogía las galletas y volvía a colocarlas en el plato.

–Por favor –dijo Zweigman con voz queda–, ésta no es charla para mantener delante de la esposa de uno.

–Ella no tiene por qué estar aquí –contestó Emmanuel–. La interrogaremos más tarde.

–Lleva a las señoras a dar un paseo, *liebchen*. Os vendrá bien tomar el aire.

La elegante mujer salió de la habitación rápidamente. Emmanuel dio un sorbo a su té y esperó a que se cerrara la puerta de la tienda. Se volvió hacia Zweigman, que de pronto parecía encorvado y agotado bajo el peso de la vida. Tenía ojeras de cansancio bajo los ojos marrones.

–Eso ha sido cruel e innecesario –dijo–. No me lo esperaba de usted.

–Este pueblo saca lo peor de mí –respondió Emmanuel–. Bueno, ¿entonces cuál de esas mujeres es la afortunada?

–Ninguna. Aunque seguro que, si usted pudiera escoger, se quedaría con Tottie. He visto cómo la miraba.

Emmanuel se encogió de hombros.

–Mirar seguía siendo legal la última vez que revisé la lista de delitos penables. El comisario Pretorius pensaba que usted había hecho mucho más que mirar.

–Se equivocaba –la respuesta fue breve y directa–. Acompañaba a las mujeres a casa por la noche porque había un...

–le costó encontrar la palabra apropiada en inglés– un mirón en la zona. No era más que una medida de seguridad.

–¿Ah, sí?

–Agente Shabalala, por favor, dígale a su colega que no me he inventado lo del mirón.

Shabalala miró al suelo, incómodo por ser incluido en el interrogatorio. Carraspeó.

–Había un hombre. El comisario estuvo buscando pero no encontró a nadie.

–¿No hubo arrestos?

–No –contestó Shabalala.

–Le habrían encontrado si las mujeres acosadas hubieran sido europeas –dijo Zweigman–. La actividad se interrumpió y nunca se volvió a mencionar.

–¿Tuvo usted ocasión de consolar a las mujeres asustadas? Es fácil que las emociones se enciendan cuando existe un componente de peligro.

–Ah... –Zweigman había recuperado la compostura–. Qué mente la suya, siempre buscando algún secreto obsceno. Se lo repetiré: no me estoy y nunca me he estado *ficken*, como tan delicadamente lo ha expresado usted, a ninguna de las mujeres que trabajan para mi esposa.

–El comisario Pretorius vino a verle un par de veces este año, ¿para qué?

–Para darme algunos consejos. Que no me dejara ver de noche con ninguna mujer que no fuera mi esposa. Que no permitiera que mis empleadas me trataran con demasiada confianza. Que no asistiera a reuniones sociales con los mestizos o los negros. Que no me olvidara de que yo soy blanco y no soy uno de ellos. ¿Quiere que siga?

–A usted no le gustaba el comisario.

–Eso es cierto.

–¿Lo mató?

–No –Zweigman se quitó las gafas y las limpió con la parte delantera de su camisa–. No tengo armas ni sé cómo se usan. Tanto Anton, el mecánico de enfrente, como mi mujer, Lilliana, pueden decirle que estuve aquí en la tienda hasta después de las diez intentando, infructuosamente, hacer cuadrar las cuentas del negocio.

Emmanuel anotó los nombres de los testigos. No le cabía ninguna duda de que proveerían a Zweigman de coartadas de oro. Los dos sospechosos tenían justificación para la franja de tiempo en la que se había producido el asesinato del comisario Pretorius. En su pequeña lista no quedaba ningún nombre tras la primera jornada completa de investigación. Era hora de acompañar a Hansie en las visitas de puerta en puerta. Tenía que dar la vuelta a unas cuantas piedras y ver qué arañas salían de debajo.

Emmanuel estaba erguido en la cama, con la boca abierta, respirando con dificultad. Estaba a oscuras y tenía la piel cubierta de gotitas de sudor. Sintió el dolor familiar del miedo en el fondo del estómago. Se pasó la mano por el cuerpo para comprobar si estaba herido. La herida de bala del hombro llevaba mucho tiempo curada y el corte en la mejilla del disparatado ataque relámpago de las chicas de Donny era sólo un rasguño. Sin cuchillo no hay sangre.

Bajó las piernas de la cama y se quedó sentado al borde.

Aquellos sueños iban y venían, pero nunca había salido la mujer. La mujer era algo nuevo. Imposible saber quién era. La bodega de su sueño siempre estaba a oscuras. La historia siempre era la misma: una ciudad bombardeada. La patrulla iba caminando de un montón de ruinas al siguiente, reconociendo bien el terreno en busca de la presencia del enemigo. Un registro rutinario de una bodega. Se da la vuelta y se dispone a marcharse. La hoja del cuchillo penetra en su cuerpo y él se desploma hacia delante envuelto en oscuridad y dolor.

Ése era el sueño, que se representaba una y otra vez en un bucle infinito. Cada ronda de visitas de puerta en puerta que llevaba a cabo como policía hacía aflorar recuerdos del fondo del pozo. Ahora no era tan horrible. Ya no gritaba ni alargaba la mano para encontrar una luz que le devolviera a la realidad.

Emmanuel respiró hondo, cerró los ojos y volvió a visualizar el rincón de la bodega. El olor de la mujer impregnaba el lugar. ¿Su ex mujer? No, ella olía a rosas de té inglesas y a agua con hielo. Angela, tan correcta y tan comedida, jamás arañaría, lamería ni mordería. Con ella el sexo era para la media hora antes de irse a dormir. Follar como animales en una bodega no era su estilo. Follar no era su estilo.

Volvió a tumbarse. La mujer no era nadie a quien conociera en la vida real. Si lo fuera se acordaría, sin duda. ¿Por qué el sueño no había terminado con él y la mujer, con sus cuerpos desnudos y ardientes, cayendo en un sueño oscuro y profundo como el inducido por la morfina?

Cuando oyó el ruido, le llegó claro y nítido: una pisada sobre el camino de gravilla que llegaba hasta su puerta. Se quedó quieto. Aquello no era un sueño. Aquello era Jacob's Rest y el crujido de la gravilla estaba cerca, cada vez más. Se levantó de la cama y se acercó a la puerta a oscuras. La luz de la luna entraba por una rendija de la cortina. Se agachó junto al pomo. La puerta mosquitera se abrió y volvió a cerrarse rápidamente. Entonces se oyó el ruido de algo pesado que se apoyaba contra la malla de la puerta y el sonido de las pisadas se fue apagando.

Emmanuel abrió la puerta de golpe. Al otro lado del patio, una figura se introdujo rápidamente en la sombra de una jacaranda que crecía descontroladamente y desapareció en la oscuridad. Emmanuel se lanzó hacia la puerta mosquitera, listo para salir volando. La puerta estaba atrancada, sujeta con una de las piedras encaladas del borde del jardín. Volvió a empujar y la puerta cedió.

–¡Eh, tú! ¡Quieto!

Emmanuel salió corriendo y se introdujo en la noche iluminada por la luz de la luna. El ruido de las pisadas del intruso, que corría por el descampado a toda velocidad, le empujaba a seguir. Sintió el roce de los altos tallos de hierba y de las ramas de los árboles contra su cuerpo. Dejó atrás las oscuras casas. Estaba en un camino *kaffir* y no tenía ni idea de adónde conduciría. Apretó el paso y alcanzó a ver cómo la figura tomaba una curva justo delante de él. Tras la curva, el camino se bifurcaba. Fue corriendo hacia el ramal izquierdo y siguió adelante a toda marcha durante unos minutos, hasta que se dio cuenta de que estaba solo y corriendo a ciegas por el *veld* a la luz de la luna.

Sintió náuseas y se inclinó hacia delante. Los pulmones le ardían, la bilis le subía por la garganta. En cuatro años en la policía judicial, nunca se le había escapado nadie. En el departamento no había nadie que corriera por los callejones y saltara vallas más deprisa que él. Quienquiera que le hubiera hecho correr esa maratón descalzo sobre piedras y arena no se había detenido ni había aflojado el paso. Emmanuel tomó una bocanada del frío aire de la noche. Le habían ganado, claramente y por un buen trecho.

Cerró los ojos y de pronto, sin avisar, apareció ella. La mujer de la bodega, iluminada lo justo para poder ver cómo levantaba los brazos morenos hacia él. Definitivamente no era europea. Una de las mujeres de la tienda de Zweigman: ¿la encantadora Tottie, con sus labios seductores y sus generosas caderas? ¿O quizá Sally, picada de viruelas y ansiosa por complacer?

«Tienes que salir de aquí, echar un polvo», pensó. «Llama a la morena que trabaja en la sección de corbatas y sombreros de Belmont Menswear.» Era perfecta: atractiva, dispuesta, y lo más importante, blanca. Las mujeres negras y mestizas eran para los policías antivicio con apetitos carnales y sin ambición. La señora Pretorius haría que le colgaran por ser tan depravado como para tener ese sueño.

—Da un paso y disparo, amigo.

Emmanuel sintió el calor de un foco en la espalda desnuda y oyó el clic del seguro de un arma. Se quedó paralizado.

—Las manos en alto, donde yo las vea, y vuélvete hacia mí. Despacio.

Emmanuel obedeció y recibió el resplandor del foco en la cara. Entrecerró los ojos y vio dos figuras oscuras de pie, hombro con hombro.

—¿Quién eres? —preguntó el hombre que llevaba el arma.

Emmanuel mantuvo las manos en alto, mostrando las palmas con los dedos extendidos como banderas blancas. Era un desconocido descalzo y en pantalón de pijama al que habían pillado jadeando en medio de la oscuridad. Si le disparaban ahora, un jurado propondría absolverlos.

—Soy el oficial Emmanuel Cooper, de la policía judicial. He venido para investigar el asesinato del comisario Pretorius. Tengo la placa en la pensión.

Puso todo su empeño en parecer cuerdo.

—Y una mierda —el hombre de la linterna escupió al suelo—. Ni siquiera los blancos pueden ser policías si están locos.

—La pensión Protea —Emmanuel se centró en cosas que conocieran. Por su forma de hablar, los hombres parecían de la zona y mestizos—. Esta tarde he estado en la tienda de Zweigman. Pregunten a cualquiera que trabaje allí. Les dirán quién...

—Cierra la boca, amigo —dijo el hombre de la linterna mientras se acercaba a Emmanuel—. ¿Os creéis que ahora que ha muerto el comisario podéis volver y abusar de nuestras mujeres?

—No es...

—Ponte de rodillas o le digo aquí a mi amigo que te dispare simplemente por diversión.

Emmanuel volvió la cabeza para apartar la mirada del resplandor de la luz blanca y se arrodilló lentamente. Los hombres se acercaron y él aguantó la respiración, preparado para la paliza que sabía que vendría a continuación. El calor del foco le quemaba la cara.

–¿A quién tenéis?

El grito llegó hasta ellos a través del *veld*. Otro mestizo había venido a sumarse a la partida de caza.

–A un blanco chiflado –respondió el hombre armado–. Dice que es policía.

El tercer hombre apretó el paso hasta acabar corriendo a toda prisa hacia ellos.

–Dios santo, Tiny –dijo respirando dificultosamente–. Es él. Es el policía de Jo'burgo.

–¿Estás de broma? Mírale.

–Palabra de honor –juró el recién llegado–. Es el oficial. Esta tarde ha estado en mi negocio con Shabalala.

Emmanuel identificó la voz. Era la del mecánico mestizo que había confirmado la coartada de Zweigman. Un hombre desgarbado con la piel marrón oscuro y un empaste de oro en uno de sus dientes delanteros.

–Anton Samuels –dijo Emmanuel desde el suelo–. El mejor mecánico de Jacob's Rest. Eso me dijo el agente Shabalala.

–Lo seré en cuanto mi taller esté funcionando otra vez –dijo Anton, que se acercó y le tendió la mano a Emmanuel–. Me queda más o menos un mes para terminar de reconstruirlo, pero lo conseguiré.

El arma volvía a tener el seguro puesto y el foco apuntaba al suelo cuando Anton ayudó a Emmanuel a levantarse. Hubo un silencio cargado de tensión. Los hombres estaban esperando alguna señal. Una agresión a un policía blanco significaba pena de cárcel. Una agresión llevada a cabo por mestizos armados significaba pena de cárcel con trabajos forzados y con palizas constantes de propina. Probablemente dispararle y escabullirse era su mejor opción.

–Lo siento –se disculpó Emmanuel–, os he tenido que pegar un buen susto, corriendo por ahí en plena noche como un lunático. Es una suerte que no me hayáis disparado directamente.

–Una suerte para todos, oficial –dijo Tiny.

Era un hombre menudo con cuatro mechones de pelo hirsuto que llevaba peinados con mucha ostentación de forma que le cubrieran la cabeza. Lo que le faltaba en altura y en pelo lo compensaba con su amplia circunferencia. La tripa describía una buena curva delante de su cuerpo y hacía presión contra los botones de la parte delantera de la camisa.

–Soy Tiny Hanson –carraspeó para reducir el temblor de la voz–. Éste es mi hijo Theo.

–Un blanco medio desnudo en un camino *kaffir* –dijo Theo. Le sacaba quince centímetros a su padre, pero ya estaba empezando a echar carnes–. Eso es algo que nunca pensé que vería. ¿Hacéis esas cosas en Jo'burgo, oficial?

Los hombres se echaron a reír nerviosamente, conscientes de que todavía era mucho lo que había en juego. Un paso en falso podría mandarlos en picado por un precipicio, sin ninguna esperanza de que una misión de rescate los sacara.

–Creía que estabais acostumbrados a ver policías blancos por estos caminos. ¿No estaba siempre el comisario corriendo por ellos?

–*Ja*, pero él iba vestido.

–Buen argumento –dijo Emmanuel sonriendo–. ¿De dónde veníais, por cierto?

–De la licorería –respondió Anton–. Tiny y Theo han vuelto de Lorenzo Márquez esta noche. Estábamos echando una partida de cartas en la parte de atrás cuando le hemos oído pasar corriendo.

Emmanuel vislumbró una ventana con una luz tenue a su izquierda. No tenía ni idea de dónde estaba. Fuera de la red de calles principales, no había forma de orientarse. Los caminos *kaffir* le convertían en un mero espectador.

–¿Se viene a tomar una copa, oficial? –ofreció Tiny amablemente–. Theo le enseña luego cómo volver.

En circunstancias normales, la invitación era una violación de todas las reglas. No era algo natural que los hombres mestizos y los policías blancos bebieran juntos.

–Vale –dijo Emmanuel. Dormir parecía algo muy remoto; los sueños estaban esperando a que volviera a la cama–. Me vendrá bien para quitarme el polvo de la boca.

–La licorería es mía –dijo Tiny con orgullo mientras echaba a andar hacia la luz–. Tengo bebida suficiente para quitarle el polvo de la garganta y también del estómago. He traído nueva mercancía de Mozambique. Oporto. Whisky. Ginebra. Cualquier cosa que se le ocurra.

–¿La has metido por el puesto fronterizo o por el río?

–Yo lo hago todo legal. El comisario lo sabía y nunca he tenido problemas. Un par de botellas para los de la frontera. Un barril de cerveza para la comisaría. Me aseguro de que todo el mundo reciba lo suyo.

Tiny abrió una puerta de madera y condujo al grupo a un pequeño patio situado detrás de la licorería. Había tres lámparas de queroseno colgadas de unos ganchos en las vigas inclinadas de un cobertizo adosado a la tienda, junto a la puerta trasera.

–Bueno, lo mío es un whisky –dijo Emmanuel. En medio del cobertizo había preparada una mesa para jugar a las cartas–. ¿A qué jugabais?

–Al póquer –dijo Theo, que sirvió un whisky triple en un vaso limpio y lo deslizó por la mesa–. ¿Usted juega?

–Jugaba –contestó Emmanuel–. ¿Y el cuarto jugador?

–¡Harry! –exclamó Theo mirando hacia un oscuro rincón–. Puedes salir, solamente es el policía de Jo'burgo.

Un anciano con el pecho hundido y un bigote encerado salió del rincón arrastrando los pies y ocupó la silla que estaba libre. Su cuerpo esquelético soportaba el peso de un capote del ejército adornado con medallas militares y galones descoloridos de la Gran Guerra.

Emmanuel se sentó junto al viejo soldado, a quien estaba claro que habían mandado a los confines del Imperio con un buen abrigo para espantar los recuerdos del gas y los disparos. «Así podría haber acabado yo...», pensó Emmanuel.

—Relájate, Harry —dijo Anton amablemente—. Sólo acaban de dar las doce. Todavía falta una hora para que empieces a tener problemas. Yo me encargo de que vuelvas a tiempo.

—Harry está casado con Angie, que trabaja para la mujer del viejo judío —explicó Tiny—. Es muy estricta con el pobre hombre, ¿verdad, Harry?

—Muy dura, muy dura —masculló el hombre para sí—. Muy dura con todo.

Emmanuel se acordaba de Angie. «Mayor que las demás y malhumorada» era como la había etiquetado. Por lo visto, había dado en el clavo.

—¿Le reparto cartas, oficial? —preguntó Anton.

Emmanuel dio un trago al whisky. Quedarse era una insensatez. Pondría a los blancos en su contra si se enteraban e iba a complicar la investigación más de lo necesario.

—Repárteme —dijo—. ¿Cuánto es el ante?

—Cinco cerillas —le informó Theo muy serio—. ¿Seguro que puede pagarlo? He oído que últimamente no pagan muy bien a la policía.

—Puedo permitírmelo —respondió Emmanuel con la misma gravedad—. Pero alguien va a tener que poner lo mío, no llevo nada encima.

Theo deslizó las cerillas por la mesa.

—Menudo cuerpo tiene, hombre, parece usted un *tsotsi*. ¿Cómo se ha hecho todo eso?

—Los arañazos, con la carrerita de esta noche. La herida de bala, en la guerra.

—Mi abuelo era alemán —dijo Tiny mientras rellenaba los vasos—. De Düsseldorf, decía.

—El mío también —masculló Harry—. El mío también.

—No, hombre —le corrigió Theo—. Tu abuelo era el predicador escocés que bebía como una esponja. Pregúntale a la abuela Mariah, ella te lo dirá.

—¿Y su familia de dónde es?

Emmanuel tardó unos instantes en darse cuenta de que la pregunta iba dirigida a él. Dio un buen trago a su whisky antes de contestar. En aquella mesa no había que avergonzarse de ser producto del Imperio: impuro e irrefrenable.

–Madre inglesa, padre afrikáner.

No tenía ni idea de por qué había dicho la verdad. No solía hablar de sus padres, y en los últimos cuatro años a las órdenes de Van Niekerk, jamás se había referido a ellos. Era una de las cosas que mantenía en el fondo del pozo.

–Anda –dijo Anton al tiempo que ponía sus cartas en la mesa con una floritura–, así que es usted mestizo como nosotros, vaya.

Las risas fueron relajadas y naturales, ayudadas por el whisky y por el oscuro manto de la noche. Sudáfrica, con sus leyes cada una más severa que la anterior, estaba muy lejos del patio trasero de la licorería Hanson's. Aquella tregua irreal se mantendría hasta el día siguiente.

–Espero que no fuera uno de mis parientes el que le hizo eso, oficial –dijo Tiny señalando la herida de bala–. No somos todos unos sanguinarios como dicen los ingleses.

–Pues lo disimulas muy bien –dijo Emmanuel–. Casi me mandas al otro barrio esta noche. Ha debido de ser el teutón que llevas dentro.

–¡No! De verdad –protestó Tiny por encima de las risas espontáneas–. Pensábamos que era usted el pervertido. Ahora que no está el comisario, a saber lo que va a pasar.

–¿Nunca llegaron a pillarle?

–No que nosotros sepamos –dijo Anton–. El viejo judío armó una buena, pero la policía le dijo que se olvidara. Vete a casa, se acabó.

Tiny se bebió su vaso de whisky de un trago.

–Por eso a mí no me importa atender a Donny Rooke en mi tienda. En el hotel de los blancos le prohibieron la entrada, pero yo digo que ha cumplido su condena y ha mantenido a las chicas. No me parece bien lo que hizo, pero lo sé. El pueblo entero lo sabe.

–Tendríais que haber visto a Donny la otra noche cuando entró el comisario en la tienda –dijo Theo–. Tenía tanto miedo que casi se caga encima. El hombre que abusaba de nuestras mujeres tendría que estar igual, pero, en cambio, anda por ahí suelto, libre como un pájaro.

—¿Qué día fue eso? —preguntó Emmanuel. Theo y Tiny habían estado fuera del pueblo durante las visitas de puerta en puerta. Su información aún no estaba archivada.

—El miércoles —Tiny tiró su mano perdedora con un gruñido—. La noche que murió el comisario.

—¿A qué hora?

—Algo después de las seis. Donny se retrasó y le abrí la tienda expresamente para él. Ese hombre le está dando a la bebida más que antes.

—¿Y vino el comisario?

—*Ja*, una vez al mes se pasaba a por una botellita. Sólo una pequeña.

—¿Le vio Donny?

—Le oyó —dijo Theo con un tono despectivo—. Estaba escondido detrás del mostrador como una viejecita.

—¿Sabía Pretorius que estaba ahí?

—No. El comisario no se quedó mucho tiempo. Tenía que ir a donde Lionel a por lombrices para el cebo, así que se marchó. Donny se quedó otra media hora o así, hasta que estuvo seguro de que el comisario se había ido del pueblo.

Emmanuel bajó sus cartas y notó la naturalidad con que sus propias manos ejecutaban la tarea. Donny volvía a estar en la lista y tenía hora, oportunidad y móvil al lado de su nombre.

—Bueno, yo estoy acabado. Tengo que dormir un poco antes del gran día.

—Sí, nosotros igual —asintió Theo—. Hay que tener un aspecto decente en un funeral, ésa es una de las cosas que recuerdo de la escuela de la misión.

Anton dio una palmadita en la espalda a Harry.

—Hora de irse, amigo mío, si no quieres llevarte un sartenazo en la cabeza como la semana pasada.

—A casa —dijo Harry antes de beberse lo que le quedaba en el vaso—. A casa.

—Le acompaño, oficial —se ofreció Anton cuando salieron

al camino *kaffir*–. Tengo que llevar a Harry a su casa y vive justo en la frontera con la zona holandesa.

Emmanuel se despidió y echó a andar por el camino detrás de Anton y Harry. Al día siguiente, a primera hora, él y Shabalala le harían una visita a Donny, y esta vez él y su esposa adolescente iban a decir la verdad. Le iba a dar a Donny un buen motivo por el que llorar.

–La pensión Protea está siguiendo por allí, a la derecha –Anton apuntó con la linterna a un estrecho camino encajonado entre dos casas–. Es mejor que vaya usted solo. Nosotros tenemos prohibido entrar en esa zona del pueblo por la noche.

–Gracias.

Emmanuel le estrechó la mano a Anton y le observó desaparecer en el *veld* con Harry a la zaga. Le llegó la voz del viejo soldado, que iba haciendo una interpretación torpe y accidentada de «It's a Long Way to Tipperary».

Emmanuel siguió por el camino, que le llevó hasta los jardines de la pensión Protea. El mecánico mestizo le había salvado de una paliza y de algo peor. Donny no iba a tener tanta suerte. La puerta mosquitera chirrió y Emmanuel vio un destello blanco por el rabillo del ojo. Metido entre el marco de la puerta y la malla había un trozo de papel. Lo sacó. Su visitante nocturno le había dejado un regalo. La luz de la luna alcanzó la hoja. Dos palabras escritas con tinta negra: «Elliot King».

5

La chapa de hierro ondulado había cedido y Emmanuel estaba dentro, agachado en la penumbra de la chabola. Donny Rooke estaba metido entre sus dos mujeres, con la cabeza hacia atrás, como una morsa protegiendo a su harén con sus estruendosos ronquidos. Emmanuel atravesó la habitación antes de que Donny abriera los ojos. Agarró al pelirrojo por el cuello y le levantó de la cochambrosa cama. Le llegó el olor de los cuerpos desaseados desde debajo de las mantas y oyó los gritos de las chicas mientras sacaba a Donny de la cama y le inmovilizaba contra la pared, desnudo.

–Me mentiste, Donny.

–¡Suéltale!

La mayor se lanzó al ataque. Emmanuel sintió el dolor de sus puñetazos en la espalda, seguido del ruido de los brazos y las piernas sacudiéndose en el aire. Shabalala había levantado del suelo a la muchacha enfurecida. Emmanuel siguió concentrado en Donny.

–Me mentiste –repitió con calma mientras reducía ligeramente la fuerza con la que tenía agarrado el cuello del pelirrojo–. ¿Por qué mentiste?

–Tenía miedo... –dijo Donny, respirando con dificultad.

–Ésa fue tu excusa para salir corriendo ayer. Vas a tener que contarme algo mucho mejor o yo sí que te voy a dar motivos para tener miedo, ¿te enteras, Donny?

–Por favor...

–Eh, tú, inglés –era la hermana mayor–, dile al *kaffir* que me suelte. No puede tocarme. Va contra la ley.

Emmanuel sentó a Donny en una silla de un empujón y se volvió hacia la chica, que estaba sentada en el sofá desnuda. Shabalala estaba detrás de ella, con una mano apoyada firmemente sobre su cabeza y la mirada fija en el suelo. El toque paternal de la extraña escena quedaba reducido por la grotesca postura de las caderas de la joven, levantadas de tal forma que se veía perfectamente todo lo que tenía entre los muslos.

–Cierra las piernas –dijo Emmanuel, que recogió una fina sábana que se había caído al suelo y se la echó a la chica sobre el regazo antes de volverse de nuevo hacia Donny–. ¿Estás listo para contarme la verdad o necesitas que te ayude a recordarla?

–No –dijo Donny encogiéndose en la silla–. Ayer tenía demasiado miedo para contársela. Se lo juro por Dios.

–¿Por qué tenías miedo?

–Sabía que sonaría sospechoso. Que yo hubiera sido la última persona que vio al comisario Pretorius en el pueblo.

–¿En la licorería?

–No –contestó Donny con firmeza–. En el camino *kaffir* que va por detrás de las casas de los mestizos.

Emmanuel levantó una silla y la puso enfrente de Donny. La silla se inclinó hacia un lado y se quedó torcida, como todo lo demás en la vida de Donny Rooke. Cogió una camisa que había tirada en el suelo y se la dio al hombre desnudo.

–¿El miércoles? –preguntó Emmanuel.

–*Ja.* Voy una vez a la semana a buscar provisiones. Ese día me retrasé y cuando llegué a la tienda de Tiny se estaba haciendo de noche –Donny se detuvo para ponerse la camisa sobre el cuerpo lleno de magulladuras. No se molestó en abrocharse los botones–. Cuando estaba recogiendo mis botellas, entró el comisario Pretorius y me escondí detrás del mostrador. No quería que me viera. Pensé que me iba a quitar las botellas.

–Sigue.

–El comisario se fue y yo me quedé allí. Pensé que era mejor darle tiempo para que recogiera sus lombrices y se fuera a pescar. Salí al camino *kaffir*. Se había puesto el sol, así que fui despacio. Tomé la curva y fui hacia el hospital, y entonces vi la furgoneta de la policía aparcada detrás de un árbol. Me escondí y esperé a que se fuera –Donny se cerró bien la camisa–. No estaba espiándole. Estaba esperando a que se fuera. Nada más. Lo juro.

–¿Y entonces?

–Oí unos pasos. Miré para arriba y estaba allí delante, apuntándome directamente con su linterna. Me dice: «¿Me estás espiando, Donny?». Y yo le digo: «No, comisario, yo nunca haría eso. Jamás». Se echó a reír y yo casi me meo encima. Había algo en él… –Donny tuvo que esforzarse para encontrar la palabra en su pobre vocabulario–. Algo como de piedra. No sé, algo duro. No levantó la voz, qué va. Entonces yo le dije: «Oiga, comisario…», y zas.

Donny giró la cabeza como si le hubieran dado una bofetada.

–Me pegó así y luego empezó a darme puñetazos. Me tiró al suelo con los golpes, y entonces me coge del pelo y me dice: «Esto no es más que una pequeña muestra de lo que te voy a dar como te vuelva a pillar espiándome». No le estaba espiando, pero le digo: «Sí, comisario». Después me levantó y me sacudió la tierra de la camisa, como si me hubiera caído al suelo yo solo. Y entonces coge mis botellas, me las da y me dice: «No te dejes esto, te va a hacer falta esta noche». Me temblaban las manos, estaba muerto de miedo. Le dije: «Gracias, comisario», y me fui cojeando lo más rápido que pude.

–¿A qué hora llegaste a casa?

–No lo sé –gimió Donny–. Me pegó como a un perro. Me dolía todo el cuerpo. No tengo ni idea de lo que tardé en volver del pueblo.

–¿Tienes un reloj?

–Está roto.

–¿Tienes un arma?

–*Ja*, claro –dijo Donny señalando una repisa detrás del fregadero de la cocina. Emmanuel se levantó y cogió el rifle. Deslizó el cerrojo hacia atrás y no le sorprendió que la pieza entera cayera al suelo.

–¿Tienes más armas?

–No –contestó Donny, y señalando a la muchacha del sofá, añadió–: Ella tiene buena mano con los tirachinas...

Emmanuel volvió a poner el rifle en su sitio y se sentó en la silla inclinada. La imagen de Donny, sin más ropa que la camisa abierta, resultaba perturbadora. Se puso las palmas de las manos en los ojos mientras Donny empezaba a desaparecer rápidamente de la lista de sospechosos. El asesino era paciente y cuidadoso. El escenario del crimen estaba ordenado y bajo control. Donny Rooke era un desastre. Su cuerpo, su mente, su chabola: todo estaba en desorden. Era la clase de persona que dejaría al lado del cadáver una petaca con su nombre y su dirección grabados.

–Estabas enfadado con el comisario Pretorius por darte una paliza. Querías devolvérsela, vengarte –Emmanuel siguió por el mismo camino.

–Quería alejarme lo máximo posible de él. Había algo en él... –de nuevo le costaba encontrar las palabras–, algo que no estaba bien. Algo diferente.

–¿Le seguiste?

–¿Para que me hiciera otra vez lo mismo? Ni hablar. Me vine directo a casa y puse los muebles delante de la puerta.

Emmanuel miró a la mayor de las dos chicas. Era más agresiva que la mayoría de los miembros de las bandas de delincuentes con quienes se las veía en Jo'burgo. Se volvió hacia la hermana menor, una figura silenciosa acurrucada bajo un edredón de retales destrozado. Era su mejor opción. Se acercó lentamente y se agachó al lado de la cama.

–Soy el oficial Cooper –dijo–, ¿cómo te llamas?

–Marta –contestó con una vocecita prácticamente inaudible.

–Marta, ¿te dijo Donny cómo se había hecho daño?

–*Ja*.

–¿Cómo?

La adolescente se mordió el labio inferior antes de contestar.

–Dijo que el comisario Pretorius le había pegado una paliza de muerte, que le había dado una somanta de palos sin motivo.

–¿Qué hizo Donny cuando llegó a casa el miércoles?

–Se metió en la cama a llorar. Al final le dimos una segunda botella para que se durmiera porque estaba haciendo mucho ruido.

–¿No volvió a salir de casa?

–No, no podía ponerse de pie de lo borracho que estaba.

–Estaba herido –se apresuró a defenderse Donny–. Todavía no puedo usar bien el brazo de los puñetazos que me dio. Mire.

Intentó penosamente levantar el brazo derecho por encima de la altura del hombro. No había duda de que se había llevado una buena tunda y de que las manos del comisario Pretorius, con los nudillos llenos de moratones, encajaban perfectamente con la agresión.

–¿Por qué no me contaste esto ayer? Tienes las lesiones y tienes testigos que confirman tu historia.

La risa de Donny fue un sonido débil y amargo.

–¿Quién se iba a creer que me pegó sin motivo? Un «hombre decente» como él. Nunca fumaba ni decía palabrotas delante de las mujeres. Siempre tan simpático. Y yo aquí sin nada. Todo el pueblo se reiría de mí. Dirían que soy un mentiroso.

–¿Estás mintiendo?

–No, si hubiera visto al comisario Pretorius aquella noche lo entendería –Donny se arrodilló y se quitó la camisa rápidamente para recalcar lo desesperado de su situación–. Le dejé en el camino *kaffir* y vine directo a casa. No volví a saber nada hasta que un chico mestizo le contó a Marta que el comisario había muerto. Si estoy mintiendo, que venga Dios y lo vea.

Emmanuel dudaba que Dios y Donny se llevaran bien,

pero ahora su propia reacción instintiva era una sensación muy fuerte. Con toda probabilidad, el hombre patético que tenía arrodillado delante no era el asesino.

–Agente Shabalala, ¿qué opina usted? ¿Está diciendo la verdad nuestro amigo?

Shabalala habló con profunda conmiseración:

–Creo que este hombre no pudo matar al comisario. Este hombre no es lo bastante fuerte para hacer eso.

–Es verdad, míreme –Donny se levantó de un salto y utilizó su raquítico cuerpo como prueba–. Mire, casi no tengo músculos. En la vida podría yo contra alguien tan grande como el comisario Pretorius.

–Ponte la ropa, Donny. Eso no es lo que está diciendo Shabalala.

El asesino no era físicamente fuerte, eso lo sabían tanto él como el policía negro. Era de fuerza mental de lo que estaba hablando Shabalala, fortaleza de espíritu. Emmanuel sentía una gran curiosidad por el hermético agente. Nunca ofrecía información por iniciativa propia y no hacía comentarios a menos que se le pidiera expresamente. Había una resistencia, un empeño en no involucrarse.

–Eh, tú –era la hermana mayor, molesta por no ser incluida en la conversación–, ¿es verdad lo que dicen de los ingleses?, ¿que les gusta hacérselo con chicos?

–¡Tú cállate la boca! –dijo Donny, que se dirigió rápidamente hacia su mujer con los puños cerrados y con intención de agredirla. La chica se quedó mirándole fijamente hasta que Donny bajó la mirada.

–Siéntate –le ordenó Emmanuel a Donny con voz queda.

La chabola y sus ocupantes estaban empezando a crisparle los nervios. Cogió un vestido de algodón que estaba tirado en el suelo y se lo dio a la joven. Ella se levantó y dejó que Emmanuel la mirara bien. El vientre plano y los pequeños pechos altos, la mata de pelo rubio rojizo sobre el pubis. Y lo que más llamaba la atención de todo, la desafiante invitación sexual que brillaba en sus oscuros ojos marrones.

–Tenemos que irnos al funeral –le dijo Emmanuel a Shabalala. Las chiquillas descaradas no tenían ningún efecto sobre su libido.

–*Yebo* –respondió el policía negro con alivio. También a él estaba empezando a afectarle la miseria de la chabola.

–Como tenga que volver por aquí –le dijo Emmanuel a Donny–, te vas a llevar una ración doble de lo que te dio el comisario Pretorius. Te lo digo muy en serio.

–*Ja*, oficial, por supuesto –dijo Donny, atolondrado del alivio que sentía–. Todo lo que he dicho es tan cierto como la Biblia. Se lo juro por la tumba de mi madre.

La hermana mayor le lanzó una mirada de asco a Emmanuel cuando pasó a su lado.

–Chupaescrotos –le dijo con total naturalidad en afrikáans, convencida de que al policía inglés no le gustaban las chicas. Emmanuel se dirigió al exterior, hacia la luz del sol.

Donny los siguió hasta el coche, con la camisa abierta como la puerta de una tienda de campaña.

–Oficial, si encuentra mi cámara...

Emmanuel cerró la puerta del coche de un portazo y giró la llave.

–Me encargaré de traértela.

Emmanuel empezó a alejarse lentamente con el coche en primera. Le pisó un poco más. Enseguida habían dejado atrás a Donny en su miserable patio de tierra.

–¿Se ponía violento con la gente el comisario Pretorius?

–No –contestó Shabalala firmemente.

–¿Por qué con Donny?

–Ese hombre... –Shabalala señaló la figura de Donny, que iba empequeñeciéndose en la distancia– vino a la comisaría a pedirle su cámara al comisario Pretorius. El comisario dijo que no la tenía y Rooke le llamó mentiroso y ladrón.

–¿Le dio el comisario Pretorius un par de azotes?

–No, pero creo que quizá el comisario no olvidó lo que le había dicho ese hombre.

Emmanuel giró hacia la carretera principal que conducía de vuelta a Jacob's Rest. Tenía en su cabeza la imagen clara de los nudillos magullados de Pretorius, así como las caras de la gente del pueblo cuando hablaban del comisario de policía asesinado. «Recto» e «íntegro» eran dos palabras que se mencionaban con frecuencia. Ése era el problema. Las personas rectas también creían en el castigo y en las represalias.

–Aquí arriba –ordenó Emmanuel a Hansie. El muchacho, que tenía los ojos hinchados, se subió al guardabarros del coche–. Dímelo cuando le veas.

Hansie se frotó los párpados hinchados y, entrecerrando los ojos, miró a la multitud que salía en tropel del cementerio de la Iglesia Reformada Holandesa. Primero salieron los negros, que habían estado situados en el borde del grupo de asistentes, seguidos de los mestizos y, finalmente, del núcleo de blancos. La región entera había acudido al funeral. Hasta el último centímetro de la calle que conducía a la iglesia estaba ocupado por bicicletas, coches y tractores llegados de granjas alejadas del pueblo. Muchos más negros habían venido a pie desde el poblado. La muerte del comisario había convertido Jacob's Rest en una bulliciosa metrópoli.

–¿Le ves? –preguntó Emmanuel. Habían invitado a Shabalala a formar parte de la guardia de honor de la familia Pretorius, dejándole a Hansie como única fuente de inteligencia local. La frase casi le hacía reír.

–No, no le veo –dijo Hansie–. A lo mejor no ha venido.

–Si está vivo, está aquí. Sigue mirando.

–Estoy mirando –se enfurruñó Hansie mientras la gente se agolpaba para salir del recinto de la iglesia.

Una joven morena con muchas curvas se abrió paso en dirección a la calle.

–¿Es Elliot King esa del pelo moreno y los grandes pechos? –dijo Emmanuel.

–No –el joven policía hipó de la sorpresa–. El señor King es rubio.

Emmanuel pensó que Hansie estaba bromeando, pero no había brillo alguno en sus opacos ojos azules, sólo un ansia juvenil de estar cerca del tarro de caramelos. Una poderosa mezcla de tristeza y deseo había absorbido la última chispa de energía de un cerebro que no tenía generador de reserva.

—Ve —dijo Emmanuel. Era hora de dejar de perder el tiempo y buscar una fuente alternativa de información local. Hansie le era de tanta utilidad como un loro ciego—. Te veo esta tarde en la comisaría.

Antes de que Emmanuel terminara de pronunciar la frase, Hansie se había bajado del coche y estaba abriéndose paso a empujones entre la multitud. La joven morena aún estaba en el recinto de la iglesia cuando el policía de mayor rango de Jacob's Rest, el agente de dieciocho años Hansie Hepple, le puso una mano en el hombro.

«Al menos siente algo», pensó Emmanuel. En un pequeño corrillo de mestizos divisó a Anton, el sensato mecánico que le había salvado de llevarse una paliza. Le hizo un gesto para que se acercara.

—Elliot King —dijo después de intercambiar un saludo—. ¿Puedes decirme dónde está sin señalarle?

Los ojos marrones de Anton recorrieron rápidamente la concurrencia con agilidad y agudeza.

—A su izquierda, debajo del árbol. El que está dando el pésame a la familia. Rubio, con traje de safari caqui.

Emmanuel le localizó enseguida. Irradiaba la clase de relajación y desenfado que resultan de estar nadando en una piscina de dinero familiar. El traje caqui hecho a medida era un buen detalle: le daba un encanto rural y campechano sin empañar su estatus superior.

—¿De dónde le viene el dinero?

—De los molinos de azúcar, y ahora también de las reservas de caza.

Elliot King recorrió la hilera de familiares, estrechando una mano tras otra. La frialdad de los Pretorius hizo descender unos cuantos grados la calurosa temperatura del mediodía. Hasta Louis consiguió dirigirle una mirada de desprecio.

—¿Qué es lo que pasa?

—El comisario Pretorius le vendió a King la antigua granja

de la familia hace cosa de un año. Creen que King engañó al comisario con el precio.

–¿Y fue así?

Anton se encogió de hombros.

–El comisario nunca se quejó del dinero, fueron sólo los hijos.

–¿Pasó algo a raíz de aquello?

–Sólo un montón de palabrería. Los hermanos fueron diciendo tonterías acerca de que King era un estafador, pero no pueden meterse con él, King es demasiado grande para ellos. A los hermanos Pretorius no les gusta no salirse con la suya.

–¿Has sabido tú lo que es tenerlos en contra?

–Todo el mundo en Jacob's Rest ha tenido alguna experiencia. Yo no soy una excepción.

Emmanuel estaba a punto de pedir más detalles cuando le llamaron la atención dos recién llegados al grupo de familiares. Los dos hombres, con el pelo cortado al rape y con pinta de soldados de un comando, iban embutidos en los trajes baratos de algodón que usaban para las comparecencias ante los tribunales y en sus tareas en las celdas de interrogatorios. Ambos parecían salidos del apartado de «justicia sumaria» del manual de instrucción. Ninguno de los dos daba la impresión de ser capaz de hacer el papel de hombre amable, versado en sacar confesiones a los presos con empatía y mano izquierda. Eran los hombres del Departamento de Seguridad.

–¿Son amigos suyos? –preguntó Anton.

Emmanuel se bajó del guardabarros y tiró de Anton para que le siguiera. La multitud se arremolinaba a su alrededor como un oscuro mar, ocultando momentáneamente la presencia de tiburones en el agua. Emmanuel respiró hondo. Dos días. Lo justo para seleccionar al personal para la misión, darles las instrucciones y organizar el transporte. Los del Departamento de Seguridad no tenían ninguna intención de mantenerse en un segundo plano. Iban a participar en la investigación desde el principio. «Interesarse» era sólo la patraña que le habían contado a Van Niekerk para que todo se mantuviera en calma mientras ellos reunían sus fuerzas.

–No los conozco –respondió Emmanuel–, pero me da la sensación de que se nos van a presentar a todos enseguida.

Anton tragó saliva.

–¿Debería preocuparme, oficial?

–¿Estás metido en política? ¿Eres miembro del Partido Comunista o de algún colectivo que se oponga a las leyes del Partido Nacional?

–No –respondió rápidamente el mestizo–. No es que me guste lo que está pasando, pero nunca he hecho nada al respecto.

–¿Tienes toda tu documentación en regla?

–Sí, que yo sepa.

–Entonces sigue así –dijo Emmanuel–. El Departamento de Seguridad ha venido a buscar activistas políticos, y cuando el Departamento de Seguridad busca algo, lo encuentra.

–Eso he oído –respondió Anton en voz baja. Si el Departamento de Seguridad tenía poder para intimidar a un policía blanco, ¿qué posibilidades tenía un mestizo?

–Anton, ya sabes cómo funciona el juego. Tú simplemente sigue jugando.

–Es usted un tipo de lo más raro –dijo Anton quitando hierro al asunto–. Además, ¿qué sabe usted del juego?

–Nací aquí. En Sudáfrica todo el mundo tiene que saber el lugar que le corresponde. Algunos somos peones y otros… –se detuvo y señaló hacia donde estaba Elliot King, que se dirigía hacia un Land Rover con techo de lona aparcado en la calle– son reyes. Te veo luego.

Emmanuel se abrió paso entre un grupo de granjeros blancos y alcanzó al elegante hombre con aires de gallito justo cuando estaba llegando a su coche. Un nativo de edad avanzada, vestido con un traje verde de guarda forestal con las palabras «Bayete Lodge» bordadas en el bolsillo del pecho, le sujetaba la puerta del Land Rover.

–Señor King –dijo Emmanuel poniéndose delante de la puerta y tendiéndole la mano–, soy el oficial Emmanuel Cooper, de la policía judicial. ¿Puedo hablar un momento con usted?

–Por supuesto, oficial –la sonrisa fue fría; el apretón de manos, breve y firme–. ¿En qué puedo ayudarle?

En el jardín de la iglesia, los matones del Departamento de Seguridad estaban enfrascados en una conversación con Paul Pretorius. Por la tarde estarían en la comisaría, meando en todas las esquinas para dejar claro a todo el mundo que la investigación era suya.

–Me gustaría hacerle unas preguntas sobre el comisario Pretorius. ¿Le parece bien que hablemos en su casa? El pueblo está abarrotado y creo que sería mejor que tuviéramos un poco de intimidad.

–¿Soy sospechoso, oficial?

–Sólo es una charla informal –dijo Emmanuel, consciente de que la muchedumbre se estaba dispersando y corría el riesgo de poner sus pistas al alcance de la vista de los esbirros del Partido Nacional–. Un favor a la investigación.

–En ese caso, encantado de verle en mi finca dentro de una hora o así –dijo King mientras se metía en el Land Rover–. Ya que viene para allá, tenga el detalle de ir a donde el viejo judío a recoger a mi ama de llaves y a su hija. Así Matthew se ahorra tener que volver otra vez al pueblo. Estarán preparadas para venir a la finca aproximadamente dentro de una hora.

La puerta se cerró de golpe antes de que Emmanuel pudiera contestar. Su reflejo borroso apareció en la ventanilla polvorienta. Elliot King había dado una orden y esperaba que fuera obedecida.

Emmanuel imitó un saludo militar y el coche se apartó del bordillo y se alejó en dirección a la carretera principal. Había conocido a toda clase de ingleses arrogantes en el campo de batalla, pero al menos éste, con su traje caqui hecho a medida y su Land Rover nuevo, no tenía autoridad para mandarle subir a una colina sembrada de minas. Haría el papel de lacayo el tiempo que hiciera falta para averiguar por qué le habían dado como pista el nombre de Elliot King en plena noche.

—¿Cuándo van a llegar mis refuerzos, señor? —preguntó Emmanuel. Había llamado al inspector Van Niekerk a su casa: una mansión victoriana de ladrillo rojo enclavada en un enorme terreno situado en una zona residencial pija del norte de Johannesburgo—. No puedo encargarme de esta investigación yo solo.

—No va a haber refuerzos —contestó Van Niekerk. De fondo se oyó el silbido de una tetera en la que hervía el agua—. El comisario principal me ha dicho que me aparte del caso. Ahora está en manos del Departamento de Seguridad.

—¿Y qué pasa conmigo?

—Estás solo —respondió el inspector—. Los del Departamento de Seguridad quieren que te sustituyan, pero he convencido al comisario de que te mantenga en el caso. Eso significa que vas a ser una incorporación muy poco bienvenida al equipo.

—¿Por qué no me sustituyen? —preguntó Emmanuel.

—Tú no eres una marioneta del Departamento de Seguridad —le informó Van Niekerk—. Tú te asegurarás de que la persona a la que se cuelgue por el crimen sea la persona a la que hay que colgar.

Pese a lo que decía, Van Niekerk no era precisamente un entusiasta del componente de la pura justicia de la profesión policial. El ambicioso inspector se estaba asegurando de tener en el terreno a un oficial que le fuera leal y representara sus intereses. Van Niekerk no iba a dejar el asesinato de un comisario de policía blanco, carne de titular, en manos del Departamento de Seguridad sin oponer resistencia. «Muy bien», pensó Emmanuel, salvo porque Van Niekerk estaba en Jo'burgo tomando el té mientras él estaba a punto de enfrentarse cara a cara con los tipos más duros de las fuerzas del orden.

–¿Cómo son? –preguntó Van Niekerk con una ligera curiosidad.

–Tienen pinta de poder sacarle una confesión a golpes a un bote de pintura.

–Bien. Eso quiere decir que puedes volverlo todo contra ellos.

–¿Y cómo hago eso? –preguntó Emmanuel secamente.

–Encuentra al asesino –dijo Van Niekerk–. Encuéntralo antes que ellos.

En la puerta del despacho del comisario, los agentes del Departamento de Seguridad estaban revolviendo en el archivador de la comisaría. Sus rostros eran las dos caras de una horrible moneda. Se volvieron hacia él y Emmanuel sintió la hostilidad que irradiaban. ¿Una «incorporación muy poco bienvenida al equipo»? El inspector Van Niekerk tenía talento para los eufemismos.

–Ya podemos relajarnos, Dickie –dijo el agente más delgado y de mayor edad a su corpulento colega; su sonrisa fue un movimiento casi imperceptible de los labios sobre unos dientes amarillentos–, Dios está con nosotros. Por fin.

–Tú debes de ser el listo de los dos –dijo Emmanuel mientras tiraba su sombrero sobre la mesa vacía de Sarel Uys. Esperó la segunda salva. Los chicos del Departamento de Seguridad iban a machacarle sólo para dejarle claro quién mandaba.

–¿Dios? –el cerebro de Dickie estaba haciendo grandes esfuerzos para seguir el hilo.

–Emmanuel –dijo su superior–. Eso es lo que significa su nombre: Dios está con nosotros. Según el inspector Van Niekerk, el oficial Cooper es capaz de caminar sobre las aguas. Hace auténticos milagros.

Emmanuel dejó pasar el comentario. Si los del Departamento de Seguridad querían pelea, iban a tener que asestarle unos cuantos buenos puñetazos más.

–¿Adónde vas, Cooper?

–Yo doy parte al inspector Van Niekerk –respondió Emmanuel–. A nadie más.

–Eso era ayer. Desde hoy me das parte a mí, subinspector Piet Lapping del Departamento de Seguridad. Mi superior se lo ha comunicado a tu jefe –hizo una pausa para dejarle asimilar toda la información–. Así que, ¿adónde vas, Cooper?

–A una granja –contestó Emmanuel.

–¿Estás seguro de que quieres hacer eso? –preguntó Lapping–. Las granjas son unos sitios muy sucios. Te puedes manchar los zapatos con una boñiga de vaca.

Dickie, la fuerza física del equipo, apoyó su trasero cervecero en el borde de la mesa de Hansie.

–Eso es lo que hemos oído, ¿verdad, subinspector? Que al amigo Manny le gusta ir bien limpio y arreglado. Siempre con las camisas planchadas y los zapatos relucientes.

Piet encendió un cigarro y le lanzó la cajetilla a su oficial.

–Seguro que por eso su amigo el inspector Van Niekerk le ascendió tan rápido. A los solteros aseados les gusta mantenerse unidos.

–¿Ah, sí? –preguntó Dickie con un tono informal.

–*Ja* –Piet exhaló una nube de humo por sus protuberantes labios–. Quedan en secreto y se almidonan los calzoncillos el uno al otro hasta que están bien rígidos.

Emmanuel no hizo caso a su impulso de empujar a Piet y meterle de cabeza en la papelera, a él y a su cara llena de marcas de acné. El servicio de inteligencia del Departamento de Seguridad se estaba volviendo legendario, pero Piet y su compañero sólo habían tenido unos días para obtener información. Sabían que le habían ascendido muy rápido: demasiado rápido para el gusto de algunos de los agentes de alto rango de la policía judicial. Sus hábitos de higiene personal y aquel rumor sobre la relación indecente habían salido de dentro de la policía judicial del distrito. Alguien había estado hablando.

–¿Dónde aprende un hombre esas cosas tan antinaturales? –dijo Dickie, ladeando su mastodóntica cabeza mientras seguían con su tarea.

–En el ejército británico –respondió Piet–. Seguramente por eso a nuestro amigo Manny le fue tan bien en la guerra. De soldado de infantería a comandante en unos pocos años, además de todas esas medallas relucientes para colgarse en su bonito uniforme.

Emmanuel fue repasando cuidadosamente la lista de sus detractores y llegó a un nombre. El subinspector Oliver Sparks: un hombre flacucho y amargado al que iban a jubilar de la policía tras veinte años de servicio mediocre. El rumor de la relación homosexual había sido cosa suya, su venganza de Van Niekerk por no darle los casos más prominentes.

–¿Qué tal está el subinspector Sparks? –preguntó Emmanuel–. ¿Sigue sembrando pruebas falsas y bebiendo en horas de servicio?

La tensión se dejó ver en la piel de copos de avena de Piet. Dio una larga calada al cigarro y expulsó el humo. Emmanuel sabía que había marcado un tanto con el nombre de Sparks. Los diminutos ojos del subinspector se ensombrecieron.

–¿De quién es la granja a la que vas? –Lapping siguió con la conversación anterior y Emmanuel empezó a encontrarse cada vez más incómodo. El subinspector Piet Lapping y su adlátere no eran la combinación «matón/matón» por la que los había tomado en el funeral. Bajo la grumosa máscara facial y el cuerpo de hormigón armado, Piet tenía un cerebro que funcionaba mejor que el de la media.

–De Elliot King –dijo Emmanuel–. Estoy investigando un rumor de que King engañó al comisario Pretorius en una transacción económica. Puede que hubiera cierta enemistad entre ellos.

–¿Estás siguiendo el plano personal? –dijo Lapping, haciendo que sonara como una pérdida de tiempo.

–¿Es que hay otro? –preguntó Emmanuel.

–Ninguno del que pueda hablar contigo –contestó Lapping, que agitó la mano en dirección a la puerta principal y añadió–: Ve a hacer tu visita a la granja e infórmame inmediatamente cuando vuelvas al pueblo. Yo soy el responsable de todos los aspectos de este caso, ¿entendido?

Emmanuel tenía la sensación de que el Departamento de Seguridad le sacaba mucha ventaja. Ellos estaban buscando información concreta. El «plano personal», como lo había llamado el subinspector, era la última de sus motivaciones.

–¿De vuelta tan pronto, oficial? –dijo Zweigman, que estaba envolviendo un paquete con un trozo de papel de estraza–. ¿Le interesa quizá nuestra oferta especial de mermelada de albaricoque? De primera calidad. No encontrará una mejor, ni siquiera en Jo'burgo.

–El funeral le ha puesto de buen humor –dijo Emmanuel–. ¿Está organizando una fiesta para luego?

–Sólo una copa con mi esposa, algo tranquilo –respondió con un tono deliberadamente inexpresivo.

–Pensaba que no probaba el alcohol, doctor.

–Sólo en fechas señaladas –dijo Zweigman mientras ataba bien el paquete y lo ponía junto a otros en el mostrador–. ¿Tiene pensado ir a la recepción del funeral en el hotel Standard, oficial? Me han dicho que Henrick Pretorius deja las bebidas a mitad de precio hasta el atardecer.

Emmanuel se imaginó a los hermanos Pretorius y a sus correligionarios bóers cantando canciones tradicionales afrikáners hasta altas horas de la noche. Por si eso no bastara, quizá alguien incluso sacaría un acordeón. Se le heló la sangre.

–No es mi estilo de reunión –dijo–. Tengo que llevar a la finca de King a su ama de llaves y a su hija. Ha dicho que estarían aquí.

Zweigman se quedó quieto.

–El señor King tiene chófer.

–Ya, pero yo voy a la finca de King, así que me ha dicho que tenga el «detalle» y le haga el favor de llevar a sus empleadas. «Así Matthew se ahorra tener que hacer dos viajes.»

–Ya entiendo.

Zweigman se puso a recoger trozos de cuerda del mostrador.

–Bueno, ¿entonces están aquí?

–Claro –contestó el tendero alemán recobrando la calma–. Voy a la trastienda a decirles que las va a llevar usted.

–Gracias –dijo Emmanuel, que se acercó pausadamente a la ventana que daba a la calle. Un grupo numeroso de hombres blancos pasó por la esquina de Van Riebeeck de camino al hotel Standard y a sus copas a mitad de precio. Había grupos de negros dirigiéndose a los caminos *kaffir* que conducían al poblado. El pueblo se estaba vaciando.

Se volvió y vio a Zweigman en el mostrador con Davida, el tímido pajarito mestizo, y una elegante mujer con un vestido negro de algodón combinado con un collar de perlas falsas de una tienda india.

–Éstas son la señora Ellis y su hija, Davida, a quien ya conoce.

Zweigman hizo las presentaciones como si la propia tarea le resultara desagradable.

–Señora Ellis, soy el oficial Emmanuel Cooper, de la policía judicial.

–Oficial –dijo el ama de llaves de King haciendo una reverencia en señal de respeto, la clase de gesto reservado a los hombres blancos en una posición de poder. Tenía los ojos verdes, la piel morena y unos labios tan carnosos que podrían haber aguantado el peso de la cabeza de un hombre exhausto. Davida permaneció en un segundo plano con la cabeza gacha, como una novicia a punto de recibir órdenes. El tigre había parido a un corderito.

–Encantado de conocerla, señora Ellis –dijo Emmanuel mientras sacaba las llaves del coche–. Me temo que tenemos que irnos.

–Por supuesto.

La señora Ellis se dirigió rápidamente al mostrador y Zweigman la echó de allí mientras él y el pajarito se repartían los paquetes.

Emmanuel salió a la calle. Una mujer mestiza muy delgada con el pelo rubio e hirsuto pasó con un niño pequeño regordete por delante de la estructura quemada del taller de Anton.

Los escombros le recordaron los de cualquiera de los miles de pueblos franceses arrasados en la marcha hacia la paz.

Un banco de nubes pasó por encima de su cabeza y una oscura sombra cruzó la calle, seguida de la luz cegadora del sol cuando las nubes se desplazaron hacia el *veld*. Emmanuel guiñó los ojos con fuerza por el cambio de luz. La señora Ellis estaba en el porche de la tienda y Davida y Zweigman se encontraban abajo, frente a frente. Estaban tan cerca que Emmanuel casi podía sentir moverse el aliento entre los dos. El resplandor blanco se reflejó en el capó del coche y después se fue extinguiendo hasta quedar reducido a un brillo tenue.

–¿Otra vez le está molestando el dolor de cabeza, oficial?

–No, sólo es el sol –dijo Emmanuel. Miró a la señora Ellis en busca de alguna reacción. La mujer no dio muestras de que el honor de su hija pudiera haber quedado comprometido en modo alguno.

Emmanuel abrió la puerta del coche y se sentó en el asiento del conductor. No daba demasiado crédito a la historia de la señora Pretorius sobre el lascivo Shylock: su mundo estaba poblado por judíos astutos, mestizos borrachos y negros primitivos. Eran las típicas patrañas del Partido Nacional que los afrikáners pobres creían ciegamente y que a los ingleses cultos les encantaba ridiculizar mientras sus propios criados les cortaban el césped.

Las puertas traseras se cerraron y Emmanuel puso en marcha el motor. Lo que había visto, muy fugazmente, entre Zweigman y la muchacha muda no era un delito que contraviniera la Ley de Inmoralidad. ¿Había sido su imaginación?

–¿Hacia dónde voy? –le preguntó a la señora Ellis, que estaba sentada al borde del asiento, como si tuviera miedo de ofender a los muelles con su peso.

–Vaya por Piet Retief hasta la calle Botha y después gire a la izquierda en el hotel Standard y salga a la carretera principal. Bayete Lodge está a unos cincuenta kilómetros hacia el oeste.

–¿Hay algún camino para salir del pueblo que no pase por delante del Standard? –preguntó Emmanuel.

Todos los hombres blancos de la región iban a estar allí, incluidos los hermanos Pretorius. Pasar en el coche con dos mujeres mestizas en el asiento trasero cuando podría estar asistiendo a la recepción oficial era la forma más rápida de conseguir que le cerraran sus puertas en las narices.

–Sólo hay un camino para entrar y salir del pueblo –señaló la mujer–. Tenemos que pasar por delante del Standard.

Emmanuel giró por la calle Piet Retief y redujo la velocidad. Echó una mirada al espejo retrovisor, incómodo.

–Tengo que pedirles un favor.

–Sí –dijo la señora Ellis mientras sus manos jugueteaban nerviosamente con las perlas falsas que llevaba en el cuello. Un hombre blanco pidiendo favores significaba malas noticias para las mujeres de color.

–Me gustaría que se tumbaran en el asiento antes de que lleguemos al Standard. Es mejor para la investigación que nadie las vea –lo dijo todo de un tirón, sin detenerse; jamás habría pedido lo mismo a una mujer blanca decente y a su hija–. Pueden volver a incorporarse cuando salgamos del pueblo.

–Ah –dijo la señora Ellis mientras se enroscaba un poco más el collar de perlas teñidas de rosa–. Supongo que no hay inconveniente en hacer eso, ¿no, Davida?

Davida sonrió a su madre y bajó la cabeza lentamente hasta apoyarla en el asiento trasero, como si fuera una niña y estuviera jugando a un juego cuyas reglas ya conocía. La señora Ellis imitó el movimiento y se tendió junto a su hija.

Un poco más adelante, frente al hotel Standard, había grupos de hombres de pie en la acera. La tarde acababa de empezar y la muchedumbre aún no había ocupado la calle. Una o dos horas más tarde, los coches tendrían que circular lentamente y sortear a los asistentes al funeral.

Emmanuel se fijó en las caras al pasar por delante del hotel. Su racha de suerte no había terminado: en el grupo del arcén no había nadie del bando de la familia Pretorius. Giró a la izquierda y pisó suavemente el acelerador. Enseguida estuvo fuera del pueblo y circulando por la carretera principal en dirección al oeste.

Redujo la velocidad casi hasta detenerse y miró por encima del hombro a las mujeres escondidas en el asiento trasero. Davida tenía la mejilla apoyada en el cuero caliente y con un brazo se tapaba la mitad superior de la cabeza. Respiraba lenta y profundamente y tenía la boca un poco abierta. Por un momento pensó que estaba dormida.

–Ya hemos salido –dijo antes de volver a dirigir su atención a la carretera. A un lado y al otro se extendía el *veld*, con su maraña de higueras silvestres y matas de acacia. Con el paisaje borroso de fondo, Emmanuel trajo a su mente la imagen de la joven, tendida y frágil en el asiento trasero de su coche.

6

–¿Qué le parece? –preguntó Elliot King señalando la construcción a medio edificar encaramada en un terreno elevado junto a la ribera del río.

Emmanuel sabía que sólo había una respuesta correcta a la pregunta.

–Impresionante –dijo.

–Ésta va a ser la mejor reserva animal de África meridional. Cinco apartamentos de lujo con vistas al abrevadero, rastreadores y guardas de categoría, paseos privados en coche para ver a los animales. La mejor comida, el mejor vino, la mayor variedad de animales. Joder, me he gastado un auténtico dineral en acondicionar este lugar. Aunque, bueno, la gente va a pagar un dineral por alojarse aquí, así que es lo suyo.

Emmanuel percibió el orgullo en la voz del inglés: rezumaba la clase de placer que siente uno al ser el soberano de su propio pedazo de África.

–Esto antes era la granja de Pretorius –dijo Emmanuel pensando en la familia del comisario, que también era dueña de una enorme porción del Transvaal.

–Sí –contestó King, que alargó la mano hacia la mesita baja que tenía al lado e hizo sonar una campanilla de plata–. El comisario Pretorius me la vendió hace cosa de un año, cuando se dio cuenta de que Paul y Louis no se iban a dedicar al campo.

–Tengo entendido que hubo algunos problemas con la venta.

–Ah, aquello –dijo King sonriendo–. El problema fue entre Pretorius y sus hijos. Ellos no tienen la visión para los negocios que tenía su padre... Era un hombre inteligente.

–¿Sí, señor King?

Era la señora Ellis respondiendo a la llamada de la campanilla. Se había quitado la ropa negra de luto y ahora llevaba el uniforme de la reserva, un vestido suelto hecho a medida, de color verde y con las palabras «Bayete Lodge» bordadas en el bolsillo. Incluso vestida con esa ropa conseguía conservar su elegancia.

–Té –dijo King–. Y unos pasteles, por favor.

–Ahora mismo.

La señora Ellis hizo una media reverencia y desapareció en el frescor del interior de la casa. Estar en compañía de Elliot King era como introducirse en las páginas de una novela inglesa decimonónica. En cualquier momento oirían el batir de los tambores y una llamada desesperada para defender la casa contra un levantamiento de los nativos.

–¿Inteligente? –Emmanuel repitió la palabra. Estaban hablando de un comisario de policía afrikáner con un cuello del tamaño de un tronco de árbol.

–Sí, lo sé –dijo King sonriendo–, tenía la apariencia de un bóer sin cerebro, pero debajo de todo eso se escondía un ser humano complejo.

–¿En qué sentido?

–Venga conmigo –King se levantó y entró en la casa, hablando mientras andaba–. Sí, ésta era la granja de la familia Pretorius. La del comisario era la tercera generación que vivía aquí. No dejó la granja hasta que se casó y se fue a vivir al pueblo.

Emmanuel siguió a King al interior de la casa. En el salón había sofás mullidos con grandes respaldos y alfombras hechas con pieles de animales. En las paredes encaladas, los cuadros de la campiña inglesa se combinaban con fotografías familiares. La señora Ellis lo tenía todo en un orden impecable. Las máscaras tribales, los escudos y las lanzas *assagai* daban a la habitación el toque primitivo justo para situarla en Sudáfrica en lugar de en Surrey.

—Mire esto —dijo King abriendo un cajón del despacho y sacando un fajo de sobres amarillentos. Todos los sobres tenían algo escrito, casi borrado pero aún visible—. Léalos y dígame cómo lo interpreta.

—Fertilidad con luna llena. Espolvorear en la entrada del *kraal* después de la medianoche —leyó Emmanuel en voz alta.

—Siga —era evidente que King estaba encantado con su hallazgo.

—Creación de lluvias de primavera. Introducir en la capa más superficial de la tierra el día después de sembrar —Emmanuel leyó por encima los demás, en orden. Todos los rótulos tenían algún componente místico—. Son algún tipo de pociones de magia negra. Los nativos creen ciegamente en esas cosas.

—No sólo los nativos. Las encontramos cuando vaciamos la casa. Eran del viejo Pretorius, el padre del comisario.

«Comisario de policía blanco coquetea con la magia negra»: los periódicos ingleses iban a disfrutar de lo lindo.

—Cuando encontré esto, le pregunté a Matthew, mi chófer, por Pretorius padre —King metió los sobres en el cajón y volvió a dirigirse al porche—. Enviudó joven y vivía aquí solo con su hijo. Los otros bóers pensaban que estaba loco y por lo visto no querían tener ninguna relación con él. Se creía a pies juntillas toda la historia de que los bóers son la «tribu blanca de África».

—Mucha gente se la cree —dijo Emmanuel. Dos tercios del actual Gobierno, de hecho.

—Cierto, pero ¿cuántos de ellos juntan a su hijo con un compañero negro para que aprenda las costumbres de los nativos? ¿Cuántos hacen a sus hijos practicar el entrenamiento de un *amabutho* zulú entre los catorce y los dieciocho años y soportar el dolor que conlleva?

—¿Eso hizo Pretorius?

—Por lo visto, él y Shabalala corrían descalzos de un extremo al otro de la finca cinco o seis veces sin parar, sin beber. Matthew dice que era todo un espectáculo. A los que se acordaban de los viejos tiempos se les saltaban las lágrimas. El estruendo de los guerreros zulúes, el *impi*, corriendo por el *veld*.

King se sentó en su silla mientras dejaba escapar un suspiro lleno de nostalgia.

Aquella extensión de cielo y de bajas colinas, que en el pasado había sido la tierra de los nativos, formaba parte ahora del feudo de King. ¿Por qué ese amor de los británicos a las naciones que habían conquistado por las armas?

—¿Su compañero era el agente Shabalala?

—Sí. El padre de Shabalala era zulú. Él los entrenaba.

—¿Por qué hizo eso el padre del comisario? —preguntó Emmanuel. La mayoría de los blancos se contentaban con reivindicar su estatus superior como un derecho adquirido por nacimiento.

—Ahí es donde aparece la chifladura —dijo King. Era evidente que le encantaba hablar de las excentricidades de los bóers—. El viejo Pretorius pensaba que los blancos tenían que ser capaces de demostrar que eran iguales o mejores que los nativos en todo. Educó a su hijo para que fuera un *induna* blanco, un jefe, en todos los sentidos de la palabra.

La señora Ellis apareció con la bandeja del té y la puso sobre la mesa entre los dos. Sus movimientos eran escasos y económicos, el lenguaje corporal de alguien que ha nacido al servicio de los demás. Le alcanzó su té a King. Por qué el pretencioso inglés hablaba como si los días de los dirigentes blancos fueran cosa del pasado era algo que a Emmanuel se le escapaba.

La señora Ellis, la criada perfecta, desapareció en el interior de la casa.

—El comisario Pretorius se sabía los nombres de todos los árboles y plantas del *veld* —continuó King—. Hablaba todos los dialectos, conocía todas las tradiciones. A diferencia de los holandeses de por aquí, no necesitaba que un burócrata de Pretoria legislara su superioridad.

–¿Le conocía usted bien? –preguntó Emmanuel. Era evidente que aquel aristócrata inglés pensaba que el comisario Pretorius pertenecía a la misma categoría que él, la de los «nacidos para gobernar». El resto de la humanidad, incluidos los oficiales de la policía judicial, eran meros sirvientes.

–Tuve la oportunidad de conocerle un poco mientras negociábamos la venta y mucho mejor cuando empezó a construir –King se detuvo para escoger un pastel de la bandeja–. Como le he dicho, en realidad era una persona muy compleja e inteligente, para ser un bóer.

–¿A construir? –repitió Emmanuel mientras apoyaba su taza. Ése era el motivo por el que le habían dejado la nota. Estaba seguro.

–Nada del otro mundo. Sólo una casita de piedra en el terreno que conservó.

–¿Tiene una casa aquí?

–Una cabaña más que una casa –dijo King. Dio un mordisco al pastel y se tomó su tiempo para masticarlo–. Parece sacada del poblado *kaffir*, pero parecía que a él le gustaba.

–¿Pasaba mucho tiempo aquí?

Nadie, ni Shabalala ni los hermanos Pretorius, había mencionado una segunda residencia de ningún tipo.

–No, que yo sepa. Estuvo unas cuantas veces durante la temporada de caza y luego venía de vez en cuando. Parecía hacerlo al azar, pero eran su parcela y su cabaña.

El comisario Pretorius daba la impresión de ser un hombre de costumbres relajadas y de rutina –pesca los miércoles, entrenamiento con el equipo de rugby los jueves, iglesia todos los domingos–, y, sin embargo, constantemente aparecía la palabra «azar» en relación con él.

–¿Dónde está la cabaña?

De repente, las llaves del coche y el pedazo de papel con el nombre de King garabateado que tenía sobre el muslo se le habían vuelto muy pesados. La hora del té se había acabado.

–A unos quince kilómetros volviendo hacia la carretera principal. Hay un *witgatboom* enorme justo donde tiene que salirse del camino. Lo ha pasado al venir hacia aquí.

115

El árbol *witgatboom*, con sus ramas extendidas para sostener una gran copa plana, era una buena señal de tráfico. Era una imagen puramente africana.

–Voy a tener que ir a verla –dijo Emmanuel.

–No me corresponde a mí concederle o denegarle el permiso. Yo no tengo ni voz ni voto en lo relacionado con esa parte del terreno, así que no dude en hacer lo que le parezca.

Emmanuel se detuvo en lo alto de las escaleras del porche.

–Pensaba que usted le había comprado esta finca al comisario Pretorius.

–Casi toda –le corrigió King–. El comisario se quedó con una pequeña parcela. Eso es lo que los hijos no entendían. La venta no fue por el dinero. Su padre simplemente quería recuperar un trozo de su antigua vida.

Emmanuel estaba convencido de que los hermanos Pretorius no tenían ni la menor idea de la existencia de la cabaña ni de los planes de su padre de reanudar su vida de *induna* blanco.

–Volveré directamente a la comisaría cuando haya examinado ese lugar –dijo Emmanuel–. Gracias por su ayuda, señor King, y por el té.

–No hay de qué –dijo King al tiempo que un deportivo rojo de dos puertas con aletas redondeadas y faros plateados curvos aparecía en la entrada de gravilla y se detenía a unos centímetros del parachoques trasero del Packard. La puerta del conductor se abrió y un joven veinteañero se levantó con cuidado del hundido asiento de cuero. A Emmanuel le llegó el destello de sus dientes blancos perfectos.

–Winston… –saludó Elliot King al atractivo joven, que se dirigía hacia las escaleras–. No te esperaba hasta mañana. Mira, éste es el oficial Emmanuel Cooper, de la policía judicial. Justo en este momento se estaba yendo.

–Un agente del orden –dijo Winston sonriendo y estrechándole la mano–. ¿Por fin ha conseguido presentar cargos contra mi tío, oficial?

Los King se echaron a reír. La ley estaba a su servicio y era algo ante lo que ellos no tenían que responder. El reluciente deportivo y el bronceado playero irritaban profundamente a Emmanuel, al igual que la sencilla pulsera de pelo de elefante que llevaba Winston para demostrar su «africanidad».

–Ha sido un interrogatorio rutinario –dijo Emmanuel.

–¿Qué ha pasado?

–El comisario Pretorius –King volvió a su silla y tomó asiento–. Fue asesinado el miércoles por la noche. Dos disparos.

–Dios mío… –dijo Winston apoyándose en la barandilla–. ¿Eres sospechoso?

–Por supuesto que no –King dio un trago a su té–. Le he facilitado al oficial un poco de información sobre los antecedentes. Como favor a la investigación.

Emmanuel se dirigió a las escaleras. Allí atrapado entre King y su sobrino ataviado con ropa de lino era el último sitio del mundo en el que quería estar. La cabaña secreta le estaba llamando a gritos.

–¿Qué le ha llevado a pensar que mi tío iba a saber algo del comisario Pretorius? –preguntó Winston.

El joven medía la mitad que los Pretorius, pero compartía con ellos esa actitud inconfundible del que cree que lo merece todo. Emmanuel bajó el primer escalón.

–Ha sido un interrogatorio rutinario –repitió mientras bajaba los dos siguientes peldaños, antes de volverse hacia Winston y preguntar–: ¿Sabes *tú* algo del asesinato?

–¿Yo?

–Sí, tú.

–¿Cómo voy a saber yo algo? Me acabo de enterar ahora mismo.

–Claro –Emmanuel se detuvo para saborear el momento de incomodidad de Winston–. Gracias otra vez por su ayuda, señor King.

Pasó por delante del Jaguar de Winston para llegar hasta el Packard, que se veía ancho y torpe al lado de su caro primo inglés. No tenía mapas ni latas de bebida vacías en el asiento del copiloto. Lo único que necesitaba Winston King para viajar era un coche rápido, una cartera abultada y una

117

sonrisa. Su aversión hacia él volvió a aumentar y Emmanuel intentó apartarla de su pensamiento.

Metió primera y sacó el Packard de la rotonda de entrada. Winston desapareció en el interior de la casa y su tío se sirvió otra taza de té.

Elliot King escogió cuidadosamente un pastel y observó alejarse el coche del oficial. Tocó la campanilla de plata.

—¿Sí, señor King? —dijo el ama de llaves mientras salía al porche.

—Que venga Davida —dijo—, quiero hablar con ella.

Una alta cerca hecha con estacas unidas con bramante y tiras de corteza de árbol se levantaba al final del camino de arcilla roja. Estaba construida exactamente igual que las que rodeaban los *kraals* de los nativos, enclavados en el paisaje como setas gigantes.

Emmanuel salió del coche y examinó todo el perímetro. La entrada, una pequeña abertura la mitad de grande que un hombre de tamaño normal, estaba en la parte de atrás, apartada del camino. Estaba claro que no se animaba a entrar a los visitantes imprevistos. Se agachó, entró en el recinto como un suplicante y allí, justo delante, se encontró con un *rondavel*, una cabaña redonda con un techo de paja y una puerta azul claro.

—La guarida del *induna* blanco —dijo Emmanuel mientras miraba a su alrededor para asimilar los detalles. La entrada a la cabaña de piedra estaba alineada a propósito con el agujero de la valla para que todos los visitantes entraran y salieran bajo la atenta mirada del jefe de la tribu. Incluso allí, a una distancia de kilómetros del pueblo, se habían tenido en cuenta la seguridad y la vigilancia.

Un río cercano llenaba el ambiente del murmullo y el gorgoteo del agua en movimiento sobre las piedras. Emmanuel sintió una profunda satisfacción. El cobertizo de Jacob's Rest era una tapadera. Un lugar en el que colocar a la vista las cosas admisibles para los amigos y la familia. Era en aquel *kraal*, bajo un cielo despejado de primavera, donde el comisario dejaba que su verdadero yo saliera al exterior.

Emmanuel atravesó el terreno en dirección a un montón de piedras apiladas junto a la valla. ¿Qué había dicho King? «Cuando empezó a construir...» Eso explicaría las ampollas de las manos y los fuertes músculos observados durante el examen del cadáver de Pretorius. Él mismo había puesto en pie la cabaña, piedra a piedra.

Emmanuel empujó la puerta azul claro, que se abrió hacia dentro. Accedió al interior en penumbra con los ojos entrecerrados. Había dos ventanas, ambas con las cortinas echadas. Dejó la puerta abierta para que entrara más luz. Las alfombras de piel de vaca crujieron bajo sus pies mientras descorría las cortinas y miraba a su alrededor. Como guarida de un hombre, era para avergonzarse. Todo estaba en orden: la cama hecha, los platos lavados y colocados en el aparador, la pequeña mesa limpia. La tía Milly habría estado encantada de pasar una tarde allí.

–Vamos –dijo Emmanuel. Tenía que haber algo. Un hombre no se construye una cabaña secreta y después la usa para practicar sus dotes de ama de casa.

No había nada en la habitación que llamara la atención por atípico o inusual, aunque lo cierto era que lo mismo ocurría con todo lo relacionado con el comisario. Todo *parecía* normal hasta que uno se acercaba lo suficiente para pegar la nariz a los cristales sucios de las ventanas. La brutal paliza a Donny al abrigo de la oscuridad, la constante vigilancia del pueblo disfrazada de ejercicio físico diario, la construcción de una cabaña de la que nadie de su familia sabía nada. Había alguna razón por la que aquel modesto *rondavel* de piedra se había mantenido en secreto.

Emmanuel deshizo la cama y observó la almohada, el colchón y las sábanas, que eran de un delicado tejido de algodón. Agradables. ¿Para una mujer? ¿O es que el comisario tenía la piel sensible? Siguió con la cómoda y, a continuación, con el pequeño armario en el que se guardaban los cubiertos y la loza. Miró por arriba, por abajo, encima y detrás de todo lo que había en la habitación hasta que volvió a estar en la puerta de entrada con las manos vacías.

Se quedó agachado en la entrada. La habitación le devolvió la mirada con su rostro limpio e inocente. Se le había pasado algo, ¿pero qué? Lo había inspeccionado todo excepto el techo y el suelo.

¿Cuántos escondites extraños había encontrado el pelotón durante sus registros en pueblos de Francia y Alemania? Armarios con doble fondo. Trampillas en los techos. Hasta una escalera hueca diseñada para meter a una familia entera. Con la afición del comisario a ocultar las cosas, seguro que lo bueno estaba bien escondido.

Emmanuel agarró la alfombra de piel de vaca por el borde y tiró de ella hacia sí.

El agujero, de forma cuadrada y con una tapa de madera, estaba bien camuflado. Un pequeño trozo de cuerda, del tamaño de un dedo, era el único indicio de que el suelo de tierra compactada había sido alterado. Emmanuel se arrastró por el suelo de rodillas y tiró de la cuerda. La trampilla se abrió fácilmente; las bisagras habían sido engrasadas, previendo que se iba a utilizar a menudo. Metió la mano esperando encontrar la pila habitual de revistas pornográficas gastadas. La dura campaña del Partido Nacional contra las publicaciones inmorales había ralentizado la industria pero no había acabado con ella. Tocó algo de piel suave, una especie de correa. Tiró de ella y notó el peso en el extremo.

–Dios mío…

Era la cámara de Donny Rooke, con su nombre orgullosamente grabado con letras doradas en el cuero de la funda rígida; hasta había incluido la J, la inicial de su segundo nombre. Emmanuel abrió los cierres y examinó el precioso instrumento. ¿Qué había dicho Donny? La cámara había costado mucho dinero y el comisario se la había robado… con las fotografías de las chicas de Du Toit.

–Hasta un reloj roto marca bien la hora dos veces al día –murmuró Emmanuel mientras cerraba la funda. Metió la mano en el agujero y sacó un sobre de papel de estraza. Si la historia de Donny era cierta, dentro estarían las fotografías «artísticas» de sus dos mujeres. ¿Le gustaban al comisario los cuerpos de las menores de edad? Dio la vuelta al sobre y algo proyectó una sombra desde la entrada.

Emmanuel se giró a tiempo para ver la silueta bien definida de un *knobkierie* que se movía hacia él. El garrote zulú produjo una corriente de aire al descender describiendo un arco y le alcanzó en un lado de la cabeza.

¡Zas!

El ruido le estalló en los tímpanos como el disparo de un mortero. Se desplomó hacia delante y notó el sabor a tierra y sangre en la boca. Sintió un intenso chispazo blanco de puro dolor detrás de los párpados y el garrote le alcanzó una segunda vez. Se oyó a sí mismo respirar con dificultad y le llegó un olor a amoníaco. Una sombra azul se alejó danzando, seguida del sonido de un traqueteo mecánico a lo lejos.

7

–*Puto vago de mierda. ¿Cuánto tiempo piensas quedarte ahí tirado, follándote al suelo?*

Era el sargento mayor, del centro de instrucción de reclutas, con la voz áspera por el carbón y la inmundicia del barrio marginal de Edimburgo del que había salido. Emmanuel sintió su aliento en el cuello.

–*¿Y tú te consideras un soldado? Sólo sirves para tirarte a furcias alemanas. ¿Para eso te alistaste? Pedazo de mierda africana inútil. Levántate inmediatamente o te disparo yo mismo. Ponte de pie o te largas de mi puto ejército.*

–¿Oficial?

Emmanuel sacudió la cabeza. La sombra azul oscuro se cernió sobre él.

–*¿Vas a dejar que ese teutón te mee encima? ¿Qué es lo que te he enseñado? Si tienes que palmarla, que sea llevándote a otro por delante.*

–¿Se encuentra bien?

Emmanuel se levantó apoyando las manos en el suelo, dio una vuelta completa sobre sus talones y se abalanzó sobre el lugar del que procedía la voz. Notó cómo los músculos del cuello se tensaban entre sus dedos, oyó el golpe del cuerpo contra el suelo y se sentó a horcajadas sobre la masa que pataleaba, haciéndose con el control. Se oyó el suave silbido del aire al salir de unos pulmones.

–O-fi-cial...

El sonido se fue apagando hasta desaparecer.

Emmanuel sacudió la cabeza. Oficial. Había oído ese cargo recientemente. El recuerdo de una identificación policial consiguió abrirse paso entre el intenso ramalazo de dolor que le bajaba reptando desde el cuero cabelludo hasta la mandíbula. Dejó de apretar con tanta fuerza y sintió el cuerpo que tenía debajo, pequeño y capitulante: un joven soldado llamado a defender la patria teniéndolo todo en contra.

–Vete a casa –dijo Emmanuel mientras le soltaba. Tenía las manos en tensión, como las garras de un animal–. *Ghet du zuruck nach ihre Mutter.* Vete a casa con tu madre.

Un incesante «pum, pum, pum» le retumbaba en un lado de la cabeza con rigurosa precisión militar. El hedor a sangre y a orina, el clásico olor del campo de batalla, impregnaba el ambiente.

–Oficial, por favor.

Fijó la vista más allá de sus manos y reconoció a Davida, el tímido pajarito mestizo, tendida debajo de él con una marca roja en el cuello.

–Así que sabes hablar –dijo Emmanuel.

–Sí.

–¿Qué haces aquí?

–¿Dónde cree que estamos?

Se quedó tumbada sin moverse, con miedo a sobresaltarle. Emmanuel echó un vistazo a su alrededor. A través de la neblina empezaron a aparecer siluetas. Una mesa, una silla, una cama deshecha. El «pum, pum, pum» siguió sonando, fuerte como un timbal. Era imposible pensar.

–¿De dónde viene ese olor? –preguntó–. La habitación está impoluta.

–El olor sale de usted, oficial –dijo ella. Hubo un ligero temblor en su voz, que apenas tenía ningún acento, como si hubiera aprendido inglés de alguien que le exigía una pronunciación y un uso correctos–. Está en su ropa.

La chaqueta y la camisa, limpias y bien planchadas unas horas antes, tenían encima una costra de sangre seca y orina. Emmanuel se levantó de un salto y se tocó nerviosamente la entrepierna de los pantalones. La tela estaba arrugada pero seca.

—Es aquí sobre todo —dijo ella mientras se levantaba con vacilación—, donde estaba mi cabeza.

Miraron el oscuro charco, todavía húmedo y maloliente. Emmanuel volvió a tocarse la entrepierna. Seca. Se quitó la chaqueta y olisqueó la tela como un perro. Se levantó un olor a urinario en forma de nube de amoníaco. Alguien —algún puto pueblerino holandés endogámico— le había meado encima.

—Joder —dijo tirando la chaqueta con repugnancia—, ¿qué pasa en este sitio? No hay quien lleve el mismo traje dos días seguidos.

La chaqueta fue a parar al borde de la caja fuerte casera del comisario y se deslizó hasta caer dentro. Le fueron viniendo imágenes a la cabeza, cada una más nítida que la anterior, que acabaron formando una tira de película sin interrupciones. La cámara, el sobre, la sombra azul y, después, el garrote estrellándose contra su cabeza.

Emmanuel se arrodilló y se arrastró hacia el escondite. Se levantaron pequeñas nubes de polvo y arena del suelo de tierra mientras buscaba frenéticamente la cámara de Donny Rooke y el sobre de papel de estraza.

—Mierda.

Amplió su radio de búsqueda, con la esperanza de que algo hubiera caído debajo de la silla o de la cama cuando él se había desplomado. Tanteó la superficie con las manos como un borracho en un campo de minas y acabó sin otra cosa que mugre debajo de las uñas.

—No están.

Cerró de golpe la tapa de madera y las bisagras se combaron.

—¿El qué no está?

Era Davida, tan callada que Emmanuel se había olvidado de que estaba allí.

—Las pruebas —dijo—. Se han llevado la cámara y las fotos.

La adrenalina le agarrotó los músculos del cuello y le

puso el corazón a latir a la velocidad de los disparos de una ametralladora. ¿Quién sabía que estaba allí aparte de King? ¿Uno de esos granjeros santurrones con una Biblia debajo del brazo? ¿O quizá los perros guardianes del Departamento de Seguridad?

Pegó un fuerte puñetazo a la tapa de madera. Nunca te pongas de espaldas a la puerta: era la regla más elemental de autodefensa. Hasta Hansie debía de saber eso. El corte de los nudillos empezó a sangrar. El «pum, pum, pum» continuó con la intensidad del fuego de artillería y el mundo se inclinó hacia un lado.

–Siéntese –unas manos le levantaron y le pusieron una silla detrás–. Voy a buscarle algo. Siéntese. No se mueva.

Oyó el ruido de revolver cajones y armarios y después la vio de nuevo junto a la silla.

–Abra la boca.

Emmanuel obedeció y unos finos polvos extendieron por su lengua el sabor de una mezcla de limón amargo y sal.

–Ahora tráguese esto.

Le llegó un olor a whisky, seguido del sabor intenso de la bebida al llenarle la boca y arrastrar los polvos por un camino de fuego hasta su estómago.

–Quédese aquí, oficial, ahora mismo vuelvo.

–Espera.

Le agarró la muñeca más fuerte de lo que pretendía y sintió sus frágiles huesos entre los dedos.

–Estás temblando –le dijo.

–Es que no... no estoy...

–¿Qué?

–...acostumbrada a que me toquen... –dijo mirando hacia la puerta abierta– los de su clase.

–¿De «mi clase»? –repitió las palabras con un tono ligeramente humorístico. ¿Qué quería decir?

Davida levantó la mano apresada y la sostuvo a la altura de los ojos. Sus dedos eran blancos como la pulpa de una pera, en contraste con la oscura piel de la muñeca. Emmanuel la soltó. El Partido Nacional y sus seguidores bóers no eran los únicos que creían que Sudáfrica estaba dividida en distintas «clases» de personas, diferentes e inalterables.

–¿Adónde vas? Emmanuel flexionó la muñeca. Tocarla había sido un error. Todo lo que hiciera a partir de entonces era un arma que podría utilizar el Departamento de Seguridad contra él. El contacto físico entre personas de distinta raza era territorio prohibido.

–A traer agua del río.

Emmanuel la observó detenerse y coger un cubo cerca de la entrada. Aún estaba temblando. El cubo fue rebotando contra su pierna mientras avanzaba rápidamente hacia la abertura de la valla.

«Me tiene miedo», pensó. «Tiene miedo del hombre blanco chiflado que primero la ha tirado al suelo violentamente y después casi le rompe la muñeca sin pronunciar una simple disculpa.» Cerró los ojos y no hizo caso de la tensión que se le estaba acumulando en el pecho. Le habían dejado inconsciente de un golpe y ¿qué había conseguido a cambio? No había sospechosos, no tenía verdaderas pistas y las pruebas habían desaparecido antes de que pudiera examinarlas. Los del Departamento de Seguridad iban a disfrutar de lo lindo si se enteraban de que habían robado las pruebas. Era la excusa que necesitaban para apartarle totalmente de la investigación.

El ruido del agua que rebosaba del cubo le indicó que la joven había vuelto. Abrió los ojos y la miró bien.

–No me extraña que haya creído que eras un chico –dijo cuando Davida puso el cubo delante de él. Iba vestida con ropa holgada de hombre, una camisa azul descolorida y unos pantalones anchos que ocultaban la silueta natural de su cuerpo. El pelo, moreno y muy corto, brillaba húmedo tras habérselo mojado rápidamente en el río.

Se tocó los rizos húmedos.

–Me gusta así.

–¿Entonces por qué lo llevas tapado?

El pañuelo de algodón liso que llevaba normalmente estaba tirado en el suelo de tierra, adonde había caído durante su forcejeo.

—Porque la gente lo mira.

—¿Como estoy haciendo yo ahora? —preguntó Emmanuel. Los ojos de la joven eran de una tonalidad de gris muy poco común. Tenía la boca de su madre, con los labios carnosos y suaves.

—Debería lavarse la cara, oficial —dijo mientras se ponía detrás de la silla, fuera del alcance de la vista de Emmanuel. Había preguntas para las que no había una respuesta correcta, sobre todo cuando las formulaban los blancos.

Emmanuel se limpió la suciedad y la sangre de la piel y oyó la respiración poco profunda de la joven, amplificada por la quietud de la cabaña.

—No voy a hacerte daño —dijo—. ¿Es eso lo que te da miedo?

Ella miró fijamente las puntas de sus destrozadas botas de piel.

—No. El señor King se va a enfadar si se entera de que he estado aquí.

—¿Por qué?

—Este sitio es del comisario. Nadie más que el comisario puede entrar aquí.

—¿Por qué has venido?

Tenía que haber visto el sedán y haber comprendido que dentro había alguien de «su clase». Emmanuel vio cómo se le aceleraba el pulso bajo la suave piel morena de la base del cuello.

—Hace mucho rato que se fue de la casa del señor King. He pasado por delante a caballo y he pensado que a lo mejor se le había estropeado el coche.

Emmanuel se inclinó hacia adelante y se echó agua fría del río en la cara y en el cuello. Había algo que no encajaba. Los nativos y los mestizos evitaban meterse en los asuntos de los blancos, sobre todo si estaba implicada la ley, y sin embargo ella estaba en la cabaña con sus manos temblorosas y su respiración irregular.

–¿Habías estado alguna vez aquí dentro?

–No –contestó cortantemente–. ¿Qué iba a hacer yo en un lugar privado del comisario Pretorius?

–No lo sé –respondió Emmanuel con sequedad–. ¿Limpiar? –la pulcritud de la cabaña era otra cosa que no encajaba–. ¿Alguna vez le ordena tu madre este sitio al comisario?

La joven se había puesto las manos a la espalda, fuera del alcance de la vista.

–Ya se lo he dicho, el comisario era el único que podía entrar aquí.

–¿Quién más sabe que existe este sitio?

–Los de Bayete Lodge. El señor King dijo que no se lo contáramos a la gente del pueblo. Nos hizo prometer a todos que no se lo diríamos a nadie. La cabaña iba a ser una sorpresa para los hijos del comisario en Navidad.

–¿Alguna vez has hablado de este sitio con alguien?

Emmanuel se examinó los nudillos magullados, que ahora guardaban un inquietante parecido con los del comisario muerto.

–Nunca –contestó con énfasis.

–¿Cuánta gente trabaja en Bayete Lodge?

La claridad y la concentración, ambas dañadas por el violento abrazo del garrote de madera, estaban regresando poco a poco. Lo primero que tenía que hacer era limitar el círculo, centrarse en aquellos que sabían de la existencia de la cabaña.

–Unas veinte personas –dijo Davida–. La mayoría se han vuelto al poblado a pasar el fin de semana. El señor King les dio dos días libres por el funeral.

Aquello reducía el círculo de sospechosos de la agresión a la superficie de una pequeña huella.

–¿Quién hay ahora mismo en la finca?

–Mi madre; Matthew, el chófer; el señor King; Winston King y Jabulani, el vigilante nocturno.

–Seis contándote a ti –dijo Emmanuel. El círculo se redujo hasta alcanzar el tamaño de una cabeza de alfiler: lo suficientemente grande para que bailaran encima los ángeles, pero no los ladrones ni los sospechosos de asesinato–. ¿Ha salido de la casa alguna de esas personas?

–Sólo yo.

–¿Estás segura?

Davida levantó la mirada.

–Cuando yo me he ido estaban todos allí.

Emmanuel la estudió durante un instante y después se volvió hacia la puerta abierta. El tímido pajarito mestizo apenas podía mantener erguida su propia cabeza, no digamos mover un garrote con la fuerza necesaria para dejar sin sentido a un hombre adulto. Aun así, había algo que le inquietaba en el hecho de que la joven estuviera en la cabaña. Siguió adelante.

–¿Has oído o has visto algo cuando te has acercado a la cabaña?

–Bueno… –dijo ella–. Había algo…

–¿El qué?

–Un ruido. Una máquina.

–Un traqueteo mecánico, como un motor –el recuerdo, todavía empañado y borroso, empujaba para salir a la luz. Había oído el ruido justo antes de perder el conocimiento–. Ahora me acuerdo.

El círculo de sospechosos del tamaño de un alfiler se hundió en un agujero negro. Su agresor había llegado a la cabaña con su propio medio de transporte, un garrote de madera y una vejiga llena. Seguramente ninguno de los empleados de Bayete Lodge poseía nada más mecánico que una bicicleta. Quedaban los holandeses que habían ido al pueblo en tractores, motocicletas, coches y camionetas. ¿Se había escabullido uno de ellos y le había seguido hasta la cabaña? No había forma de saberlo.

Emmanuel fue hasta la caja fuerte y abrió la tapa combada. Daría parte al subinspector Piet Lapping y le diría la verdad: que no había conseguido nada en su visita a la finca de King. Metió la mano en la caja fuerte para recuperar su chaqueta mugrienta. Sus dedos tocaron la tela arrugada y algo más.

–Dios mío...

–¿Qué pasa?

Tiró la chaqueta a un lado y observó el trozo de cartón cuadrado: un calendario de pared con los meses grapados por delante en hojas fáciles de arrancar. Las fechas del 14 al 18 de agosto estaban señaladas con círculos rojos; el 18 estaba rodeado con un trazo muy marcado.

–Dos días antes de que le asesinaran –dijo Emmanuel, que pasó rápidamente las hojas de los otros meses.

En todas había lo mismo: entre cinco y siete días señalados con tinta roja, el último marcado como especial. Volvió a revisar las fechas. El patrón estaba claro, pero el día rodeado con el trazo más grueso podía significar cualquier cosa.

–Estudio fotográfico Carlos Fernández, Lorenzo Márquez –leyó Emmanuel en voz alta en el calendario. El nombre aparecía impreso debajo de una fotografía de unos nativos vendiendo baratijas alegremente a los blancos en la playa. No venía ninguna dirección ni el nombre de ninguna calle: un negocio discreto. A Donny Rooke le habían pillado metiendo pornografía de contrabando desde Mozambique a través de la frontera. ¿Se había hecho cargo el comisario del negocio de fotos de cuerpos de Donny?

–¿Iba mucho el comisario Pretorius a Lorenzo Márquez? –preguntó.

–Todo el mundo va mucho –contestó ella–. Hasta los míos.

–¿A cuánto está de aquí?

–A menos de tres horas en coche.

Los días marcados podían ser fechas de recogida o de entrega de alguna otra clase de artículos de contrabando. Ser policía equivalía a poder cruzar fácilmente la frontera. Vadear los ríos era para los delincuentes y los nativos. Un policía de alto rango podía introducir mercancía de contrabando cómodamente.

–¿Con qué frecuencia iba el comisario? ¿Una vez al mes o así?

–No lo sé –respondió Davida–. Lo que hacen los holandeses es asunto suyo. Eso tiene que preguntárselo a la señora Pretorius o a sus hijos.

Emmanuel se frotó los nudillos magullados. Los días señalados en rojo brillaban con un resplandor hipnótico. ¿Estaba dispuesto a pasarle aquella información decisiva al subinspector Piet Lapping, que había dejado claro que el «plano personal» no era algo en lo que estuviera interesado? El calendario podría acabar en el fondo de un cajón por no encajar en el plano político en el que estaba trabajando el Departamento de Seguridad.

–¿Puedes guardar un secreto, Davida?

–Eh... –le tembló la voz por miedo a lo que pudiera venir a continuación. El rubor del cuello y la cara hizo resplandecer su oscura piel. Pasar por blanca nunca iba a ser una posibilidad para el tímido pajarito mestizo.

–No esa clase de secreto –dijo Emmanuel–. No debes contarle a nadie lo de hoy. Ni lo mío, ni lo del escondite ni lo del calendario. ¿De acuerdo?

Ella asintió con la cabeza.

–Tienes que mirarme y prometerme que no se lo vas a decir a nadie.

Davida levantó la cabeza y dijo:

–Se lo prometo.

–Ni siquiera a tu madre, ¿eh, Davida?

–Ni siquiera a mi madre –repitió como una niña obediente a la que acabaran de revelar los oscuros secretos de la casa.

–Bien –dijo Emmanuel, que se preguntó cuántos hombres blancos habían exigido la misma promesa una vez que el sudor se había secado y la sombra amenazante de la policía se cernía sobre sus cabezas. Incluso llamarla por su nombre, Davida, le hacía tener la sensación de que había sobrepasado una línea.

Emmanuel cerró la caja fuerte y volvió a poner la alfombra de piel de vaca en su sitio antes de volver a hacer la cama. De nuevo pensó en las sábanas con curiosidad. Dobló el calendario y se lo metió en el bolsillo de la chaqueta. Davida era la cómplice perfecta. Si decidía quedarse el calendario, los del Departamento de Seguridad nunca la abordarían como persona de interés. Pasó por la pequeña abertura agachado y salió de la parcela detrás de ella.

En la valla, al lado de su sedán Packard, había atado un caballo negro con rasgos de purasangre. Al semental, puro músculo en tensión y lustroso pelo, le faltaba mucho para acabar sacrificado.

–¿Es tuyo? –preguntó Emmanuel.

–No –dijo sonrojándose–, lo monto para el señor King.

–Aaah.

Aquello explicaba la extraña combinación. En el mundo de King, el tedioso cuidado de los animales y la propiedad era labor de los criados. Las costumbres de los ricos eran las mismas en todo el mundo.

Emmanuel sacó las llaves del coche del bolsillo de la chaqueta.

–¿Te acordarás de lo que hemos hablado?

–Sí, claro –dijo ella. Le miró directamente a los ojos y le dejó sentir el poder que tenía sobre ella–. No se lo diré a nadie, oficial, se lo prometo.

El impulso de acariciarle el pelo húmedo y decirle «buena chica» era tan intenso que se dio la vuelta y corrió a meterse en el coche sin decir nada más. Si no se andaba con cuidado, se iba a convertir en una versión adulta del agente Hansie Hepple: un bravucón engreído ebrio del extraordinario poder que daba el Partido Nacional a los policías blancos.

Emmanuel se reclinó y cerró los ojos. Necesitaba unos instantes para aclarar sus ideas antes de volver a Jacob's Rest y dar el parte al subinspector.

–*Te ha gustado, ¿eh?* –era otra vez el sargento mayor, surgido de la nada–. *Un hombre podría acostumbrarse a eso. Incluso podría acabar encantándole.*

Emmanuel abrió los ojos. Al otro lado del parabrisas

lleno de salpicaduras de barro, el camino de tierra se desplegaba como una suave franja roja hacia el horizonte. Las oscuras nubes se acumulaban en el cielo, preparadas para dar de beber a los ríos y las flores silvestres con una lluvia primaveral. Se concentró en el paisaje y sintió sus bajadas y sus curvas dentro de sí mismo.

–*No te va a funcionar, amiguito. A mí nadie me ignora, ya lo sabes.*

–Lárgate –dijo Emmanuel, que encendió el motor para ahogar la voz. Llevó el coche hasta el camino de tierra que atravesaba la finca de King y giró a la izquierda, en dirección a la carretera asfaltada. A saber lo que llevaban los polvos que se había tomado en la cabaña.

–*Yo no necesito una mierda de medicina para hablar contigo, soldado. Vas a tener que cortarte la cabeza para librarte de mí, porque ahí es donde vivo. Ahí dentro.*

–¿Qué quieres?

No se podía creer que hubiera contestado. Probablemente el sargento mayor, con su metro ochenta de estatura, estuviera atado en alguna deprimente residencia en Escocia para antiguos tiranos del ejército.

–*Hablar* –contestó el sargento mayor–. *¿Sabes lo que me gusta de estar aquí? Los espacios abiertos. Espacio suficiente para que un hombre descubra quién es realmente. Sabes lo que quiero decir, ¿no?*

No contestó. Había superado el examen psicológico del ejército. «Curado y listo para volver al servicio activo»: eso ponía en los papeles del alta del hospital.

–*Esas manos morenas temblorosas. Esa sensación en el pecho, tenso y ardiente.*

Emmanuel redujo la velocidad por miedo a estrellarse. El sargento mayor continuó con su ataque:

–*Sabes lo que ha sido eso, ¿verdad, Emmanuel, soldado perfecto, líder nato, pequeño oficial astuto? Quieres pensar que ha sido vergüenza, pero tú y yo sabemos la verdad, los dos la sabemos.*

–Vete a la mierda.

—Ha pasado mucho tiempo desde la última vez que sentiste algo.

—No sé de qué estás hablando.

—Sí que lo sabes —dijo el sargento mayor—. Has sentido placer al hacerle daño y no disculparte. Te ha gustado, ¿a que sí, soldadito?

Emmanuel detuvo el coche y respiró profunda y acompasadamente. Era de día, aún faltaban horas para que el mal del veterano de guerra hiciera aparición en forma de pesadillas empapadas en sudor.

Se arrancó la camisa y la tiró al asiento trasero con la chaqueta. El olor de la ropa había traído a la superficie recuerdos enterrados. No era más que eso. No había ninguna verdad en las extrañas acusaciones del sargento mayor.

Si a los del Departamento de Seguridad les llegaba un mínimo indicio de sus alucinaciones a plena luz del día, estaría fuera del caso e internado en un sanatorio antes de que acabara la semana. Van Niekerk no iba a poder ayudarle. Le suspenderían del cargo hasta que pasara una evaluación psiquiátrica y tenía todas las papeletas para no superar la prueba.

—¿Has terminado? —preguntó Emmanuel.

—Tranquilo —susurró el sargento mayor—, no voy a coger la costumbre de visitarte. Si tengo algo importante que decirte, me pasaré y te lo diré. Mi labor es mantenerte con vida, ¿recuerdas?

8

El subinspector Piet Lapping y Dickie Steyns estaban inclinados muy juntos sobre diez años de expedientes policiales. Encima del archivador había una fila de botellas de cerveza vacías. Después de pasarse la tarde bebiendo sin parar y llevando a cabo la tediosa tarea de revisar los expedientes, los chicos del Departamento de Seguridad estarían de un humor de perros, listos para abalanzarse sobre cualquier novedad. Emmanuel abrió la puerta y entró en el despacho.

–¿Dónde cojones has estado? –preguntó Lapping bruscamente antes de encender un cigarro.

–Dándome un baño –contestó Emmanuel–. Tenías razón, la investigación sobre el terreno es un trabajo sucio.

–Ya me parecía que olía a lavanda –dijo Dickie.

Piet siguió hablando como si no hubiera oído a su colega.

–¿Qué tal ha ido la visita a King? ¿Has descubierto algo que quieras compartir con nosotros, Cooper?

Emmanuel sintió el golpe del miedo en la boca del estómago. ¿De verdad tenía la entereza para ocultar pruebas al Departamento de Seguridad? Si se enteraban, se lo iban a hacer pagar con sangre.

–He registrado la cabaña del comisario Pretorius, pero no he encontrado nada –dijo–. Estaba limpia, como si alguien hubiera estado allí ordenándola.

–¿La cabaña? –el cerebro de Dickie estaba empezando a despertarse–. ¿Qué cabaña?

–El comisario construyó una en la finca de King. La usaba para D y E –dijo Emmanuel dirigiéndose directamente a Dickie–. Significa descanso y esparcimiento, para los que no habláis la jerga de los solteros del ejército.

Dickie apagó su cigarro aplastándolo con un movimiento que hizo crujir el cenicero.

–Un día vas a conseguir que te arranquen esa cabeza tan inteligente que tienes, amigo. Ya lo verás.

Emmanuel sonrió.

–Arrancar cabezas es mejor que arrancar malas hierbas como un jardinero paleto, ¿eh? Tu madre debe de estar orgullosa.

A Dickie se le hincharon las venas del cuello y dio un paso adelante. Apretó los puños.

–Siéntate, Dickie –le ordenó con calma Piet, mirándole con su cara llena de marcas–. Cooper sólo está jugando contigo, ¿verdad, Cooper?

Emmanuel se encogió de hombros.

–En cuanto a la cabaña... –dijo Piet, recuperando el hilo donde lo había dejado Dickie–. Mañana por la mañana nos vas a llevar allí y nos vas a enseñar todo lo importante.

–Eso no va a ser posible –respondió Emmanuel–. Es domingo, por la mañana estaré en la iglesia.

–¿Eres religioso? –preguntó Piet con un dejo de incredulidad. Aquello no aparecía en el breve expediente de los servicios de inteligencia.

–¿Tú no? –preguntó Emmanuel.

El subinspector dio una larga calada a su cigarro.

–Ya van dos veces que contestas con una pregunta, Cooper. Primero a Dickie y ahora a mí. Debe de ser la costumbre, ¿eh?

–Sí, debe de ser eso –contestó Emmanuel, que vio cómo aumentaban las probabilidades de que descubrieran que estaba ocultando pruebas. Piet Lapping tenía una mente serena y perspicaz.

–Así que por fin has venido –era Paul Pretorius, cuya imponente figura había aparecido a la entrada de las celdas.

–He estado fuera trabajando en el caso –dijo Emmanuel. El pulcro soldado entró en la habitación con aire arrogante y se quedó detrás de la mesa de Hansie.

–Dime una cosa –dijo Paul reclinándose en la silla de Hansie con su prominente mandíbula cuadrada–, ¿por qué todos los sospechosos de tu lista son blancos?

Emmanuel miró a Lapping. ¿Quién estaba al mando de la investigación, el subinspector o el soldadito de plomo?

–Contesta a la pregunta.

Las palabras apenas salieron de entre los dientes apretados de Piet. Tener a Paul Pretorius a bordo no había sido idea de Lapping. Algún pez gordo debía de haber movido unos cuantos hilos.

–¿Te parece que los judíos son auténticos blancos? –Emmanuel lanzó la pregunta y esperó a ver si mordía el anzuelo.

–No –contestó Paul sin vacilar–. Son distintos de nosotros, pero necesitamos su inteligencia y su dinero para construir una nueva Sudáfrica. No tenemos que preocuparnos de que mezclen su sangre con nosotros o con los *kaffirs* porque va en contra de su religión. La pureza de la sangre forma parte de su ideología.

–¿Son el pueblo elegido? –se preguntó Emmanuel en voz alta mientras estudiaba atentamente al segundo hijo del comisario. Su pecho era como un barril y estaba hinchado como un fuelle.

–Puede que fueran los elegidos en el pasado, pero ahora nos toca a nosotros. Dios ha hecho una alianza con nosotros para que gobernemos esta tierra y la mantengamos pura –Paul Pretorius se inclinó sobre la mesa como si fuera su púlpito particular y siguió con su sermón–: En el futuro, el mundo recurrirá a nosotros en busca de orientación. Ya lo verás. Seremos un modelo.

–¿Orientación en todos los ámbitos o sólo…?

–¡Oficial Cooper! –Piet Lapping no pudo contener su frustración–. He dicho que contestes a la pregunta. ¿Cómo has elaborado tu lista de sospechosos?

Dickie y Paul eran fáciles de distraer, pero Piet, con sus

ojos como guijarros, no apartaba la mirada de su objetivo: información pertinente. Si alguien pillaba a Emmanuel, iba a ser el subinspector Piet Lapping.

–Los interrogatorios preliminares revelaron que tanto Zweigman como Rooke tenían móvil para el asesinato. El comisario sospechaba que Zweigman había infringido la Ley de Inmoralidad y es sabido que le reprendió por ello. Rooke culpaba al comisario de su arresto y su encarcelamiento. La señora Pretorius me facilitó los nombres. Ambos sospechosos aportaron coartadas.

–¿Y ese tal King? –preguntó Piet–. ¿Estaban enemistados él y el comisario Pretorius?

–Por lo que he podido ver yo, no. Parece que se caían bien. El comisario hasta se construyó su propia cabaña en la finca de King, en medio del campo.

–Chorradas –dijo Paul Pretorius inclinándose un poco más sobre la mesa–. Mi padre no tenía nada en común con ese inglés. Casi no se conocían.

–Eso no quita que tu padre hiciera un trato con King para conservar parte de la antigua granja de la familia.

–Más chorradas –contestó Paul, que desechó la información agitando la mano–. Cualquier cosa que diga King sobre mi padre es una pura mentira.

–Está bien –dijo el subinspector Lapping mientras apagaba su cigarro–, dejemos eso un momento. ¿Hay alguien más en tu lista, Cooper?

Emmanuel se contuvo para no frotarse el chichón que tenía en un lado de la cabeza. El primero de su lista particular era el cabrón que le había machacado la cabeza, le había meado encima y después había robado las pruebas.

–Estoy investigando otra pista. Un mirón que abusó de varias mujeres mestizas hace cosa de un año.

–¿Quién era?

–Todavía no lo sé –contestó Emmanuel–. Es posible que ese hombre matara al comisario para que no se descubriera su secreto.

Paul resopló con fuerza.

–Ningún hombre de Jacob's Rest, ningún blanco, abusaría de mujeres mestizas. Puede que esas cosas pasen en Durban o en Jo'burgo, pero no aquí. ¿Has interrogado a algún nativo o mestizo?

–Ninguno se ha presentado como sospechoso –respondió Emmanuel sin alterarse.

–No van a venir a entregarse –dijo Paul bruscamente–. Tienes que ir y enseñarles quién manda, entonces empezarán a hablar.

–Está bien… –el subinspector Lapping intentó que la discusión no se desviara.

–No, amigo, no está bien –las costuras del uniforme militar azul se tensaron por la presión de la musculosa mole de Paul Pretorius–. Con vuestra ayuda, mis hermanos y yo podríamos empezar a mover la investigación. Hacer que circule la información en lugar de investigar un rumor estúpido propagado por los mestizos para cargarle la culpa a un blanco inocente.

Piet sacó otro cigarro de la cajetilla y se tomó su tiempo para encenderlo antes de contestar:

–Tú y tus hermanos sois los agraviados, pero no sois la policía. La policía soy yo. ¿Entendido?

–*Ja.*

Paul parecía un poco enrabietado. Para ser soldado, no era muy bueno recibiendo órdenes.

–Bien –dijo Piet, que dio una larga calada al cigarro–. Cuando llegue la hora de que tus hermanos participen en la investigación, ya te lo diré.

Emmanuel volvió a sentir el dolor punzante del chichón. Dejar que los Pretorius tomaran parte en la investigación sería abrir la puerta al desastre. ¿Defendía el subinspector la idea de un ajuste de cuentas por parte de la familia o simplemente estaba intentando seguir teniendo de su parte a Paul y a sus poderosos secuaces?

–¿Crees que puede haber algo en la historia del pervertido? –preguntó Piet.

Lo suficiente para que dos mestizos enfurecidos amenazaran con recurrir a la violencia para intentar proteger a sus mujeres. El acosador no era ningún fantasma de cuento.

–Las nuevas leyes incomodan a los hombres que tienen determinados apetitos –dijo Emmanuel–. La humillación pública y las penas de cárcel son motivos suficientes para asesinar. Incluso aquí, en Jacob's Rest.

–¿Alguna pista de tipo político?

–Aún no he investigado ese terreno. Los boicots a los autobuses y la quema de pases no han tenido mucho impacto aquí.

–No hasta ahora –dijo Piet con un gesto adusto–. La campaña de resistencia es como una puta enfermedad. El país entero lleva camino de acabar en llamas. Los camaradas están dispuestos a hacer cualquier cosa para aplastar al Gobierno. Quieren una revolución. Quieren destruir nuestro modo de...

La puerta de la comisaría se abrió de golpe y los Pretorius, un torrente de trajes negros arrugados y fuerte olor a cerveza, entraron en la pequeña habitación. Shabalala, sobrio e impasible, se quedó en el porche.

–Muy buenas –dijo Henrick sin dirigirse a nadie en particular y dejándose caer pesadamente sobre el borde de la mesa de Hansie. Su cara bronceada estaba salpicada de manchas rojas, el resultado de alternar el llanto con el consumo de cerveza.

–Oficial... –era Hansie, sin fuerzas tras haberse tomado unas cuantas copas de más–. ¿Ha encontrado algo? ¿Ha encontrado algo útil en casa de King?

–Nada –contestó Piet Lapping al tiempo que dirigía la mirada a Emmanuel. Toda la información iba a salir del Departamento de Seguridad y nada más que del Departamento de Seguridad.

Emmanuel se quedó callado. Necesitaba tiempo para desentrañar el significado del calendario mientras Piet y Dickie se abrían paso como jugadores de rugby por el terreno político de la investigación.

–¿No ha encontrado nada, oficial?

Era Louis, el único Pretorius que no tenía los ojos vidriosos y la mandíbula desencajada.

–Nada –dijo Piet.

Emmanuel se movió incómodo bajo la mirada escrutadora que Louis no apartaba de él. Pese a la respuesta terminante de Piet, el joven esperaba que le contestara. Negó con la cabeza y se aseguró de mantener el contacto visual con Louis.

Por el rabillo del ojo, alcanzó a ver a Shabalala abandonando el porche rápidamente y corriendo por la calle Piet Retief. Se oyó el ruido de una refriega y un fuerte grito.

–Comisario… –llamó la voz de alguien borracho–. ¡Comisario! ¡Por favor!

–¿Qué cojones es eso? –dijo Paul mientras se levantaba, listo para hacer su papel de soldado.

–Comisario, comisario, ¡por favor!

Los Pretorius salieron del edificio apresuradamente entre empujones. Emmanuel los siguió de cerca y vio a Harry, el viejo soldado, en medio de la calle Piet Retief. Shabalala estaba intentando apartarle de allí, pero el hombre del abrigo gris se negaba a moverse.

–Comisario –siguió aullando–. ¡Comisario! Por favor… Mis cartas…

Paul y Henrick fueron los primeros en bajar las escaleras. De un solo empujón en el pecho, el esquelético anciano cayó de espaldas sobre la dura calzada con los brazos y las piernas ladeados.

–Hemos enterrado a mi padre esta mañana –dijo Henrick agachándose junto al hombre, que estaba en el suelo hecho un guiñapo–. Mantén la boca cerrada. ¿Me has oído?

–Mis cartas… –dijo Harry, que no se había enterado de la advertencia. Se levantó con dificultad y avanzó hacia la comisaría–. Comisario, por favor. Salga.

Erich agarró el rostro perplejo del soldado.

–Mi padre está muerto. Ahora cierra el pico.

Emmanuel se abrió paso entre Piet y Dickie, que observaban la escena con sonrisas de desconcierto. Beber y pelear

141

eran actividades normales del sábado por la noche, y meterse entre unos hombres blancos y un mestizo bobo era un esfuerzo que no merecía la pena.

–Cállate –dijo Paul agarrando al viejo soldado de las solapas y sacudiéndole como si fuera un tallo de maíz seco. Johannes y Erich se unieron a su hermano y las medallas del abrigo de Harry vibraron produciendo una melodía disonante cuando los hermanos empezaron a pasárselo de uno a otro a empujones. Louis se mantuvo apartado.

Emmanuel se aproximó a la falange y notó que Shabalala avanzaba a su lado. Se abrieron paso a empellones hasta el interior del círculo y se situaron a ambos lados del anciano.

–¿Qué hacéis? –dijo Erich, muy alterado y a punto de explotar.

–Está loco –contestó Emmanuel con voz queda–. El agente Shabalala y yo lo llevaremos a casa. Su mujer sabrá darle una tunda de palos mucho mejor que vosotros.

–A casa –dijo Harry agarrando a Emmanuel de la manga de la chaqueta–. A casa no. No. A casa no.

–¿Lo veis? –dijo Emmanuel–. Prefiere quedarse aquí con vosotros que ir a casa con su mujer.

–A casa no –la débil vocecita de Harry subió una octava–. A casa no.

Paul fue el primero en echarse a reír, y sus hermanos se sumaron a él.

–¿A que parece una viejecita? –Erich imitó al anciano traumatizado por la guerra–: A casa no. A casa no.

Las risas aumentaron de volumen y Emmanuel y Shabalala salieron lentamente del círculo con Harry en medio. Fueron avanzando por la calle Piet Retief, manteniendo un ritmo lento y pausado. Caminando. Simplemente caminando de vuelta a casa.

–Vuelve con tu mujer –gritó Henrick, a quien la violencia y el número cómico del anciano habían puesto de mejor humor–. Esta vez has tenido suerte, Harry.

–Comisario... –dijo Harry con un suave lloriqueo–. Comisario. Por favor.

–Por aquí –dijo Shabalala señalando un pequeño camino que avanzaba junto a un lateral de la comisaría–. Ve por aquí.

Se metieron rápidamente por el sendero y fueron caminando a buen paso hasta que salieron al *veld*. Harry se volvió hacia la comisaría, con las temblorosas manos extendidas como las de un mendigo.

–Comisario –dijo–. Mis cartas.

Shabalala cogió en brazos al viejo soldado y siguió andando por el estrecho camino *kaffir* a toda velocidad. A Emmanuel le costaba mantener el ritmo del policía negro, que avanzaba deprisa para distanciarse de los irascibles hermanos Pretorius. Unos perros guardianes gruñeron y ladraron tras una valla cuando pasaron por delante de las casas iluminadas por las tenues llamas de las lámparas de gas. Estaba empezando a anochecer.

Shabalala se detuvo delante de una desvencijada puerta de madera y volvió a poner al anciano en el suelo. El brillo del sudor en la frente del agente negro era la única señal de que había hecho algo más que venir dando un paseo desde la comisaría.

–Ésta es su casa –dijo Shabalala–. Tiene que entrar y entregárselo a su mujer.

–Tú vienes conmigo.

–Los que entran con los mestizos son el comisario o el subcomisario Uys, no yo.

–El comisario está muerto –contestó Emmanuel–. Esta noche sólo quedamos tú y yo.

Shabalala asintió y le siguió a través de la puerta y por delante de un estrecho huerto que se extendía a lo largo de todo el jardín y casi se metía en el porche trasero de la casa. Emmanuel aporreó la puerta.

–Las cartas –dijo Harry dirigiéndose hacia la puerta del jardín–. Las cartas.

–Tráelo –dijo Emmanuel mientras el sonido de unas pisadas se acercaba a la puerta trasera de la casa–. Policía. Traemos a Harry.

La puerta se abrió y Angie, la mujer del viejo soldado,

salió al porche. Tenía puesta una bata de algodón marrón con el cuello y las mangas cosidos con puntadas dobles para reforzar el tejido desgastado. Llevaba el pelo negro y rizado recogido y bien tirante sobre las curvas de unos enormes rulos de plástico.

–¿Dónde le han encontrado? –preguntó cortantemente. Harry salía a andar prácticamente todos los días y casi siempre conseguía volver a casa sin problemas.

–Delante de la comisaría –dijo Emmanuel.

–Las cartas –gimió Harry–. Las cartas.

Angie atravesó el porche en cinco pasos rápidos.

–¿Has estado hablando de las cartas? ¿Has contado lo de las cartas, idiota?

Emmanuel le puso una mano en el hombro a la mujer para advertirla y después la quitó.

–Ya se ha llevado un par de golpes, no necesita que le peguen más.

La mujer vio la piel amoratada alrededor del ojo izquierdo de su marido.

–¿Quién te ha pegado, Harry?

–Quiero las cartas –dijo Harry–. Quiero las cartas.

Angie se dirigió a Shabalala:

–¿Quién ha pegado a mi Harry?

–Madubele. Él y sus hermanos.

Angie cogió a su marido del brazo y le condujo al interior de la pequeña casa de bloques de hormigón. Se volvió y miró hacia la puerta del jardín con miedo a lo que había tras ella, en aquella oscuridad cada vez más profunda.

–Adentro, rápido –le dijo a Harry, que entró delante de ella arrastrando los pies.

Emmanuel los siguió sin haber sido invitado. Le hizo una seña a Shabalala, que entró en la casa de mala gana y se quedó con la espalda pegada a la puerta cerrada.

La casa de bloques de hormigón constaba de dos sencillas habitaciones con un muro agrietado de yeso y cemento en medio. La cocina, una colección de cacerolas y platos desiguales sobre un aparador desportillado, estaba justo en-

144

frente de un pequeño hueco que quedaba separado del resto mediante una cortina y en el que había una cama de matrimonio y una pequeña cómoda con un espejo biselado.

Se encontraban en la zona de estar: cuatro sillas de madera y un confidente apolillado que debían de haber transportado por mar y en carros tirados por bueyes desde la madre patria hasta los confines del África meridional varias décadas antes. En una mesa redonda con el diámetro de un cubo de hojalata había dos fotografías con marcos descoloridos: una era de Harry cuando era un joven soldado rumbo a la gloria del campo de batalla; la otra era un retrato familiar de Harry y Angie con tres muchachas de piel blanca. La composición era idéntica a la de la fotografía que había visto en la casa del comisario, un grupo familiar colocado solemnemente delante de un fondo liso. El fotógrafo ambulante había hecho un buen negocio en Jacob's Rest.

Harry se sentó al borde de la cama de matrimonio con las temblorosas manos apoyadas vacilantemente en las rodillas. Angie corrió la cortina y ella y su marido quedaron detrás. El tintineo de las medallas de campaña fue seguido del susurro metálico de los muelles del somier al acostarse el viejo soldado.

Emmanuel cogió la foto familiar y le hizo un gesto a Shabalala para que se acercara.

–¿Dónde están las hijas? –preguntó. No había ni rastro de ellas en aquella casa de hormigón, ni una sola horquilla o lazo.

–Se fueron –contestó Shabalala–. A Jo'burgo o a Durban. A trabajar.

Las muchachas de la foto habían salido a su padre. Eran delgadas, con la piel clara y pecosa y el pelo rubio: determinar su raza era una pesadilla. No habrían desentonado en absoluto posando delante de los acantilados de Dover. Eran blancas, simple y llanamente. Sólo alguien que conociera a la familia podría decir otra cosa.

–¿Qué pone en sus papeles? –le preguntó a Shabalala–. ¿Mestizas o europeas?

Shabalala miró al suelo.

–No he visto sus papeles.

–Ésas son mis hijas –dijo Angie, que volvió a la zona de estar y le quitó la foto a Emmanuel. Limpió el marco con la manga, como si quisiera quitarle los gérmenes.

–¿Dónde están?

Angie inclinó la fotografía para que le diera bien la luz.

–Ésta de aquí es Bertha, vive en Suazilandia. Y éstas son Alice y Prudence, que ahora viven en Durban.

–¿Cuánto tiempo llevan fuera?

–Unos seis meses.

–¿Las cartas que estaba pidiendo Harry eran de Alice y Prudence?

–No –Angie apoyó la foto y la colocó mirando para otro lado–. Harry no sabe lo que dice. Es por el gas mostaza, le hace imaginarse cosas.

–Parece que está convencido de lo de las cartas –dijo Emmanuel.

–Ese hombre está convencido de muchas cosas, pero eso no quiere decir que sean ciertas.

Angie se colocó en la línea de visión de Emmanuel y tapó la fotografía poniéndose delante. Era la leona de la puerta, encargada de proteger los secretos de la familia.

–Asegúrese de que Harry se queda en casa hasta mañana –dijo Emmanuel–. Hoy no es buena noche para que ande por ahí rondando.

–Me encargaré de que no se mueva de donde está –las arrugas que surcaban su cara de bulldog se suavizaron y los acompañó a la puerta trasera–. Gracias por ayudar a mi Harry a volver a casa, oficial.

Emmanuel y Shabalala salieron por la puerta del jardín de detrás de la casa. La luna estaba menguando, pero aún brillaba con luz suficiente para poder ver. En el camino *kaffir*, Emmanuel se volvió hacia el policía negro.

–Cuéntame lo de las cartas –dijo.

–Yo no he visto ninguna carta –dijo Shabalala por toda respuesta.

Emmanuel observó el rostro hermético de su compañero.

–¿Vio las cartas el comisario?

–Ummm... –Shabalala carraspeó nerviosamente–. Sí, las vio.

–¿De quién dijo que eran?

–De las que ha visto ahí dentro. Las dos hijas menores de ese anciano.

–¿Por qué el comisario le recogía las cartas a Harry?

–Ummm... –esta vez los labios del agente negro se cerraron firmemente y quedaron sellados con las palabras dentro.

Emmanuel le observó y vio cerrarse las compuertas de golpe.

–Lo que me cuentes esta noche no va a salir de aquí, agente –dijo–. Te lo prometo.

Shabalala se quitó la gorra y empezó a darle vueltas con sus grandes manos como a una rueca. La gorra dejó de girar y el agente soltó aire.

–Las hijas del anciano están viviendo entre los blancos. No pueden escribir a los suyos por si alguien lo descubre.

–¿Cómo consiguieron documentación de blancas?

–Son blancas, igual que los holandeses. El comisario les dijo que se empadronaran en la ciudad y que, si había algún problema, él diría que eran de una familia europea.

–¿Te contó eso el comisario?

–Sí.

–¿Por qué lo hizo?

Por todo lo que había visto, los Pretorius eran de los que defendían con firmeza la segregación racial. En su mundo, la mezcla de razas no era de mal gusto; era delito.

–No sé por qué lo hizo.

Shabalala volvió a ponerse la gorra y se la caló bien sobre la frente.

–¿Me lo contarías si lo supieras? –preguntó Emmanuel.

El agente extendió las manos en un gesto conciliador.

–Le he contado todo lo que puedo contarle –dijo cortésmente.

El policía negro le contaría todo lo que podía contarle,

no todo lo que sabía. ¿Era posible que, en el caso del comisario Pretorius y el agente Shabalala, el fuerte vínculo entre un blanco y un negro que habían jugado juntos, algo muy habitual en la infancia, hubiera sobrevivido al paso a la vida adulta?

–Esos hombres de la comisaría no van a esperar a que les cuentes lo que necesitan saber –dijo Emmanuel–. Ellos se van a hacer con la información por la vía más rápida. ¿Lo entiendes?

–Lo entiendo perfectamente.

–Pueden hacer lo que quieran.

–Ya lo he visto –contestó Shabalala.

Emmanuel se dio la vuelta y se dispuso a marcharse, pero se detuvo.

–Has dicho que a Harry le han pegado Madubele y sus hermanos. ¿Quién es Madubele?

–El tercer hijo del comisario y de su mujer.

–¿Erich?

–Sí. El tercero tiene mucho genio. Siempre está explotando, como un disparo de fusil, por eso le pusieron ese nombre.

–Dime los otros –dijo Emmanuel. Los nombres que los nativos ponían a la gente siempre tenían un núcleo de verdad reconocible al instante.

Shabalala puso la mano en alto como un maestro y fue pasando por todos los dedos, del pulgar al meñique.

–El primero es Maluthane. Se engaña pensando que es el jefe. El segundo es Mandla, porque es fuerte como un león. El tres es Madubele y el cuarto es Thula, porque es callado. El cinco es Mathandunina, que significa que es querido por su madre y que él la quiere a ella.

Cada nombre era un breve resumen de uno de los Pretorius, y, a grandes rasgos, todos eran acertados. Incluso a Louis, el más pequeño de la camada, se le describía en relación con su madre y no por lo que era en sí mismo.

–¿Cuál es tu nombre? –preguntó Emmanuel.

–Es largo. Ni siquiera usted, que habla zulú, podrá pronunciarlo.

Emmanuel sonrió. Era la primera vez que el agente negro hacía una broma en su presencia. Si esperaba cinco o diez años, quizá Shabalala se animara a contarle la verdad sobre el comisario.

–Dímelo.

–Mfowemlungu.

Emmanuel hizo una traducción rápida:

–Hermano del hombre blanco.

–*Yebo*.

–¿El hermano blanco era el comisario?

–Así es.

Emmanuel pensó en la gente de la granja de la familia Pretorius, conmovida cuando los jóvenes Shabalala y Pretorius corrían a lo largo y ancho del terreno como guerreros del *impi* zulú de los viejos tiempos.

–Y la señora Pretorius ¿qué opina de ese nombre?

–Para ella todos somos hermanos a los ojos de Dios.

–¿El comisario y tú erais como mellizos?

–No –dijo Shabalala–, yo siempre fui el hermano pequeño.

Emmanuel percibió la resignación de Shabalala. Nunca el hombre, siempre el mozo de jardín. Nunca la mujer, siempre la muchacha de la limpieza.

–¿Era así como te veía el comisario?

–No.

–¿Para ti era como un hermano de verdad?

–*Yebo* –dijo el agente.

Los líderes de la tribu afrikáner daban muchísima importancia a los lazos sanguíneos. El nombre de su organización más secreta, la Broederbond, significaba «hermanos de sangre». ¿Qué pasaba cuando el vínculo atravesaba la frontera racial y unía a un blanco y a un negro?

–Voy a averiguarlo todo –dijo Emmanuel–. Aunque os duela a ti o a la familia del comisario, lo voy a averiguar.

–Lo sé.

–Buenas noches, Shabalala.

–*Hambe gashle*. Que le vaya bien, oficial.

Emmanuel siguió el estrecho camino *kaffir* que conducía

a las casas de los mestizos y a la fila de destartalados comercios que servían a la población de color. Necesitaba una copa y el hotel Standard era el último sitio al que iba a ir a buscarla. Era el momento de hacer una visita fuera de horas a Tiny y su hijo.

El camino bordeaba el terreno del Club Deportivo. Algunas familias de granjeros se habían quedado a pasar la noche en el pueblo después del funeral y habían montado un campamento, colocando sus camionetas en círculo como los *laagers* de carromatos de los tiempos de la colonización. Emmanuel se agachó para que no le vieran. Se incorporó totalmente cuando vio aparecer la oscura silueta del hospital Gracia Divina.

Tras pasar una franja de terreno baldío aderezada con basura arrastrada por el viento, se adentró en el pequeño grupo de casas de los mestizos. La primera vivienda, situada en un extenso terreno, quedaba bien oculta tras una alta valla de madera y una fila de eucaliptos añosos. Emmanuel fue pasando la mano por la valla mientras andaba. Rozó la madera y la puertecita que daba acceso al jardín con las yemas de los dedos. Era agradable caminar en la oscuridad, en silencio e inadvertido.

Así debía de haberse sentido el comisario Pretorius: libre y como si fuera un dios, sobrepasando todas las fronteras de su pequeño pueblo. Había sido allí, en aquel tramo del camino *kaffir*, donde había dado la paliza a Donny Rooke. En las calles principales, en las casas y las tiendas, el comisario era un buen hombre, decente y honrado. Pero fuera de ese núcleo, entre las sombras del camino *kaffir*, ¿quién era?

Emmanuel dejó atrás la estructura quemada del taller de Anton, otras dos casas y una pequeña iglesia. El camino describía una curva muy pronunciada hacia la izquierda y seguía después junto al límite de la parcela vacía que lindaba con la tienda Poppies. El siguiente comercio era la licorería. Emmanuel aflojó el paso al llegar a la puerta, pero no entró. Por encima de la valla trasera le llegó una voz de mujer, estridente y afectada por el alcohol.

–Eres malo, Tiny. Eres un hombre muy, muy malo.

–¿Cómo puedo ser malo y hacerte sentir tan bien, eh? ¿Cómo puede ser eso?

Emmanuel encontró un agujero en la valla lo suficientemente grande para escrutar lo que había al otro lado. Pegó el ojo a la rendija. Tiny y su hijo, ambos sin camisa y borrachos, estaban desnudando a dos chicas mestizas muy ligeras de cascos. Emmanuel reconoció a la que se estaba deslizando sobre el duro estómago de Tiny como si fuera una bayeta. Era la mujer que había pasado por delante de Poppies con un niño pequeño.

–Mmm... *Ja*... –la mujer con el pelo hirsuto emitió un gemido bien estudiado y dio una calada a un cigarrillo de *dagga* liado a mano–. Eres malo, Tiny.

–Estoy a punto de volverme más malo –prometió Tiny con voz de borracho–. Enséñame algo.

La mujer se quitó la camisa desabrochada, la tiró al suelo y levantó uno de sus pechos caídos para que lo examinara.

–¿Es esto lo que quieres?

Tiny se lanzó sobre el pezón al instante. El sonido húmedo no era ninguna molestia para Theo, que siguió embistiendo sin parar a una mestiza gorda a la que le faltaban dos dientes delanteros. La chica, con un cuerpo capaz de aguantar el máximo ímpetu, se las arreglaba para seguir dando tragos a una botella de whisky mientras Theo desplegaba sus encantos sobre ella.

Emmanuel retrocedió. Justo en ese momento no iba a haber forma de conseguir una copa, pero el comisario Pretorius no iba mal encaminado. Una noche en los caminos *kaffir* valía por veinte rondas de visitas de puerta en puerta.

La bifurcación en la que había perdido a su visitante nocturno estaba un poco más adelante. La tranquilidad quedó interrumpida por el crujido de unas pisadas. Alguien más había salido a la calle y estaba rodeando el pueblo a oscuras. Emmanuel dio un paso atrás y se ocultó entre las sombras.

Louis pasó por delante trotando. Emmanuel esperó hasta que se hubo adelantado un buen trecho y entonces le siguió.

El joven no se había perdido; andaba como si el camino *kaffir* fuera suyo. Un haz de luz procedente del patio de Tiny atravesaba la oscuridad. Louis avanzó por él como una polilla.

Se detuvo y llamó a la puerta. El sonido de su llamada quedó ahogado por los ruidos de dentro. Lo intentó de nuevo.

Emmanuel se metió en el hueco entre la licorería y Khan's Emporium. Un descamisado Tiny le abrió la puerta a Louis.

—¿Qué quieres? —preguntó el mestizo. Estaba de muy mal humor.

—Dame algo pequeño —dijo Louis.

—Ni hablar. Se lo prometí a tu padre. Nunca más.

—El comisario ya no está —dijo Louis.

—¿Y tus hermanos qué? ¿Qué pasa si se enteran?

—No se van a enterar.

—*Ja*, bueno…, más vale que no —dijo Tiny, que retrocedió hacia el patio y volvió a salir con una pequeña botella de whisky.

—¿Y algo para fumar? —preguntó Louis mientras se metía la botella en el bolsillo.

—¿Qué? ¿Y acabar con mi negocio hecho cenizas cuando se entere Madubele? —dijo Tiny moviendo la mano para echar al muchacho—. Largo.

—No se va a enterar.

—¿Y si se entera? ¿Le vas a hacer pagar una indemnización como hizo el comisario con Anton? Tienes suerte de que te haya dado algo. Ahora vete de aquí antes de que te vea alguien.

—El comisario se ha ido al otro lado —repitió Louis—. No hay nadie que pueda vernos.

Tiny puso fin a la conversación cerrando la puerta en las narices a Louis. El joven abrió la botella de whisky, dio un largo trago y, a continuación, levantó hacia el cielo la mano que tenía libre con la palma abierta. Tras otro trago a la botella, la voz clara de Louis iluminó el terreno vacío y el cielo nocturno.

Estaba cantando «Werk in My Gees Van God», «Entra en

mí, aliento divino», un conocido himno en afrikáans. La canción era una fuente de incómodos recuerdos y, pese al tiempo transcurrido, Emmanuel aún recordaba la letra: «Funde toda mi alma con la Tuya hasta que mi parte terrenal brille con Tu fuego divino».

¿Era capaz Louis de distinguir el fuego del whisky en el estómago del fuego divino del Espíritu Santo? La puerta trasera de la licorería se abrió y Tiny asomó la cabeza.

–Déjalo para la iglesia, Pretorius. Estás estropeando el ambiente.

Louis saludó levantando la botella y se escabulló en dirección a las casas de los mestizos y al Club Deportivo, donde estaban acampadas las familias blancas que se habían quedado a pasar la noche. ¿Qué iba a hacer allí? ¿Pronunciar un sermón? ¿O encontrar un rincón oscuro en el que pasar un ratito cayendo en las tentaciones del diablo?

El camino *kaffir* era una mina de información, y Emmanuel tenía la sensación de que al menos parte de la explicación del asesinato del comisario se escondía allí, entre las sombras del pueblo.

La calle principal estaba a oscuras, al igual que el camino de tierra que conducía a la pensión Protea. Pasó por delante del sedán policial, en cuyo maletero cerrado se encontraban el traje mugriento y el calendario del comisario con los días marcados. Al día siguiente buscaría un lugar apropiado en el que guardar esos delicados objetos. Los del Departamento de Seguridad podían forzar la cerradura de un maletero sin ningún esfuerzo.

La puerta de su habitación estaba entreabierta y la luz, encendida. Entró. Piet y Dickie estaban tumbados tranquilamente en la cama, uno a cada lado. Había ropa y papeles tirados por el suelo.

Piet bostezó y encendió un nuevo cigarrillo.

–¿Siempre viajas con tan poco equipaje, Cooper?

–Es una secuela del ejército –dijo Emmanuel–. ¿Habéis venido a que os preste una corbata limpia, o son calzoncillos almidonados lo que estabais buscando?

153

–¿Y tu cariño por los viejos soldados? –preguntó Dickie–. ¿También es una secuela?

Emmanuel cogió una silla y se sentó.

–Lo confieso: llegué al grado de comandante poniendo el culo ante todos los generales aliados. ¿Qué más queréis saber?

–No hemos venido a hacer preguntas –dijo Piet–. Hemos venido a decirte algo.

–Soy todo oídos.

–De aquí a un par de días lo vamos a saber todo sobre ti, Cooper –dijo Piet a través de una cortina de humo–. Qué bebes. A quién te estás tirando. Dónde te compras esas corbatas de mariquita. Lo vamos a saber todo.

–Bebo té con leche, sin azúcar. Whisky solo. Agua cuando tengo sed. No me he tirado a nadie desde que mi mujer se volvió a Inglaterra hace siete meses, y me compro las corbatas de mariquita en Belmont Menswear, en la calle Market. Preguntad por Susie, os ayudará a encontrar la talla extra grande.

–Está bien que tengas sentido del humor –dijo Piet–, te va a hacer falta.

–¿Cuando os atribuyáis el mérito de cualquier arresto?, ¿o cuando me carguéis a mí con un mal resultado?

La sonrisa de Piet era como una raja abierta en su cara llena de marcas de acné.

–En cualquier caso, tú y tu novio Van Niekerk os vais a arrepentir de haber intentado haceros con un pedazo de nuestra investigación.

–Pensaba que habíais venido a mi habitación porque queríais ser mis amigos. ¿Entonces no os quedáis a dormir esta noche?

Dickie se puso colorado.

–No me extraña que tu mujer te dejara.

–Eres tú el que ha venido a mi habitación sin que nadie te haya invitado –dijo Emmanuel–. ¿Te lo has pasado bien revolviendo entre mi ropa interior, Dick?

Dickie se levantó de un salto.

–Siéntate –le ordenó Piet–. Tengo que decirle unas cosas a Cooper.

–Adelante, amenázame –dijo Emmanuel. Se estaba haciendo tarde y ya se había hartado del Departamento de Seguridad.

–Mañana a las siete de la mañana vamos a ir a la finca de King. Tú nos vas a enseñar la cabaña. Después te vas a encargar de investigar la historia del mirón. Todas las demás vías de investigación son nuestro territorio.

–Sólo sois dos –señaló Emmanuel.

–No –le corrigió Piet–. Los chicos de aquí, Hepple, Shabalala y Uys, formarán el resto de nuestro equipo.

A Emmanuel no le costó nada interpretar la información. El Departamento de Seguridad le estaba dejando fuera del caso oficialmente.

–Me alegra ver que todavía hay gente que va de visita a las casas –dijo mientras Piet y Dickie metían sus enormes cuerpos por el estrecho hueco de la puerta. Piet se paró y tiró al jardín la colilla encendida de su cigarro.

–Te voy a decir cómo acaba esto, Cooper. Si entorpeces nuestro trabajo, me voy a enterar, y Dickie te va a dar una paliza que te va a poner tu cara inglesa del revés. Es una promesa.

Emmanuel cerró la puerta al Departamento de Seguridad. Notó que le faltaba el aire en el pecho. Contuvo las ganas de recoger su ropa desperdigada, meterla en la maleta y regresar a su piso de Jo'burgo. Estaba en Jacob's Rest bajo las órdenes del inspector Van Niekerk. La decisión de irse no le correspondía a él.

–*Jódelos vivos* –era el sargento mayor con un amable consejo de medianoche–. *Entra a matar. No hagas prisioneros.*

Emmanuel miró al techo. Había esperado no volver a oír al escocés y sus descabelladas opiniones después de lo de la carretera.

–*Coge la barra de desmontar neumáticos. Que prueben el sabor del acero.*

Emmanuel se tocó el chichón. Le dolía la cabeza, pero no tanto como para provocar un episodio de delirios. Se puso cinco pastillas blancas en la palma de la mano y se las tragó con agua. Volvió a tumbarse. La voz se iría en cuanto hiciera efecto la medicación.

El escocés continuó con su bombardeo:

—*Utiliza el factor sorpresa. Acaba con ellos antes de que ellos acaben contigo.*

—Estamos en tiempos de paz —no se molestó en contestar en voz alta. Sabía que el sargento mayor le oiría perfectamente—. Ya no es legal asesinar a gente.

—*¿Y entonces qué vas a hacer?*

El sargento mayor se había quedado sin recursos, ahora que la fuerza bruta no era una opción.

—Resolver el caso —dijo Emmanuel—. Encontrar al asesino.

—*Mmm...* —la perspectiva de una solución pacífica desconcertó al escocés—. *¿Y cómo vas a hacer eso?*

—Todavía no lo sé.

—*¿Tienes algún plan?*

—Todavía no.

—*Ya...*

La voz del sargento mayor se fue apagando, perdiéndose en la oscuridad.

Los dibujos del techo cambiaron cuando el viento movió el árbol que había al otro lado de la ventana. ¿Resolver el caso? Eso era fácil de decir, pero ¿qué tenía? Un par de muchachas mestizas que se hacían pasar por blancas, un padre y un hijo que se divertían con putas baratas y un astuto joven blanco aficionado al whisky y a la *dagga*. Eran noticias sustanciales en un pueblo pequeño, pero no podían compararse con las pruebas contundentes que había permitido que le quitaran en la cabaña. ¿Y quién le había dejado la nota con el nombre de King en plena noche? ¿El asesino o alguien que estaba intentando favorecer la investigación?

—*Tienes el calendario.*

El sargento mayor consiguió abrirse paso a través del torrente de medicación.

Era verdad, tenía el calendario. Pero ¿cómo iba a cruzar la frontera sin llamar la atención de Piet y su matón? –*Duérmete* –le ordenó el sargento mayor arrastrando las palabras–. *Yo te mantendré los perros a raya.* La oscuridad le envolvió y Emmanuel fue flotando hasta un granero tiznado que ardía lentamente a media luz. El sargento mayor estaba sentado delante de las ruinas, rodeado por una docena de soldados con uniformes raídos y ensangrentados. Uno de los soldados se volvió hacia Emmanuel. Su cara no era más que carne lacerada y huesos destrozados. –*Todos mirando hacia mí* –ordenó el sargento mayor–. *Acercaos, muchachos, vamos a hablar de la bebida y de los polvos. Y de las mujeres y los hijos y el hogar. Nuestro amigo Cooper necesita un sueñecito.* El soldado con la cara destrozada se echó a reír. La compañía se agrupó en torno al sargento mayor. Emmanuel cerró los ojos y se quedó dormido.

9

Emmanuel metió el Packard en el hueco de al lado del Chevrolet del Departamento de Seguridad a las 6:55 de la mañana siguiente. La comisaría parecía pequeña y abandonada a la luz de la mañana. Piet bajó su ventanilla y asomó la cabeza.

–Cambio de planes, Cooper. Síguenos –dio la orden y Dickie puso el motor en marcha–. Primero vamos a parar en el poblado negro y luego vamos a la cabaña de Pretorius.

–Lo que usted diga, subinspector.

Dickie y Piet giraron a la derecha al llegar al hotel Standard y tomaron la carretera principal hacia el oeste. Emmanuel viró detrás de ellos y pisó el acelerador.

No entendía por qué el Departamento de Seguridad se dirigía a un asentamiento negro a las afueras de una pequeña población rural. No había una sola pista que condujera en esa dirección.

Salieron de la carretera por un camino de tierra lleno de baches y, unos minutos más tarde, entraron en el poblado negro, un grupo de casas de bloques de hormigón y chozas de adobe levantadas sin ningún orden sobre un terreno polvoriento rodeado de *veld*. Había niños con ropa de domingo jugando a la rayuela delante de una iglesia ruinosa con un tejado de zinc oxidado.

El Chevrolet se detuvo cerca de los niños y Piet le hizo

un gesto a uno de ellos para que se acercara. Era Butana, el pequeño testigo de la escena del crimen.

—Shabalala —dijo Piet levantando la voz casi hasta gritar para que el niño *kaffir* le entendiera—. Ve a buscar al agente Shabalala. ¿Me has entendido?

—Sí, *baas* —Butana subió el volumen de su propia voz para que el holandés le entendiera, luego se quitó los zapatos, que le quedaban grandes, y salió corriendo por el camino de tierra que dividía el poblado en dos. Los otros niños le siguieron, contentos de tener una excusa para alejarse de los hombres blancos y sus grandes automóviles negros.

Emmanuel se bajó del Packard y examinó el lugar. Era un día despejado de primavera. Entre los límites de un terreno con césped y un arroyo crecido por la lluvia nocturna se extendían maizales en barbecho. A continuación, una exuberante alfombra de tierna hierba y flores silvestres se desplegaba bajo un cielo azul y una fila de nubes blancas.

Impresionante, pensó Emmanuel. Pero el paisaje no se come.

Dirigió su atención al grupo irregular de viviendas. Eran construcciones destartaladas levantadas con todo lo que había a mano. Un tejado de chapa ondulada remendado con sacos de harina para que no entrara la lluvia. Un bidón de doscientos cincuenta litros colocado delante de una puerta para que no entrara el aire. Era primavera, pero el recuerdo de un invierno duro seguía vivo en las casas de los nativos.

Los jóvenes y sanos podían irse a E'goli, la Ciudad del Oro, Johannesburgo, donde incluso un hombre negro tenía la oportunidad de hacerse rico. O podían quedarse en el poblado con sus familias y seguir siendo pobres. La mayoría escogía la ciudad.

La puerta de la iglesia se abrió y un pastor arrugado con los ojos acuosos se asomó al exterior. Emmanuel le saludó levantándose el sombrero y recibió como respuesta un gesto de la cabeza lleno de recelo. Desde el camino de tierra llegaron las voces de los niños.

El agente Shabalala se dirigía hacia los coches apresuradamente, seguido de un largo séquito de niños. El policía negro iba vestido con su ropa de domingo: una camisa blanca con un ligero tono grisáceo, unos pantalones negros y una chaqueta de pana con coderas de cuero. El bajo de los pantalones se había descosido para que fueran lo más largos posible, y les faltaban unos tres centímetros para taparle los calcetines y las botas. Quizá los hubiera heredado del comisario.

Se acercó al coche del Departamento de Seguridad con el sombrero en la mano. Sabía que los afrikáners y la mayoría de los blancos daban mucha importancia a las muestras de respeto. Piet se sacó un trozo de papel del bolsillo.

—N'kosi Duma —dijo—, ¿dónde está?

Shabalala mostró las palmas de las manos abiertas como gesto de disculpa.

—Ese hombre no está aquí. Está en la reserva nativa. Quizá esté de vuelta mañana.

—Por el amor de Dios —dijo Piet, que encendió un cigarro y echó el humo al aire limpio de la primavera—. ¿A cuánto está la reserva ésa?

—Está antes de llegar a la finca del *baas* King. A una hora y media en mi bicicleta.

Piet mantuvo una breve conversación con Dickie, que estaba agazapado detrás del volante.

—Sube al coche —le dijo Piet a Shabalala—. Vamos a ir a buscarle.

Emmanuel se acercó, resuelto a intervenir de alguna forma. Notó cómo le latía el corazón. Piet sabía por quién preguntaba. ¿Cómo narices sabía que había un hombre llamado N'kosi Duma que vivía en un poblado a las afueras de Jacob's Rest?

—El agente Shabalala puede venir en mi coche —dijo Emmanuel—. Tengo suficiente gasolina.

—Él está con nosotros —contestó Piet con frialdad—. Tu trabajo es llevarnos a la cabaña.

—La reserva está antes de la cabaña —Emmanuel sabía que se la estaba jugando, pero siguió adelante—, ¿paramos allí primero?

–A la cabaña –dijo Piet.

–Es un refugio de caza –dijo Dickie cuando terminaron de inspeccionar la limpia casita del comisario–. Sólo un policía inglés de la ciudad pensaría que es otra cosa.

–Una pérdida de tiempo, justo lo que pensaba –masculló Piet–. Vámonos.

Emmanuel no les enseñó la caja fuerte secreta.

Salieron agachándose por el agujero de la alta cerca de estacas y volvieron con Shabalala, que esperaba pacientemente entre los coches. Piet le hizo un gesto a Dickie para que entrara en el Chevrolet negro y se volvió hacia Emmanuel.

–Tú te vuelves al pueblo –dijo Piet con un brillo de satisfacción en sus ojos como guijarros–. Tu campo de investigación es la historia del mirón, ¿te acuerdas?

–Es domingo. No creo que hoy se pueda avanzar mucho en ese terreno.

–Eres religioso, ¿verdad? Es tu oportunidad de llegar a tiempo a la iglesia. Eso era lo que querías, ¿no?

–Amén –dijo Emmanuel antes de acercarse a Shabalala, que había retrocedido para dejar sitio a los holandeses. La historia del mirón era lo único que tenía para quedarse en Jacob's Rest y mantenerse cerca de la acción. Tenía que seguir por esa vía y, además, poniendo buena cara.

–La iglesia de los mestizos –le dijo a Shabalala–, ¿dónde está?

–Tiene que pasar la tienda del viejo judío. La iglesia de los *ma'coloutini* está al final de esa calle.

–En marcha.

Era Dickie, impaciente como un hipopótamo de carreras el día del derbi.

Shabalala vaciló.

–Oficial, esta tarde estará usted en la comisaría.

Era una petición, no una pregunta.

–Allí estaré –dijo Emmanuel, y Dickie pisó el acelerador.

Cuando Shabalala se subió al Chevrolet del Departamento de Seguridad, el chasis del coche descendió quince centímetros hacia el suelo. Los ocupantes del vehículo sumaban músculos suficientes para enderezar una viga de acero deformada.

Piet sacó la cabeza por la ventanilla.

—Ve tú delante —ordenó—, te seguimos para salir.

Emmanuel obedeció. Los del Departamento de Seguridad querían ver cómo se iba con el rabo entre las piernas. Disfrutaban con ello. No era difícil darles lo que necesitaban. Se metió en el Packard y volvió al pueblo.

Emmanuel revisó todos los expedientes policiales y llegó a la letra Z sin haber encontrado nada. No había expedientes en la P de *pervertido* ni en la M de *mirón*. No había datos de ninguna de las mujeres de la tienda del viejo judío ni del propio Zweigman. No había ni una prueba escrita de que el caso de los abusos hubiera existido.

Sacó algunos expedientes al azar. Robo de ganado. Un apuñalamiento. Daños a una propiedad. Las denuncias típicas de un pueblo pequeño. Buscó a Donny Rooke y le encontró: acusado de la producción e importación de artículos prohibidos. Las fotografías de las chicas aparecían registradas como pruebas, pero la cámara no.

¿Era posible que las denuncias de las mujeres mestizas no se tomaran lo suficientemente en serio como para abrir un expediente? ¿O es que habían robado los documentos? La cámara robada de Donny Rooke demostraba que el comisario era muy capaz de confiscar pruebas cuando le convenía.

El Departamento de Seguridad y el aparato del Partido Nacional querían un respetado policía blanco abatido en servicio. No querían nada que complicara esa historia. Con las nuevas leyes en materia racial, todo era blanco o negro. El gris había dejado de existir.

Intimidación física, robo y posible importación de artículos pornográficos: quizá el comisario Pretorius aparentara ser un afrikáner sin dobleces, pero debajo de la superficie se escondía algo más complicado.

La pequeña iglesia de piedra estaba abarrotada de fieles. Las familias, todas peripuestas y almidonadas con sus mejores galas de domingo, no cabían en la iglesia y se extendían por las escaleras que llevaban a las puertas de madera abiertas de la fachada. La muerte prematura del comisario era buena para el negocio.

Un órgano silbó «Closer My God to Thee» y las familias mestizas se pusieron de pie para entonar el último cántico. Unas gemelas con idénticos vestidos de lunares se soltaron de los brazos de su rolliza madre y salieron corriendo al jardín. Se tiraron junto a un macizo de flores y se asomaron entre las hojas de las plantas donde Harry, el viejo soldado, estaba acurrucado alrededor del tallo de un arbusto de margaritas, profundamente dormido.

Emmanuel se apoyó en el muro que separaba la iglesia de la calle y observó salir a los asistentes al culto dominical.

Estaban presentes todos los colores, desde el de la leche fresca hasta el del azúcar quemado. En aquel jardín había pruebas directas suficientes para refutar la idea de que mezclar la sangre era antinatural. Había mucha gente que se las arreglaba perfectamente para hacerlo.

Un grupo de matronas de anchas caderas con vestidos de flores y sombreros de domingo empezaron a llevar ollas de comida a una mesa montada a la sombra de un gran eucalipto. Los hombres, con trajes oscuros y zapatos relucientes, pululaban alrededor a la espera de la señal para lanzarse sobre la comida.

Al pie de las escaleras, Tiny y Theo estaban acompañados de dos respetables mujeres mestizas. Emmanuel necesitaba a alguien que le introdujera en la comunidad y le presentara. Un blanco parado en una esquina en una reunión de mestizos tenía un tufo desagradable. También tenía que enseñar a los del Departamento de Seguridad algo que los convenciera de que se estaba aplicando en la investigación de la historia del pervertido, ahora que los expedientes policiales de la comisaría no habían arrojado ningún resultado.

–Tiny –dijo tendiéndole la mano para saludar, consciente de los murmullos de la gente a su alrededor.

–Oficial –contestó Tiny. El hombre mestizo iba impoluto. No quedaba ni rastro de los excesos de la noche anterior–. Qué sorpresa. ¿Qué puedo hacer por usted?

El dueño de la licorería estaba incómodo; su apretón de manos fue un rápido roce con los dedos. La multitud empezó a disiparse cuando la gente retrocedió para evaluar la situación.

–Perdona que te moleste en domingo, Tiny. Necesito volver a interrogar a todas las mujeres que presentaron denuncias en relación con el mirón –se quitó el sombrero con un gesto amistoso–. Esperaba que pudieras echarme una mano.

–Eh... –vaciló Tiny. No parecía apropiado hablar de un degenerado en una comida de domingo con todas las familias decentes allí reunidas.

–No voy a hablar con ellas ahora –le tranquilizó Emmanuel–. Solamente necesito una lista de nombres, nada más.

–Pues...

–Fueron cuatro –intervino sin vacilar la mujer bien enfajada que estaba al lado de Tiny. Tenía la piel clara y dos manchas de colorete en lo alto de los pómulos–. Tottie y Davida, que trabajan para el viejo judío. Della, la hija del pastor, y Mary, la hermana pequeña de Anton.

–Oficial, ésta es mi mujer, Bettina –dijo Tiny, haciendo lo que tocaba–. Y ésta de aquí es mi hija Vera.

Mientras Tiny y Theo se entretenían con las putas hasta tarde, las mujeres de la familia estaban a salvo en casa, atareadas con el peine caliente. La madre y la hija iban bien arregladas, con la ropa planchada y el pelo en una cortina sin vida que les caía hasta los hombros. En el cuero cabelludo se veían las marcas de las quemaduras, ahora de un color rojo pálido: heridas de guerra recibidas en la batalla contra los rizos.

—¿Siguen todas en el pueblo? —preguntó Emmanuel.

—Tottie está allí, junto a las escaleras...

Un enjambre de pretendientes rodeaba al tarro de miel que era Tottie. Llevaba un vestido entallado verde y blanco con un escote lo suficientemente bajo para despertar pensamientos muy poco cristianos. Aquella chica era como un helado en un día de calor.

—Della está allí, al lado de su padre

La hija de Tiny, Vera, señaló a una joven alta y delgada con unos pechos tan grandes que a un gigante le habría costado sujetarlos con la mano. La hija del pastor tenía una cara vulgar pero escondía un motor trucado debajo del capó.

—Davida vive con la abuela Mariah, pero hoy está con su madre en la finca del señor King, y Mary está ahí, ayudando a servir la comida.

La señora Hanson señaló a una adolescente del tamaño de un duendecillo que estaba atareada en un estrecho hueco entre dos corpulentas matronas. Mary estaba a medio camino entre la infancia y la edad adulta.

Las mujeres eran diferentes entre sí y cada una tenía unos rasgos propios que la distinguían dentro del montón. Estaba Tottie, una auténtica belleza provocadora de sueños húmedos; Della, la hija bien dotada del pastor, y Mary, la niña-mujer diminuta. Quedaba Davida, cuyo único rasgo diferenciador, hasta donde sabía Emmanuel, era el hecho de que no tenía nada que llamara la atención. Había que acercarse a ella para ver algo interesante.

Ahora que tenía los nombres de las mujeres, era el momento de averiguar algo más sobre la historia del incendio del taller. Anton, el mecánico, no estaba entre la concurrencia.

—¿No viene Anton a la iglesia? —preguntó Emmanuel.

—Aquí todos vamos a la iglesia, oficial —dijo la mujer de Tiny con mojigatería—. Éste es un pueblo decente, no como Durban y Jo'burgo.

Las casquivanas mujeres de la licorería estaban desaparecidas en combate.

—Alcohol, *dagga*, mujeres de vida alegre y costumbres

relajadas –Emmanuel dirigió una expresiva mirada a Theo durante unos instantes–. Me alegro de que en Jacob's Rest no tengan esa clase de cosas, señora Hanson.

–¿Quiere ver a Anton, oficial? –preguntó Theo, ansioso por cambiar de tema–. Está en la iglesia. Venga conmigo, le acompaño.

–Gracias por su ayuda.

Emmanuel se despidió de las dos puritanas mujeres levantándose el sombrero y siguió a Theo entre la muchedumbre hasta el interior de la iglesia. Anton estaba dentro, amontonando los himnarios. Las vidrieras proyectaban un puzle de colores sobre el suelo de piedra.

El mecánico levantó la vista.

–¿Le tienen trabajando los domingos, oficial?

–Todos los días hasta que se cierre el caso.

–¿Qué tal va?

–Despacio –contestó Emmanuel, que esperó a que Theo saliera de la iglesia–. Necesito información sobre el comisario y su familia.

Anton recogió los libros del último banco.

–No creo que pueda serle de gran ayuda. Los holandeses se ocupan de sus asuntos, los negros se ocupan de los suyos, y lo mismo nosotros.

–¿Y el incendio? ¿Cómo acordaste la indemnización con el comisario?

Hubo una pausa mientras el mestizo desgarbado colocaba la pila de libros junto al púlpito.

–¿Cómo sabe eso? –preguntó.

–Tengo las orejas muy grandes –dijo Emmanuel–. Cuéntame lo del incendio.

Anton negó con la cabeza.

–No quiero tener a los Pretorius en contra. Ahora que no está el comisario para controlarlos, podría pasar cualquier cosa.

–¿Sabe King lo del incendio?

–Es uno de mis inversores –contestó Anton–. Lo sabe todo.

–Bien. Si hace falta, les diré a los Pretorius que fue King el que lo contó. Con él no se van a meter, es demasiado grande para ellos, ¿no?

–Sí –asintió el mecánico, que cogió un trapo de un armario y empezó a limpiar enérgicamente el atril de madera. Siguió con su tarea en silencio durante un minuto. Emmanuel dejó que le contara la historia cuando estuviera preparado.

–Yo antes trabajaba en el taller Pretorius –dijo Anton–. Cinco años. El trabajo no estaba mal, pero Erich tiene mucho genio, siempre está encendido por una cosa o por otra. Un día, Dlamini, un nativo que tiene tres autobuses, me llamó para que hiciera un trabajo en el poblado negro, así que, no sé, se me ocurrió que podría montármelo por mi cuenta.

Emmanuel asintió. Ya veía por dónde iban los tiros.

–Hablé con unas cuantas personas. King, el viejo judío y la abuela Mariah pusieron el dinero inicial y todo empezó a marchar. Las cosas fueron bien durante un tiempo. El taller Pretorius se quedaba con los encargos de los blancos y de los turistas que estaban en el pueblo de paso –Anton pasó el trapo del polvo por los bancos de madera–. Yo me quedaba con los encargos de los negros y los mestizos. Era un reparto justo, teniendo en cuenta que son los holandeses quienes tienen casi todos los coches.

–¿Qué pasó?

–El sobrino de King estaba de visita y necesitaba cambiarle las bujías a su descapotable. Me trajo el coche a mí y eso fue lo que desencadenó todo.

–¿Un deportivo rojo con la tapicería de cuero blanco? –preguntó Emmanuel.

–El mismo –contestó Anton–. Claro, imagínese el alboroto que se montó en un pueblo de este tamaño. Un auténtico Jaguar XK120. Todo el mundo, blancos, negros y mestizos, se apelotonó en mi taller para echar un vistazo. Yo mismo estaba emocionado. A uno no le traen un coche como ése todos los días.

–Y se te olvidó.

–Exacto –respondió el mecánico mestizo con una sonrisa forzada–. Se me olvidó que era el coche de un blanco y que era territorio prohibido. No lo pensé hasta que el viejo judío vino aporreando la puerta de mi casa esa noche.

–¿Qué tiene que ver él?

–Él lo vio todo –dijo Anton–. Vio a Erich echar la gasolina, encender la cerilla e irse. Fue Zweigman el que fue a la comisaría a la mañana siguiente para presentar una declaración como testigo. No había forma de convencerle de que no lo hiciera, ni siquiera su mujer lo consiguió.

Para ser un hombre que estaba intentando ocultarse en un pueblo pequeño, Zweigman se las arreglaba para llamar bastante la atención.

–¿Intentaste convencerle tú de que no presentara la declaración?

–Tenía miedo de que a continuación prendieran fuego a mi casa con bombas incendiarias –dijo el mecánico–. Yo quería que King se encargara de manejar el asunto.

–¿Y lo hizo?

–No fue necesario. El propio comisario Pretorius vino a verme por la mañana y me dijo que Erich correría con los gastos de reconstruir el taller y reponer el material que había perdido.

–¿A cambio de qué?, ¿de que hicieras que Zweigman retirara la declaración?

El mecánico se sonrojó.

–No se puede vivir aquí teniendo a los Pretorius en contra, oficial. Le pedí al viejo judío que retirara la declaración, tal como había pedido el comisario. No le hizo gracia, pero la retiró.

–¿Cuánto hace de esto?

–Cuatro meses.

–¿Te pagó Erich todo el dinero en metálico?

¿De dónde iba a sacar tanto dinero alguien que no fuera King?

–La mitad por adelantado, el resto tendría que pagarlo la semana que viene.

–¿Cuánto? –preguntó Emmanuel.

–Aún me debe ciento cincuenta libras –Anton hizo una bola con el trapo y la tiró a un rincón mientras chasqueaba la lengua con fuerza–. No espero ver un penique ahora que ha muerto el comisario. No hay papeles ni nada que demuestre que Erich me deba nada.

–Ha acabado sin antecedentes penales que le relacionen con el incendio y sin deuda –dijo Emmanuel. El irascible Erich se había convertido en una persona de interés para la investigación–. ¿Cómo se tomó Erich lo de tener que pagar el dinero?

–Estaba enfadadísimo –dijo Anton sentándose en uno de los bancos que había limpiado–. Marcus, el viejo mecánico que trabaja en el taller, dijo que el comisario y Erich tuvieron una buena bronca por eso. Erich pensaba que su padre se estaba poniendo de parte de los nativos en lugar de apoyar a la familia.

Aquel detalle no sorprendió a Emmanuel. Los hermanos Pretorius eran los príncipes de Jacob's Rest y daban por sentado que contaban con la protección de su padre. Erich debía de haberse quedado atónito al descubrir que había pasado de ser un afrikáner privilegiado a ser un delincuente.

–¿Por qué crees que el comisario hizo pagar a Erich?

–Por el viejo judío –dijo Anton–. Estaba completamente seguro de que había visto a Erich provocar el incendio y estaba dispuesto a jurarlo ante un tribunal. Dijo que lo juraría incluso sobre el Nuevo Testamento. Tuve que estar una hora suplicándole para que fuera a la comisaría y retirara la declaración.

El comisario tenía la sensatez suficiente para darse cuenta de que pagar el dinero era la mejor opción. No era conveniente que el nieto de Frikkie van Brandenburg fuera recluido en una prisión con los desechos de la civilización europea, aunque fuera probable que un jurado cuidadosamente seleccionado e integrado por blancos resolviera a favor de Erich, el afrikáner de pura raza, antes que de un judío. Por lo visto, el comisario Pretorius era experto en mantener las cosas en la intimidad y fuera de la vista del público.

–¿Cuándo tendría que hacerte el siguiente pago? –preguntó Emmanuel.

–Este martes.

–¿Vas a pedírselo?

Anton se levantó.

–¿Usted cree que un mestizo puede llegar a la casa de un holandés y reclamar su dinero? ¿De verdad lo cree, oficial? Emmanuel miró al suelo, avergonzado ante la emoción descarnada de la voz de Anton. El mecánico no tenía ninguna esperanza de recibir el dinero a menos que un blanco, uno con más poder que Erich Pretorius, se encargara de pedirlo. Tanto Emmanuel como Anton sabían cómo funcionaban las cosas.

La puerta de la iglesia se abrió unos centímetros y Mary, la niña-mujer, se asomó al interior.

–¿Anton?

Sus labios se cerraron de golpe y se quedó quieta como una gacela sorprendida en el foco de atención de un cazador.

–¿Qué pasa? –preguntó Anton.

–El arroz al curry de la abuela Mariah... –dijo antes de retirar la cabeza y desaparecer.

Anton esbozó una sonrisa forzada.

–Ésa es mi hermana Mary. Creo que quería decir que se va a acabar el arroz al curry de la abuela Mariah. Es un plato popular en los picnics de los domingos.

–¿Tu hermana fue una de las víctimas en el caso de los abusos?

–*Ja* –contestó el mecánico mientras frotaba el borde de un banco con el dedo–. Por eso es como la ve ahora. Tiene miedo de los hombres a los que no conoce.

–¿Quién la interrogó?

–Primero el subcomisario Uys, después el comisario Pretorius.

Emmanuel salió al pasillo y se dirigió a la puerta principal.

–¿La interrogaron en la comisaría o en casa? –preguntó.

–En los dos sitios –contestó Anton mientras le seguía–. ¿Por qué? ¿Se está volviendo a investigar el caso?

–Lo estoy investigando yo –dijo Emmanuel.

–Bien –esta vez la sonrisa del mecánico fue genuina–. Nunca acabamos de entender que las denuncias no llevaran a nada.

–Hay algo en el caso que yo tampoco acabo de entender –dijo Emmanuel, pensando en la falta de expedientes policiales y en la actitud desdeñosa de Paul Pretorius hacia la idea de que algún miembro de su raza escogida pudiera haber cruzado la frontera racial en busca de un poco de emoción.

Anton abrió la puerta y dejó salir delante a Emmanuel. Fuera, el picnic estaba en pleno apogeo. En el aire se respiraba el olor del *mealie bread* y el curry. Casi todas las familias estaban sentadas en la hierba con platos de comida desplegados ante sí o de pie en la franja de sombra que daban los eucaliptos. En la larga mesa, las matronas habían empezado a servirse a sí mismas de las ensaladeras casi vacías.

–¿Crees que habrá quedado algo de arroz de la abuela Mariah? –preguntó Emmanuel. No se le había borrado de la mente el gesto de impotencia de la cara de Anton al hablar del dinero.

–Espero que sí –dijo Anton, y señalando con la mano la mesa de servir, preguntó–: ¿Le apetece un plato de comida, oficial? No se sienta obligado. Seguro que la iglesia holandesa tiene su propio picnic, pero, no sé…, he pensado que a lo mejor…

–Tomaré un plato –contestó Emmanuel. Comer con Hansie y los hermanos Pretorius iba a ser tan divertido como aquella vez que el médico de campaña le había sacado una bala del hombro con un cortaplumas. Por otro lado, la insistencia del Departamento de Seguridad en que investigara el caso de los abusos significaba que iba a pasar mucho tiempo entrando y saliendo de las casas de los mestizos. Aquélla era una buena ocasión para que le vieran y se acostumbraran a su presencia.

La muchedumbre se quedó quieta cuando Anton y Emmanuel se aproximaron a la mesa de la comida. Una madre dio un cachete en la mano a su hija para que se callara y la congregación observó a Emmanuel con recelo mientras avanzaba. Emmanuel mantuvo una postura relajada. Un policía blanco de la ciudad nunca sería la persona más popular en una reunión de domingo de un grupo de gente de color. Anton le dio un plato esmaltado con el borde azul. Emmanuel fue avanzando por la mesa y, al estilo de los comedores del ejército, recibió de las matronas cucharadas colmadas de ensalada de patata, pollo asado, lentejas y espinacas. Todas las mujeres mantuvieron la atención fija en las fuentes de servir. La última matrona le miró directamente a la cara. Emmanuel inclinó la cabeza para saludar a la mujer, cuyos ojos verde claro brillaban como faros en su rostro moreno. Su ondulado pelo cano, que llevaba recogido en un moño despeinado, no había tenido contacto con el peine caliente.

−¿Está investigando a uno de los nuestros por el asesinato del comisario, oficial?

En la actitud de la matrona no hubo ninguna muestra de deferencia ante el hecho de que se trataba de una mujer mestiza hablando con un hombre blanco en una posición de poder. Se hizo el silencio en todo el recinto de la iglesia.

Sin dejar de mirarla a los ojos, Emmanuel sonrió.

−Vengo por el arroz al curry de la abuela Mariah −contestó−. ¿Ha quedado algo?

−Mmm... −metió la mano debajo de la mesa y sacó una olla plateada−. Tiene suerte de que le hayamos guardado un poco a Anton.

La imponente anciana repartió el arroz entre los dos platos y la gente empezó a hablar de nuevo.

−Gracias −dijo Emmanuel antes de darse la vuelta y mirar hacia los asistentes al picnic.

−Mejor vamos a comer allí −dijo Anton. Se dirigieron hacia una cancela roja y apoyaron los platos en un muro de piedra. Era lo más lejos que podían estar del resto de la gente sin salir del recinto de la iglesia.

172

Emmanuel señaló a la matrona de piel morena, que estaba atareada recogiendo la mesa de servir.

–¿Quién es la mujer de los ojos de gato?

–La abuela Mariah –dijo Anton riéndose–. Casi consigue que sonría con el comentario del arroz. Habría sido un acontecimiento histórico.

–¿Por qué?

–Bueno... –el mestizo llenó su tenedor de arroz amarillo–. La abuela no les tiene mucho aprecio a los hombres. Da igual el color, para ella somos todos una panda de idiotas.

–Ésa es la impresión que me ha dado –dijo Emmanuel mientras atacaba la comida. Comieron en silencio hasta que los platos estuvieron medio vacíos.

Anton se limpió la boca.

–Si quiere saber de verdad lo que pasa por aquí, es con la abuela Mariah con quien tiene que hablar. Lo sabe todo. Ésa es otra razón por la que los hombres mantienen la boca cerrada delante de ella.

Emmanuel recordó las travesuras nocturnas de Tiny y Theo.

–¿Sabe algo comprometedor sobre ti? –preguntó.

–Sólo lo normal –el empaste de oro del incisivo de Anton emitió un destello brillante cuando sonrió–. Nada que vaya a escandalizar a un ex soldado o a un oficial encargado de investigar un asesinato.

–No sé –dijo Emmanuel–, ¿qué se considera normal en Jacob's Rest?

–No pienso confesar mis pecados a la policía. No se ofenda, oficial.

–Muy sensato por tu parte –contestó Emmanuel.

Harry, el veterano de la Primera Guerra Mundial, salió arrastrándose de debajo del arbusto de margaritas y cogió el plato de comida que le habían dejado. Empezó a meterse puñados de arroz en la boca, casi sin masticarlo.

–Harry come cada dos o tres días –dijo Anton–. Entremedias no prueba bocado. Nadie sabe por qué.

Está en las trincheras, pensó Emmanuel, pasando hambre

hasta que la línea de abastecimiento mande la siguiente ración. El cuerpo de Harry había vuelto a Sudáfrica, pero parte de su mente seguía metida hasta las rodillas en el barro de Europa. Emmanuel lo entendía.

—¿Hay alguien aquí que trabaje en la oficina de correos? —le preguntó a Anton mientras Harry dejaba el plato limpio con cuatro rápidos lametazos.

—La señorita Byrd —dijo el mecánico señalando las escaleras de la iglesia—. Es la del sombrero.

Varias de las mujeres de las escaleras llevaban sombrero, pero Emmanuel reconoció fácilmente a la señorita Byrd. El sombrero al que se refería Anton estaba diseñado para atraer todas las miradas hacia sus espléndidas capas de fieltro morado y plumas levantadas. Con su tocado de domingo, la señorita Byrd había pasado de ser un gorrión a convertirse en un orgulloso pavo real.

—¿Qué hace en la oficina de correos?

—Clasifica las cartas —dijo Anton—. También atiende en el mostrador de la gente de color, ahora que los blancos tienen su propia ventanilla.

Emmanuel se terminó la comida y se limpió la boca y las manos con su pañuelo. La señorita Byrd era perfecta para lo que necesitaba.

—Me gustaría que me la presentaras —le dijo a Anton.

El pueblo estaba sumido en un sopor de tarde de domingo. Todas las tiendas estaban cerradas y las calles se habían vaciado de transeúntes. Un perro callejero pasó cojeando por la calle Piet Retief y se metió por un camino *kaffir* que bordeaba la parcela del almacén de material agrícola Pretorius. Las pisadas de Emmanuel sonaban con fuerza sobre la acera. Se asomó a la zapatería Kloppers. Las resistentes botas de granjero y los zapatos de colegial sin punta se amontonaban alrededor de unas sandalias rojas de tacón de aguja, con piedras de estrás pegadas a los tacones. Las sandalias estaban en el centro del escaparate, como un corazón reluciente. El pedido de los zapatos rojos debía de haberse hecho en un momento en el que las escenas imaginarias de bailes y champán no dejaban ver la polvorienta realidad de la vida en Jacob's Rest.

El Chevrolet del Departamento de Seguridad estaba aparcado delante de la comisaría con las puertas cerradas con llave y las ventanillas subidas. En el porche había un hombre sentado con la cara afilada y las patillas recortadas, mirando hacia la desierta calle principal. Llevaba la corbata aflojada y las mangas de la camisa remangadas por encima de los codos, lo que dejaba a la vista franjas de piel quemada por el sol. El subcomisario Uys había vuelto de sus vacaciones en Mozambique.

–¿Subcomisario Uys? –dijo Emmanuel tendiéndole la mano–. Soy el oficial Emmanuel Cooper, de la policía judicial de Marshal Square.

–Subcomisario Sarel Uys.

El subcomisario se levantó para las presentaciones formales y Emmanuel sintió cómo unos dedos musculosos le apretujaban la mano durante un instante. Sarel Uys apenas superaba la estatura mínima requerida para entrar en la policía, lo que explicaba la «demostración de fuerza» del apretón de manos.

–¿Ya se ha enterado? –preguntó Emmanuel.

–Hace una media hora –dijo el subcomisario mientras volvía a desplomarse sobre su silla–. Sus amigos me han dado la noticia.

Emmanuel no hizo caso a la referencia al Departamento de Seguridad. En la cara de Sarel, desde las comisuras de los labios hasta la mandíbula, se dibujaban profundas arrugas de descontento.

–¿Conocía usted bien al comisario, subcomisario? –preguntó.

Sarel dejó escapar un gruñido.

–El único que conocía al comisario era ese nativo.

–¿El agente Shabalala?

–Ése –Sarel tenía cara de haberse comido un cajón entero

de limones para desayunar–. Él y el comisario estaban muy unidos.

Metido entre las dos gigantescas figuras del comisario Pretorius y el agente Shabalala, el pequeño y fibroso subcomisario era el número tres en la comisaría de Jacob's Rest. Ese hecho parecía dolerle más que el asesinato del comisario.

–¿Lleva mucho tiempo destinado aquí? –preguntó Emmanuel, que siguió adelante con la recopilación informal de datos.

–Dos años. Antes estaba en Scarborough.

–Menudo cambio –dijo Emmanuel. Scarborough era un destino de primera. Los policías luchaban mucho para conseguir que los mandaran a aquel enclave blanco y rico, y después, si eran lo bastante listos, se buscaban unos cuantos amigos influyentes para asegurarse de no abandonar Scarborough más que para jubilarse e irse a vivir a algún lugar soleado. Un traslado a Jacob's Rest olía a exilio involuntario. Encargaría a alguien de la jefatura de policía del distrito que investigara los trapos sucios del traslado del subcomisario Uys al corral del ganado.

–Por eso voy de vacaciones a Mozambique o a Durban –dijo–. Me gusta más el mar que el campo.

Sarel Uys sonrió y dejó ver una fila de dientes del tamaño de granos secos de maíz *baby*. Todo en aquel hombre era pequeño y firme.

–Casi toda la gente del pueblo va a Mozambique un par de veces al año, ¿no?

–Todos menos los nativos –dijo Sarel–. A ésos no les gusta el agua.

La aversión de los negros al agua era una creencia trasnochada que perdía su validez en cuanto los blancos necesitaban que les lavaran la ropa o les regaran el jardín.

–¿Iba mucho el comisario Pretorius? –preguntó Emmanuel.

–Un par de veces al año.

–¿Solo o con la familia?

Al subcomisario le entró la curiosidad de repente.

–¿Cree que ha podido ser alguien de allí?

–Quizá. ¿Sabe si el comisario Pretorius iba alguna vez a Lorenzo Márquez por trabajo?

–Pregúntele al nativo –le espetó el subcomisario–. Se lo dirá si le pilla con ganas.

–Usted lleva aquí dos años –continuó Emmanuel. Empezaba a ser difícil mantener un tono amigable con aquel hombre–. Seguro que llegó a conocer un poco al comisario Pretorius, ¿no?

–Este asesinato es típico del comisario –dijo Sarel sacudiendo la cabeza con un gesto de incredulidad–. De verdad, es típico de la forma en que me trataba.

A Emmanuel le costó seguir el razonamiento.

–¿A qué se refiere?

–Se las arregló para que le mataran mientras yo estaba de vacaciones para que yo no pudiera encontrar el cadáver ni llamar a la policía judicial. Mi única oportunidad de volver a Scarborough y él se encarga de que no esté aquí para aprovecharla.

–El comisario Pretorius no planeó que le asesinaran –dijo Emmanuel.

–Él sabía todo lo que pasaba en este pueblo. Tenía que saber que estaba en peligro. Yo podría haberle ayudado si me hubiera contado lo que pasaba.

Los dedos largos y delgados del subcomisario frotaron una zona desgastada del tejido de sus pantalones.

Quizá Sarel Uys necesitara unas vacaciones permanentes de la policía en lugar de seis días en Mozambique.

–Nunca me pidió ayuda –dijo Uys con la mirada fija en la tranquila calle–. Yo podría haber sido su mano derecha si me hubiera dado la oportunidad.

El tono resentido había dado paso al anhelo. Uys aún estaba en el patio del colegio y no había superado el deseo de ser amigo del alumno más atlético y popular. El comisario le había negado el pequeño placer de vivir en el reflejo de su gloria.

–Me han dicho que usted ayudó al comisario en muchos casos. Los dos investigaron el caso de los abusos, ¿no?

–Ah, eso –dijo el pequeño hombre con desdén–. Atrapando a un hombre que se propasa con mujeres mestizas no se llama la atención de los de arriba, se lo aseguro.

Emmanuel apoyó el hombro en la pared y pensó en Tiny y Theo en el *veld* con un arma cargada y los dedos inquietos. Iban a tomarse la justicia por su mano porque a la justicia le importaba un comino lo que les pasara a sus mujeres.

–Al comisario Pretorius no le interesaba ascender –continuó Sarel–. Él estaba contento aquí, con «su gente», como la llamaba él. No tenía ninguna intención de subir de rango. No era como yo.

Emmanuel dudaba que el subcomisario Uys fuera a ir a ningún lado más que hacia un lateral y, finalmente, fuera del cuerpo de policía. Pasaría sus últimos días calentando un taburete de bar y quejándose de las oportunidades que había perdido.

–¿Duró mucho tiempo la investigación? –preguntó Emmanuel.

–Unos dos meses o así. A veces no pasaba una semana sin que me viniera alguna mestiza quejándose de que la habían seguido o toqueteado.

Emmanuel pensó en Mary, la niña-mujer, desapareciendo a toda velocidad de la puerta de la iglesia como una gacela saltarina asustada. ¿Quién le había metido el miedo a los hombres en el cuerpo, el mirón o el subcomisario Uys?

–¿Archivó usted todas las declaraciones?

–Sí, en una carpeta grande y gorda. En la S de *sin resolver* –dijo Sarel con satisfacción.

La carpeta no estaba en la S ni en ninguna otra letra. No es que «no hubiera» expediente, es que alguien lo había cogido. Sarel no tenía ni idea de que la carpeta no estaba, pero, incluso si se hubiera dado cuenta, lo habría dejado pasar: uno no cosechaba laureles buscando un expediente relacionado con un problema que no afectaba a los blancos. Las prácticas tradicionales se iban a recrudecer con las nuevas leyes. Los casos que no concernían a los blancos ya eran los últimos del montón. Por eso el Departamento de Seguridad estaba encantado de endilgarle a él el caso de los abusos. Sólo los policías de baja categoría con mucho tiempo y poco cerebro se ensuciaban las manos resolviendo exclusivamente casos que afectaban a la población de color.

Emmanuel se apartó de la pared. ¿Por qué iba alguien a llevarse el expediente si no era porque contenía algo que convenía ocultar?

Dejó a Uys con sus amargas cavilaciones. Tenía que volver a inspeccionar el archivador; después pasaría al agente Shabalala y vería qué retazos de información conseguía sacar al policía negro.

Entró en el despacho de la entrada. Encima de la mesa de Hansie había una carpeta de cartulina con una esquina doblada. Era azul oscuro y distinta a las que había en el archivador de la comisaría. Tampoco era como ninguna que hubiera visto en la policía judicial de Marshal. Tenía una *S* de color amarillo pálido parecida a una serpiente dibujada a mano en la cubierta: era un expediente del Departamento de Seguridad. Emmanuel echó un vistazo a la entrada principal y a la puerta lateral que daba a las celdas. No podía cerrar con llave ninguna de las dos sin llamar la atención, así que actuó con rapidez.

Abrió el cierre de la carpeta. Dentro había una pila de documentos mimeografiados con la advertencia «Altamente confidencial» sellada en la parte superior con letras de color rojo fuerte. La palabra «comunistas» aparecía repetida en todas las hojas, encima de listas de nombres escritos cuidadosamente en dos columnas.

Había un panfleto con el optimista título «Un nuevo amanecer para Sudáfrica», sujeto con un clip a una desdibujada fotografía de graduación en blanco y negro. La cara de un joven negro con gafas de montura gruesa estaba rodeada con un círculo rojo. En la parte inferior de la foto aparecía el nombre de la universidad, Fort Bennington College.

Emmanuel conocía el centro por su reputación. Pertenecía a una misión anglicana y era famoso por sus resultados en la formación de la élite académica negra. De allí habían salido el primer abogado negro que había abierto un bufete propio, el primer médico negro que había dirigido un consultorio para negros, el primer dentista negro... En Fort Bennington College se formaba a los negros para que dirigieran el país, no para que solamente les llevaran los cubos a los blancos. Los afrikáners y los ingleses conservadores odiaban aquel sitio con todas sus fuerzas.

Alguien tosió en la zona de las celdas, lo que obligó a Emmanuel a cerrar el expediente y volver a echar el cierre. La carpeta era la prueba de que Piet y Dickie eran los perros de ataque de una poderosa fuerza política con una enorme capacidad para recopilar información. Con las manos temblorosas, volvió a poner la carpeta azul como estaba y se desplazó hacia el archivador, donde revisó los expedientes de la letra S sin encontrar nada.

La puerta que conducía a las celdas se abrió. Era Piet, que llevaba las mangas de la camisa remangadas y un cigarro colgando de un extremo de sus gruesos labios. El agente del Departamento de Seguridad abrió el cierre de la carpeta azul y metió un papel en medio.

–¿Te has divertido en la iglesia de los mestizos? –preguntó antes de dar una profunda calada a su cigarro.

–No mucho –contestó Emmanuel.

–Vaya –dijo Piet con una sonrisa burlona–. Van Niekerk se va a disgustar cuando se entere de que su chico número uno ha vuelto a casa con las manos vacías.

Piet lanzó al aire una sucesión de anillos de humo y a Emmanuel se le aceleró el corazón. El Departamento de Seguridad había encontrado algo. N'kosi Duma les había dado algo bueno. Piet apenas podía contener la alegría.

–¿Está por aquí el agente Shabalala? –preguntó Emmanuel. No iba a conseguir nada enfrentándose al Departamento de Seguridad con arrogancia. Tenía que esquivarlos y averiguar todo lo que pudiera utilizando otras fuentes.

–Fuera, en la parte de atrás –dijo Piet–. Puedes pasar por ahí, pero rápido.

180

Emmanuel atravesó la comisaría en dirección al patio y vio a Dickie de pie junto a la puerta abierta de una celda. Un hombre negro demacrado, que supuso sería Duma, estaba encogido contra los duros barrotes de metal, muerto de miedo.

–Tranquilo... –le dijo Dickie al aterrorizado minero con un tono que sonó como una parodia grotesca de preocupación maternal–. Seguro que tus camaradas entenderán por qué lo has hecho.

–Dickie –dijo Piet, incitando a su compañero a que moviera su cuerpo tamaño tanque hacia el interior de la celda. El hombre negro se estremeció y se puso los brazos sobre la cabeza para protegerse. Los delgados brazos de Duma tenían oscuros moratones y del fondo de la garganta del aterrorizado hombre salió un débil gemido animal. El Departamento de Seguridad siempre conseguía lo que quería, de una forma u otra.

–Sigue andando –ordenó Piet–. Tus asuntos están fuera.

Sobre la pequeña mesa que había junto a la puerta trasera descansaban dos tazas de humeante té. Emmanuel salió y encontró a Shabalala sentado ante una pequeña hoguera que ardía en la lumbre al aire libre. Piet cerró la puerta de golpe.

–Oficial –dijo Shabalala, levantándose para saludarle.

Emmanuel le estrechó la mano al policía negro y los dos se sentaron.

–¿Qué ha pasado ahí dentro? –preguntó Emmanuel en zulú.

–Yo he estado fuera –contestó Shabalala.

–¿Qué *crees* que ha pasado? –dijo Emmanuel, presionándole un poco más. A diferencia de Sarel Uys y Hansie Hepple, el agente negro tenía verdaderas aptitudes para los aspectos más sutiles del trabajo policial. Shabalala necesitaba estar seguro de que nada de lo que dijera podría ser utilizado más tarde en su contra por el Departamento de Seguridad.

El policía negro echó un vistazo a la puerta para asegurarse de que seguía cerrada.

–Los dos hombres quieren saber si Duma ha visto un

papel con cosas... –hizo una pausa para recordar la palabra, con la que no estaba familiarizado– comunistas escritas mientras trabajaba en las minas.

–¿Han conseguido una respuesta?

–Esos dos no han conseguido una respuesta de Duma –dijo Shabalala con un pequeño dejo de desprecio–. Ha sido el *shambok* el que ha conseguido la respuesta.

Emmanuel tomó aliento y fijó la vista en el fuego. El uso generoso de la fusta de cuero crudo, el *shambok*, explicaba claramente los moratones de los brazos del minero. Los interrogatorios severos eran una de las cosas que hacían «especial» al Departamento de Seguridad.

–¿Qué ha dicho Duma?

–No lo he oído –dijo Shabalala–. No podía seguir escuchando.

Esta vez Emmanuel no le presionó. El sonido de un hombre siendo destrozado en un interrogatorio bastaba para revolver el estómago a la persona más fuerte del mundo. Shabalala se había ido y Emmanuel no podía reprochárselo.

–¿Han averiguado algo sobre el asesinato del comisario?

–No –contestó Shabalala–. Sólo querían saber lo del papel.

Si se demostraba que había una relación, por débil que fuera, entre un comunista y el asesinato de un comisario de policía afrikáner, Piet y Dickie iban a ir de cabeza a Pretoria y a una entrevista personal con el primer ministro de la Unión. Después del apretón de manos presidencial, los ascenderían por la vía rápida y les darían un *shambok* todavía más grande para empuñar.

Parecía que el Departamento de Seguridad estaba en mitad de una investigación que se relacionaba de alguna forma con el asesinato del comisario Pretorius. Piet Lapping no tenía un pelo de tonto. Estaba en Jacob's Rest porque algo en su expediente confidencial le había traído al pueblo con la esperanza de atrapar a un auténtico revolucionario comunista.

–¿Todos los expedientes policiales de esta comisaría se

guardan ahí dentro? –preguntó Emmanuel, apartándose de la oscura ciénaga de torturas y conspiraciones políticas que vadeaban Piet y Dickie para ganarse la vida. El Departamento de Seguridad podía seguir persiguiendo a agitadores comunistas. Él haría caso a su corazonada, que le decía que el asesinato estaba relacionado con alguno de los muchos secretos del comisario Pretorius.

–A veces el comisario se llevaba los expedientes a casa para leerlos –dijo Shabalala–. Lo hizo muchas veces.

–¿Tenía un despacho en casa? –preguntó Emmanuel. ¿Cómo no se le había ocurrido cuando había estado en la casa?

–No hay despacho –contestó el agente negro–, pero hay una habitación en la casa en la que el comisario Pretorius pasaba mucho tiempo.

–¿Qué tendrá que hacer una persona para entrar en esa habitación? –se preguntó Emmanuel en voz alta.

–Lo primero, preguntar a la señora. Si ella dice que sí, entonces la persona puede entrar en la habitación y ver las cosas por sí misma.

–¿Y si la señora dice que no?

El hombre negro vaciló y después dijo muy claramente:

–La persona tiene que decírmelo a mí para que yo consiga la llave de la anciana que trabaja en la casa. Ella le abrirá la habitación a la persona.

Emmanuel expulsó aire lentamente.

–Le preguntaré a la señora –dijo, sin añadir nada más.

Se quedaron sentados uno al lado del otro y observaron las llamas en silencio. El vínculo, aunque frágil, se mantenía. Los del Departamento de Seguridad tenían un expediente lleno de enemigos del Estado, pero él les llevaba ventaja en la vida secreta del comisario.

La puerta trasera de la comisaría se abrió y Piet salió al patio con su té. Sus ojos como guijarros tenían un brillo anormal, como si se hubiera tragado el brebaje de una bruja y hubiera descubierto que lo que mataba a otros hombres a él le daba fuerzas.

–Hemos acabado –dijo dirigiéndose directamente a Shabalala–. Puedes llevarle otra vez al poblado, pero asegúrate de que no se mueve de allí hasta que termine nuestra investigación. ¿Entendido?

–Sí, subinspector.

Shabalala se encaminó rápidamente hacia la puerta. Al llegar a la altura de Piet, el agente del Departamento de Seguridad alargó la mano y le dio una palmadita en el brazo.

–Buen té –le dijo con una gran sonrisa–. Tu madre te enseñó bien, ¿eh?

–*Dankie* –contestó Shabalala en afrikáans antes de meterse en la comisaría sin mirarle.

A Emmanuel le asombró la capacidad de Piet para mezclar una tarde de torturas con inocentes comentarios jocosos. Daba igual que Shabalala y Duma se conocieran e incluso pudieran ser parientes. Cuando Piet miraba al agente Samuel Shabalala desde su cara llena de marcas de acné, no veía a un individuo; veía un rostro negro listo para obedecer sus órdenes sin rechistar.

El subinspector del Departamento de Seguridad dio un sorbo a su té y recorrió con la mirada el patio polvoriento dando un suspiro.

–Me gusta el campo –anunció–. Hay mucha tranquilidad.

–¿Estás pensando en mudarte aquí? –dijo Emmanuel al tiempo que se dirigía a la puerta. No tenía ninguna gana de oír a Piet poniéndose poético y hablando de la belleza de la tierra.

–Todavía no –Piet no iba a permitir que nada estropeara su bucólica ensoñación–. Cuando todos los indeseables estén entre rejas y Sudáfrica esté a salvo, me iré a vivir a una pequeña granja con vistas a las montañas.

–Hogar, dulce hogar.

Emmanuel abrió la puerta trasera y entró en la comisaría. El comisario Pretorius había hecho realidad ese sueño. Era un hombre blanco poderoso en una pequeña granja con vistas a las montañas. Había acabado con un tiro en la cabeza.

–*Woza*. Levántate, Duma, te voy a llevar a casa –el agente Shabalala estaba intentando convencer al traumatizado hombre negro para que saliera de la celda. El minero herido seguía pegado a los barrotes con los brazos sobre la cabeza.

Shabalala extendió los brazos como un padre animando a un niño a dar sus primeros pasos.

–*Woza* –repitió en voz baja–. Ven, te voy a llevar con tu madre.

Duma se levantó con dificultad y se estabilizó sujetándose a los barrotes de la celda para después dirigirse hacia la puerta cojeando penosamente. La pierna izquierda del minero era más de un centímetro más corta que la derecha y se torcía formando un ángulo extraño. Incluso antes del maltrato del Departamento de Seguridad, el aspecto de Duma debía de ser digno de lástima.

Emmanuel sintió un ramalazo de calor recorriéndole el pecho. No la descarga de adrenalina que acompañaba un avance en el caso y que conocía bien, sino una intensa llamarada de rabia. Al comisario le había disparado un hombre robusto con buena vista, una mano firme y dos pies plantados firmemente en el suelo. Duma no se acercaba siquiera al perfil del asesino.

Shabalala cogió al minero lisiado de la mano, le sacó de la celda y le condujo hacia la puerta trasera. La puerta principal y los despachos de la entrada eran sólo para los blancos. La rabia de Emmanuel se transformó en incomodidad al apartarse para dejar paso a los dos hombres negros. Shabalala y su carga se iban a pasar la hora siguiente arrastrándose por el *veld* hasta llegar al poblado, situado a ocho kilómetros al norte del pueblo.

–Quedaos en la puerta del hospital –dijo Emmanuel rápidamente antes de que le volviera la cordura y cambiara de opinión–. Os recojo allí.

–Allí estaremos –dijo Shabalala.

Emmanuel atravesó el despacho y salió al porche, donde Dickie y Sarel estaban observando tres coches que pasaban en fila por la calle principal. El subcomisario, con su gesto avinagrado, parecía el muñeco de un ventrílocuo al lado de su corpulento acompañante.

–Es gente que vuelve a Sudáfrica de pasar el fin de semana en Mozambique –dijo Sarel Uys señalando los vehículos embotellados al estilo rural–. Van a darse prisa para intentar llegar a casa antes de que se haga de noche.

Dickie estaba disfrutando ruidosamente de su té. Al igual que su compañero con la cara llena de marcas, tenía el aspecto de un hombre con el viento a favor y el camino allanado. ¿Qué les habría dicho Duma? Le habían soltado, así que no pretendían culparle del asesinato del comisario. ¿Entonces? Podía intentar averiguarlo, pero Duma no estaba en condiciones de hablar con nadie. Por el momento, la relación entre un complot comunista y el asesinato del comisario Pretorius seguía siendo un misterio.

–¿Ha habido suerte con el pervertido? –le gritó Dickie con regocijo.

–Aún no –contestó Emmanuel, que giró en dirección a la pensión Protea, donde estaba aparcado el sedán Packard. Al diablo con la justicia. Encontraría al asesino antes que ellos; no para hacer justicia, sino para ver la cara de Dickie cuando le hiciera tragarse el resultado.

Duma iba tendido en el asiento trasero del Packard con los ojos en blanco. El único sonido que emitía era un débil gemido. Emmanuel aparcó el coche delante de la iglesia y echó una mirada a Shabalala, que estaba atendiendo al hombre trastornado.

–¿Cómo estaba antes de esta tarde? –le preguntó a Shabalala.

El agente negro se encogió de hombros.

–Ha estado mal desde que la piedra le aplastó la pierna. Ahora está peor.

Un grupo de mujeres negras mayores se acercaron al coche. Se movían con miedo y cautela, sin saber qué esperar cuando se abrieron las puertas del vehículo. Se pararon en seco cuando Shabalala salió y se acercó a ellas. Tras intercambiar unos suaves murmullos en zulú, una mujer muy delgada con un vestido amarillo dio un grito y salió corriendo hacia el Packard. Emmanuel se quedó quieto mientras la mujer incorporaba al minero en el asiento trasero y prorrumpía en fuertes gemidos. El sonido fue un mar de lamentos. Shabalala la apartó y sacó a Duma del coche. Las mujeres siguieron al policía negro, que llevó al lisiado en brazos hacia su casa por el estrecho camino de tierra.

Los gritos de la esquelética mujer llegaron hasta Emmanuel, que encendió el motor para tapar el ruido. Tras cinco años en el ejército y cuatro de rebuscar entre los restos de los muertos, el sonido del dolor de una mujer seguía encogiéndole el corazón.

10

Llegó a la gran casa blanca por la mañana temprano al día siguiente y encontró a la señora Pretorius en el jardín, trasplantando plantas de un semillero. Llevaba la cabeza cubierta con un gran sombrero de paja y se protegía las delicadas manos con unos fuertes guantes de algodón.

–Oficial Cooper –le saludó. Tenía una mirada esperanzada en sus ojos azules.

–Todavía no hay noticias –dijo Emmanuel en respuesta a la mirada–. He venido a preguntarle si puedo ver la habitación de invitados en la que dormía el comisario Pretorius.

–Los miércoles –le dijo con esa mirada acerada como un sable que había visto Emmanuel en su primer encuentro con ella–. Willem sólo dormía allí las noches que iba a pescar.

–Perdóneme. Sé que usted y el comisario estaban muy entregados el uno al otro. Lo ha comentado todo el pueblo. Incluso los negros y los mestizos.

–Intentábamos servir de ejemplo. Confiábamos en que otros nos vieran y siguieran el camino hacia una verdadera unión cristiana.

–Un buen matrimonio es algo poco común –dijo Emmanuel. Quizá la señora Pretorius creyera que era la mitad de una unión cristiana, pero el pecado de la soberbia estaba muy presente en ella.

–¿Está usted casado, oficial Cooper?

Emmanuel se tocó con el dedo el lugar en el que había estado su anillo de matrimonio. Estaba claro que cualquier referencia al divorcio iba a poner a la señora Pretorius en su contra y le iba a cerrar en las narices la puerta de la habitación de invitados. Aquella mujer no toleraría que un extraño con taras morales tocara las pertenencias de su santo marido.

–Perdí a mi mujer hace casi siete meses.

Dijo la verdad hasta donde podía y confió en que ella rellenara los huecos.

–Dios tiene sus razones –contestó poniéndole la mano en el hombro. Incluso cuando estaba pasando por un calvario, la señora Pretorius tenía que ser quien alumbrara el mundo con su luz.

–Estoy intentando comprender –dijo Emmanuel. Pensaba en el comisario y en la caja fuerte casera astutamente escondida. Estaba empezando a descubrir la verdad sobre el lado oscuro de Willem Pretorius que la bondad de su mujer no había conseguido iluminar.

–Puede entrar en la habitación –dijo ella asintiendo con la cabeza. Su confusión, que ella interpretó como un conflicto espiritual, le hacía digno de recibir su ayuda–. Venga conmigo.

Emmanuel siguió a la señora Pretorius por el jardín y se fijó en las marcas de sus botas sobre la tierra recién removida. Eran unas botas de trabajo con profundas ranuras rectas, casi idénticas a las de las huellas presentes en el lugar del crimen. Recordó lo que le había dicho Shabalala: que los hombres de la familia y la propia señora Pretorius habían ganado muchas medallas en competiciones de tiro.

–Va a tener que pedirle a Aggie que le abra. Willem usaba la habitación para trabajar y la dejaba cerrada con llave cuando no estaba en casa.

Aquellas palabras removieron algo dentro de la señora Pretorius y se echó a llorar con débiles sollozos. El rostro se le demudó del dolor. Si la frágil mujer rubia había matado a su marido, ahora se arrepentía.

Se quitó los guantes de jardinería y se secó las lágrimas.

–¿Por qué iba alguien a hacerle daño a mi Willem? Era un buen hombre..., un buen hombre...

Emmanuel esperó hasta que disminuyó la intensidad de los sollozos.

–Voy a averiguar quién le ha hecho esto a su marido y voy a averiguar por qué.

–Bien –la viuda respiró hondo y recuperó el dominio de sí misma–. Quiero ver cómo se hace justicia. Quiero ver colgado a quienquiera que haya hecho esto.

La mirada acerada había vuelto y Emmanuel supo que la señora Pretorius hablaba totalmente en serio. Pensaba estar presente en la cárcel cuando se abriera la trampilla y el asesino iniciara su larga caída hacia la otra vida.

–Aggie... –llamó la señora Pretorius dirigiéndose al interior de la gran casa–. Aggie, ven aquí.

Esperaron en silencio mientras la anciana mujer negra atravesaba el vestíbulo arrastrando los pies hasta llegar a la puerta principal. Su voluminoso cuerpo estaba encorvado tras una vida dedicada a las tareas domésticas; tenía las manos nudosas de haber lavado la ropa y fregado los suelos de la familia afrikáner perfecta durante años. Emmanuel dudaba que ahora hiciera demasiado.

–Aggie –dijo la señora Pretorius sin bajar apenas el tono de voz; por añadidura, la criada estaba sorda–, tienes que llevar al oficial Cooper a la habitación de invitados que utilizaba el comisario. Ábrele la puerta y cierra con llave cuando haya terminado.

Sin decir nada, la anciana criada le hizo un gesto a Emmanuel para que entrara. ¿Cuál era su función en la casa? Hansie había dicho que la anciana ya no era útil pero que el comisario no quería que se fuera. La mayoría de los afrikáners y los ingleses tenían un sirviente negro que era casi como de la familia. Casi.

–Después tiene que tomar el té conmigo, oficial Cooper –dijo la señora Pretorius–. Dígale a Aggie que le acompañe al porche trasero.

–Gracias.

Después del té con la señora Pretorius iría a ver a Erich. Las puertas de la casa familiar de los Pretorius se le iban a cerrar en las narices una vez que interrogara al irascible tercer hijo del comisario sobre el incendio del taller de Anton y la pelea con su padre por la indemnización. Tenía que conseguir información mientras pudiera.

Aggie se detuvo delante de una puerta cerrada y hurgó en el bolsillo del delantal. Tardó una eternidad en meter la llave en la cerradura y girarla con sus manos artríticas. Abrió la puerta y, sin decir una palabra, le hizo un gesto para que entrara. Emmanuel se preguntó si la criada negra sería muda además de sorda.

Observó la habitación antes de tocar nada de lo que había en ella. Era un espacio grande y agradable con una cama perfectamente hecha, una mesilla de noche, un armario de madera oscura y un escritorio situado junto a una ventana que daba al jardín delantero. Era otro ejemplo de los espacios limpios y ordenados en los que estaba especializado el comisario Pretorius.

Emmanuel fue hasta la mesilla y abrió el cajón. Sólo había una Biblia encuadernada en piel de becerro negra. La cogió y examinó las hojas, muy manoseadas. Las Escrituras no estaban allí de adorno, el comisario Pretorius leía las palabras del Señor con regularidad. En la cabaña de piedra, sin embargo, no había ninguna Biblia; sólo una cámara robada a un pervertido llorón y un sobre que contenía algo por lo que merecía la pena mearle encima a un hombre.

Emmanuel le dio la vuelta a la Biblia y la agitó para ver si caía algo.

–Ay...

Era la criada, Aggie, escandalizada ante su maltrato a la palabra de Dios. Por lo visto no era muda ni ciega, solamente reacia a gastar sus limitadas reservas de energía en hablar. Emmanuel cerró la Biblia con delicadeza y volvió a ponerla boca arriba. Bajo la mirada de la criada, fue pasando las hojas rápidamente, como un predicador en busca de sabias palabras para su próximo sermón.

191

Volvió a meter la Biblia en el cajón. El libro no contenía nada más que la palabra del Todopoderoso. La cama estaba hecha, con una manta de cuadros escoceses encima de unas sábanas amarillas limpias. Levantó la almohada. Debajo había un pijama azul de algodón. La criada volvió a sobresaltarse y Emmanuel puso la almohada exactamente como estaba. La habitación tenía ya una atmósfera de santuario, con todo destinado a permanecer intacto hasta que el comisario regresara el día del Juicio Final.

El armario era un mueble elegante con dos puertas y pomos de nácar. Había dos uniformes de policía planchados colgados juntos en sendas perchas de madera, y dos pares de brillantes botas marrones que resplandecían con betún y esperaban a que el comisario las llenara con sus pies del número 47.

«Paciencia», se dijo Emmanuel. Había algún motivo por el que la habitación estaba cerrada con llave. Abrió el primer cajón del escritorio y el corazón le empezó a latir con fuerza. Dentro había un grueso expediente policial, al lado de un pequeño libro con tapas duras. Deshizo el lazo de la carpeta y abrió el expediente. La primera hoja era una denuncia, archivada en agosto de 1951, de un incidente durante el cual la seductora Tottie James había estado expuesta al ruido de un jadeo procedente de la ventana de su dormitorio. Aquello no era ninguna sorpresa. Emmanuel supuso que casi todos los hombres emitían jadeos cuando Tottie estaba cerca.

Hojeó las demás denuncias y no consiguió verle el lado cómico a la descripción de Della, la hija del pastor, a quien habían agarrado por la espalda en su propio dormitorio y habían puesto en el suelo boca abajo mientras el agresor le restregaba la pelvis contra las nalgas. Un mirón implicaba distancia, un individuo escondido observando con avidez a su objeto de deseo desde lejos. Una agresión física que había provocado contusiones y una costilla rota era un asunto totalmente distinto.

Por la noche leería el expediente con detalle e intentaría hacerse una idea de cómo era el hombre que había cometido esos delitos y por qué el comisario y su subcomisario no habían conseguido encontrarlo y detenerlo.

Emmanuel dejó el expediente policial y examinó el libro de tapas duras del cajón. El fino volumen, que cabía en el bolsillo de una chaqueta, era un artículo de lujo. Acarició la suave piel de la cubierta. El título le intrigó: *Placeres celestiales*.

Abrió el libro al azar, pasando las hojas cortadas a mano, y leyó un par de líneas por encima: «Flor de Ciruelo se tendió en el lujoso palanquín con el único atuendo de una borla roja y dorada que colgaba de su cuello exquisito. De sus labios entreabiertos salió el humo del opio, en forma de volutas que se elevaron por el aire».

Le pudo la curiosidad y saltó hasta la mitad del libro. Había un dibujo lineal de una joven oriental desnuda, arrodillada sobre un cojín y mirando al suelo. El libro tenía clase, pensó Emmanuel, y rozaba lo literario, pero no dejaba de ser una novela porno. Se lo metió en el bolsillo.

–Mmm...

Aggie le estaba advirtiendo que le había visto coger el libro.

Emmanuel siguió dándole la espalda a la anciana. Iba a salir de la casa de Pretorius con el expediente y con el libro, le daba igual cuánto se ofendiera la criada sorda.

Los demás cajones revelaron el gusto del comisario por las camisetas interiores almidonadas, los pijamas de cuadros y los calcetines caquis. Volvió a acercarse a la cama, miró debajo y no encontró ni una mota de polvo.

Emmanuel se acercó a la criada entrada en carnes, que estaba apoyada en la jamba de la puerta. Eran las nueve y media de la mañana y parecía lista para una siesta.

–¿Cuál es su trabajo en la casa? –le gritó Emmanuel en zulú. Probablemente la criada acabaría en coma si tenía que mantener una conversación en inglés.

–Limpiar –contestó ella en su lengua materna–. Y guardar la llave.

–¿Qué llave?

Hurgó en el bolsillo del delantal y sacó la llave de la habitación de invitados. Se la enseñó sobre la palma de la mano pero no dijo nada.

–¿Guarda usted la llave de esta habitación?

La criada asintió con la cabeza.

–¿Cómo entraba el comisario?

–Pidiendo la llave.

Aggie, la criada de confianza, era la guardiana de la puerta, pero ¿cómo entraba Willem Pretorius cuando volvía tarde de pescar?

–¿La despertaba para que le diera la llave cuando volvía a casa de noche?

–No. Me decía dónde tenía que dejar la llave.

–Y usted dejaba la llave encima de una mesa –dijo Emmanuel–. ¿Algo así?

–Me decía dónde tenía que dejar la llave –repitió, y haciendo un gesto con la mano, le indicó con impaciencia que saliera de la habitación. Era hora de irse.

Emmanuel salió al pasillo.

–¿Dónde le dejaba la llave? –preguntó.

–En la maceta, detrás de la bolsa de azúcar, en la tetera. Donde me dijera él que la pusiera.

–¿De verdad?

Emmanuel estaba asombrado ante la necesidad constante de secretismo del comisario. Se comportaba como un agente de la policía secreta cuya verdadera identidad fuera su mayor lastre.

–¿Por qué cree que cambiaba el sitio de la llave? –preguntó mientras Aggie metía la llave en la cerradura con sus nudosas manos.

La exhausta anciana se encogió de hombros, dando a entender que hacía mucho que había dejado de intentar comprender las misteriosas costumbres del hombre blanco.

–El *baas* dice: «Ponla en la tetera», yo la pongo en la tetera.

Para la criada, ahí se acababa la historia. Un sirviente no hacía preguntas a su amo ni intentaba entender por qué la señora necesitaba que las camisas se tendieran de determinada manera en la cuerda.

–¡Aggie! –exclamó la señora Pretorius desde el porche trasero–. ¿Aggie?

La criada negra no oyó a la señora. Estaba ocupada girando la llave en la cerradura tan rápido como se lo permitían sus frágiles dedos.

–Voy fuera a tomar el té con la *nkosikati* –dijo Emmanuel antes de dirigirse hacia la parte trasera atravesando la casa. Si esperaba a Aggie, para cuando por fin consiguieran llegar fuera iba a ser la hora de comer.

Se detuvo junto al aparador que ocupaba toda una pared de la gran sala de estar y cogió la fotografía de Frikkie van Brandenburg y su familia. Estaba acostumbrado a ver al adusto clérigo, el oráculo afrikáner, como un hombre mayor con el ceño fruncido y con fuego en la mirada, pero, incluso de joven, el serio Frikkie parecía preparado para enderezar el mundo.

¿Qué habría pensado Van Brandenburg de la familia de su hija? Louis el fumador de *dagga*, Erich el pirómano y Willem el embustero: todos eran parientes suyos, consanguíneos o políticos. ¿Habría estado orgulloso o le habrían entrado dudas, sólo por un instante, sobre la superioridad de la nación afrikáner sobre el resto de la humanidad?

Emmanuel dejó la fotografía en su sitio y siguió hacia la cocina, donde una criada negra más joven estaba poniendo el juego de té en una bandeja de plata.

–*Sawubona*…

Le dio los buenos días a la muchacha y salió al porche, cubierto por un emparrado. La señora Pretorius le hizo un gesto para que se acercara a una mesa desde la que se veía un pequeño huerto. Un jardinero, un hombre rechoncho de treinta y tantos años, estaba arrancando las malas hierbas de las filas de hortalizas y removiendo la tierra con un rastrillo de mano.

Emmanuel se sentó enfrente de la señora Pretorius y dejó el expediente en el suelo. Mantuvo el libro en el bolsillo. La criada joven salió con el juego de té y lo puso en la mesa antes de volver a meterse en la casa.

—¿Cómo toma el té, oficial Cooper? —preguntó la señora Pretorius.

—Con leche, sin azúcar —contestó mientras estudiaba a la esposa del difunto Willem Pretorius. Era hermosa de un modo refinado. No había asperezas, a pesar de la dureza que Emmanuel percibía en su interior.

—Tiene usted un jardín muy bonito —dijo Emmanuel al tiempo que recibía su té. Aquélla iba a ser su primera y única oportunidad de acceder a la vida familiar del comisario.

—Mi padre era jardinero. Creía que, con la ayuda de Dios y con esfuerzo, se podía crear el Edén en la Tierra.

—Pensaba que su padre era pastor. Un pastor conocidísimo.

La señora Pretorius hizo un pobre intento de repeler la referencia a su famoso padre:

—Mi padre no hacía ningún caso a las historias que escribían sobre él. A él le gustaba más trabajar en su huerta que hablar delante de una sala llena de gente.

Como a muchos hombres poderosos, parecía que a Frikkie van Brandenburg le habían impuesto la grandeza sin que él la buscara.

—¿Era un hombre casero? —preguntó Emmanuel con una sonrisa. Los libros de historia recién escritos recalcaban el fervor con el que Van Brandenburg se había dedicado a divulgar el mensaje de la superioridad y la redención de los blancos. Ninguna congregación era demasiado pequeña o insignificante para él. Ningún pueblo estaba demasiado aislado para librarse del evangelio según Frikkie. El gran profeta había viajado a todos.

—Estaba en casa cuando podía. Nosotros sabíamos lo importante que era su trabajo para nuestro país. Cuatro de mis hermanos siguieron sus pasos y se hicieron pastores de la Iglesia Reformada Holandesa. Mis dos hermanas están casadas con pastores.

—Usted es la excepción.

–En absoluto –contestó la señora Pretorius–. Willem podría haber sido pastor perfectamente. Tenía la fortaleza para serlo, pero no sintió la llamada.

–Ya entiendo –dijo Emmanuel. Quizá el comisario se había dado cuenta a una edad temprana de que el camino de la rectitud moral no era para él. Dar una paliza a puñetazos a un pornógrafo de poca monta no estaba en la lista de obligaciones pastorales. Y, desde luego, *Placeres celestiales* no era una de las lecturas obligatorias del seminario.

–Louis va a ser pastor –dijo la señora Pretorius con satisfacción–. Éste ha sido su primer año en la escuela de teología.

Emmanuel no exteriorizó su sorpresa. Después de ver a Louis hostigando a Tiny para conseguir alcohol y hierba, era difícil imaginárselo guiando a una congregación o repartiendo sabiduría cristiana.

–¿Y por qué está en casa?

No era época de vacaciones. Todos los colegios y universidades estaban en pleno curso. Las vacaciones de verano empezarían a finales de diciembre.

La señora Pretorius dio un sorbo a su té y se quedó pensando en la respuesta. Tardó unos instantes en encontrar las palabras adecuadas.

–Louis quiere tomar parte en la nueva alianza de nuestro pueblo con Dios, pero es demasiado joven para estar lejos de casa. La separación no le vino bien.

Emmanuel esperó. Había visto salir un fugaz destello de duda a través de una grieta en la sagrada coraza de la viuda. Louis era su debilidad y había algún otro motivo por el que había regresado de la escuela de teología antes de tiempo.

–Mi padre interrumpió sus estudios durante un tiempo, ¿sabe? Cuando volvió a la iglesia era más fuerte que antes, estaba más capacitado para guiar a la gente por el Camino. Louis pasará un tiempo en la granja de Johannes, conocerá la tierra y aprenderá cuáles son las inquietudes de nuestro pueblo... Volverá a la escuela de teología y, cuando salga, será un león de Dios.

En su mirada había una confianza absoluta.

–A lo mejor Louis se hace granjero o empresario como sus hermanos, ¿no?

–No, Louis no –contestó con una sonrisa que hizo que se formaran carámbanos en el borde de su taza–. Él no es como los otros. Ya de niño tenía el don de la bondad y la compasión. Él está destinado a hacer cosas más importantes que las que ofrece este pueblo.

La señora Pretorius tenía grandes sueños, eso había que reconocerlo. Sus hijos eran los reyes de Jacob's Rest, pero sus ambiciones eran mayores. Ella quería un líder del pueblo que pudiera transformar la nación en una tierra santa. El hecho de que su hijo no sirviera en absoluto para esa tarea era algo que se le escapaba por completo.

–¿Tenía el comisario los mismos sueños sobre Louis que usted?

–No son mis sueños, oficial Cooper. Son los de Louis.

Esta vez Emmanuel sintió el frío de su sonrisa en sus propios huesos. No se podía negar que era hija de Van Brandenburg: ir en contra de su voluntad era ir en contra de la voluntad de Dios.

No era extraño que Willem Pretorius y su hijo se dedicaran a recorrer los caminos *kaffir* de noche; su casa estaba gobernada por una mujer con fuego en la mirada y hielo en el corazón.

Emmanuel se bebió el té. La casa de la señora Pretorius era una vitrina en la que exhibía su idea de lo que debía ser la vida afrikáner. Si demostraba que existía una relación entre el comisario y la importación de artículos prohibidos, aquella mujer prendería fuego a la casa para purificarla.

–Willem amaba este lugar y a esta gente –los ojos azules de la viuda brillaron al llenarse de lágrimas mientras miraba hacia el *veld* por encima de la valla trasera–. En eso era como un nativo. La tierra lo era todo. Ya sé que ustedes los ingleses se ríen de nuestra creencia de que somos la tribu blanca de África, pero en el caso de Willem era cierto. Él era un hombre africano.

No cabía duda de que el comisario tenía afinidad con los

africanos. Su estrecho vínculo con Shabalala era la causa del resentimiento de Sarel Uys, y quizá el subcomisario no fuera el único al que incomodaba la relación de Willem Pretorius con el agente de policía negro.

–¿Cree que a algunos blancos les molestaba que el comisario tuviera buena relación con los nativos? –preguntó. Estaba pensando en Uys y en el hecho de que el pequeño hombre de facciones duras acabara de volver de Mozambique. ¿Había aparcado su coche al otro lado de la frontera, atravesado el río a nado y regresado después de cometer el crimen? Le habrían quedado dos días para mantenerse escondido sin llamar la atención y ponerse moreno antes de volver a presentarse en Jacob's Rest.

–Willem no hacía vida social con ellos –dijo firmemente la señora Pretorius–. Los conocía a todos porque se crió aquí. Al ser comisario de policía, tenía que hablar con ellos y pasar tiempo entre ellos. La gente lo entendía.

–Claro.

Emmanuel dejó su taza en la mesa. Willem Pretorius hacía algo más que una labor policial en la comunidad nativa. Había escogido a Shabalala y a Aggie, la anciana criada artrítica, para mantener a salvo sus secretos. Eso era señal de confianza.

Las nuevas leyes de segregación habían institucionalizado la idea, que venía de largo, de que Dios había creado a la tribu negra y la tribu blanca con la intención de que permanecieran separadas y evolucionaran por separado. Cada tribu tenía una esfera propia que le correspondía por naturaleza. Solamente los degenerados cruzaban la frontera y entraban en territorios antinaturales. A los ojos de algunos blancos, quizá el comisario Pretorius había hecho exactamente eso: atravesar la línea divisoria e introducirse en el mundo negro.

«Él no es como otros holandeses.» Eso había dicho Shabalala el primer día de la investigación. Quizá era aquella diferencia lo que había motivado que asesinaran al comisario.

–Gracias por el té, señora Pretorius –dijo Emmanuel

mientras cogía del suelo el expediente del caso de los abusos. Tenía que ir a ver a Erich, y después seguiría escarbando en la pista del «hombre blanco en el mundo negro»–. La avisaré si hay algún avance.

Alargó la mano, consciente de que ésa sería la última vez que tendría contacto físico con ella. Una vez que hablara con su hijo, la señora Pretorius no le dejaría ni acercarse. La mujer le estrechó la mano y se quedó mirando fijamente el expediente policial.

–¿Qué es eso? –preguntó.

–Es un expediente sobre el caso de abusos en el que estuvieron implicadas varias de las mujeres mestizas del pueblo –contestó, diciéndole la verdad. Aquella mujer no quería suciedad en su casa y Emmanuel tenía interés en ver cómo reaccionaba a la noticia de que Willem Pretorius había traído el mal a su mundo.

–Ah... –dijo retrocediendo medio paso–. ¿Estaba en la habitación?

–Sí –contestó Emmanuel–. El caso quedó sin resolver y probablemente tocaba revisarlo para ver si aparecía alguna nueva pista.

La señora Pretorius frunció el ceño con desagrado.

–Seguro que fue uno de ellos el que lo hizo. Uno de los propios mestizos.

–¿Dijo eso el comisario Pretorius?

–No hacía falta que lo dijera –recobró la compostura y pasó a un tema del que sabía mucho, la flaqueza de los demás–. El hombre que cometió esos actos conserva unos rasgos primitivos muy fuertes. Los europeos nos hemos distanciado más de ese estado animal que los negros o los mestizos.

A Emmanuel le entraron ganas de decirle que todas las noches soñaba con las barbaridades que los europeos civilizados se hacían unos a otros con fusiles, navajas y bombas incendiarias.

Se metió el expediente debajo del brazo. A todas horas y todos los días había alguien en algún punto de Sudáfrica haciendo algún comentario sobre el extraño comportamiento de los miembros de los otros grupos raciales. Los indios, los negros, los mestizos y los blancos se acusaban los unos a los otros con el mismo entusiasmo.

–Qué raro... –dijo la señora Pretorius en voz baja–. Willem no dijo nada de que estuviera trabajando en el caso. Dijo que estaba cerrado.

La viuda miró la abultada carpeta con una curiosidad voraz. Era como si quisiera asomarse al oscuro mundo que su marido había estado tratando de contener.

–¿Hablaba de sus casos con usted?

–No de todos –dijo–, pero ése fue especial. Le afectó trabajar en ese caso. Había noches que no podía dormir porque estaba preocupado por la moral del pueblo.

–A los policías a veces nos pasa eso con los casos sin resolver.

–Es por eso... –el expediente tenía totalmente absorbida su atención– por lo que no entiendo que no me dijera que estaba volviendo a investigarlo. Él me..., Willem me lo contaba todo.

El hecho de que el expediente estuviera en su casa sin que ella lo supiera había hecho tambalearse los cimientos del mundo de color de rosa de la señora Pretorius. La verdadera unión cristiana con el comisario, de la que estaba tan segura, se había puesto en tela de juicio.

–Seguro que fue para no preocuparla.

Emmanuel optó por la respuesta suave. Las creencias de aquella mujer se iban a enfrentar a una auténtica prueba si Emmanuel descubría que los asuntos del comisario en Mozambique eran delictivos.

–Claro –dijo ella, sonriendo al pensar en sus propias dudas–. Willem era protector por naturaleza. Vivía para mantener a salvo a nuestra familia y al pueblo.

Las lágrimas volvieron a aparecer cuando la palabra «vivía» salió de su boca. En pasado. Ahora cualquier conversación que mantuviera sobre su marido era una conversación sobre el pasado. El dolor de la viuda era auténtico, pero

Emmanuel tenía la sensación de que si la señora Pretorius hubiera pillado a su querido Willem cometiendo un acto inmoral, ella misma habría apretado el gatillo.

—Lo siento... —dijo ella—. Le estoy robando tiempo de su investigación. Podría estar utilizando este tiempo para encontrar al asesino y llevarle ante la justicia.

—Sí que tengo que hablar con algunas personas. Se lo comunicaré si hay algún avance importante.

El dolor y la venganza iban a ser los acompañantes constantes de la señora Pretorius durante los meses siguientes.

Emmanuel se fue de la casa por el jardín. Tenía que ver a Erich Pretorius enseguida, pero antes iba a pedirle a la señorita Byrd, la empleada mestiza de la oficina de correos, su segundo favor en dos días.

—¿Dónde está el *nkosana?* —preguntó Emmanuel al muchacho negro encargado de manejar los surtidores de gasolina del taller Pretorius.

—En el despacho.

El muchacho, con unas piernas como palillos, señaló una habitación contigua al taller mecánico.

Emmanuel llamó dos veces a la puerta, en la que un rótulo rezaba «Pretorius, S. A.», y esperó a que contestaran.

—¿Quién es?

—El oficial Emmanuel Cooper.

—¿Qué pasa?

Emmanuel abrió la puerta. Si llegaba al final de esa conversación sin haberse llevado un puñetazo en la barbilla se consideraría afortunado. El tercer hijo de Pretorius estaba de un humor de perros y el interrogatorio ni siquiera había empezado.

—¿Qué quieres? —preguntó Erich levantando la vista de la montaña de papeles que tenía en la mesa.

—Lo educado es preguntar «¿En qué puedo ayudarle?» —dijo Emmanuel. El despacho estaba lleno de piezas de repuesto y facturas antiguas desperdigadas. A diferencia de su madre, Erich Pretorius se encontraba a gusto en medio del desorden.

–¿Quieres algo?

Erich apartó el papeleo pendiente y se reclinó en su silla.

–Éste debe de ser un buen negocio –dijo Emmanuel, que estudió un calendario con imágenes de maquinaria agrícola que destacaba lo último en tractores–. Un local que hace esquina situado en la calle principal. Te ha ido bien.

–No me va ni bien ni mal. ¿Qué más te da a ti?

–Sólo digo que el negocio debe de funcionar bien, y más ahora que el tuyo es el único taller del pueblo.

Erich se apoyó sobre la mesa con una sonrisa que prometía un baño de dolor.

–¿Quién ha estado cuchicheando? ¿El mestizo ese?

–Fue King quien me explicó que la fecha de tu siguiente pago es este día de aquí –Emmanuel volvió a acercarse al calendario y dio unos golpecitos con el dedo en el martes.

–¿Qué pago? –dijo Erich con desdén.

–El seguro de incendios –contestó Emmanuel–. ¿O ahora que tu padre ha muerto no tienes que pagarlo?

Erich se levantó en menos de un segundo.

–¿Qué coño tiene que ver el pago con que mi padre haya muerto?

–Él era el único que mantenía el trato en pie –dijo Emmanuel, que sintió el calor que desprendía Erich. Estaba a punto de empezar a arder de ira–. Ahora que ya no está tu padre en medio, no hay ninguna prueba de que debas nada a Anton.

–¿Te crees que mataría a mi propio padre por ciento cincuenta libras?

Emmanuel se mantuvo firme mientras la mole afrikáner rodeaba la mesa y se acercaba a él.

–Se ha asesinado a gente por menos que eso, Erich.

Mantuvo un tono amistoso y calculó la velocidad a la que podría salir corriendo hacia la puerta si fuera necesario.

–Fuera –dijo Erich desde una distancia tan corta que le salpicó de saliva–. Fuera de mi tienda, maldito inglés de mierda.

Emmanuel no se movió. Erich era muy escandaloso, pero estaba acostumbrado a ser el segundo al mando. Era la fuerza bruta del hogar de los Pretorius, no la inteligencia, y caería en cuanto quedara claro quién mandaba.

–¿Dónde estuviste la noche que asesinaron a tu padre? –preguntó Emmanuel con calma.

–Yo no tengo que contestar a eso –dijo Erich.

–Sí, sí que tienes.

Emmanuel miró fijamente al hombre enfurecido y no dejó ver ningún miedo pese a que no tenía nada que hacer contra él. El afrikáner era lo bastante grande para romperle la mandíbula de un manotazo.

–Estuve con mi familia –dijo Erich, que apartó la mirada de los ojos de Emmanuel–. Mi mujer y la criada lo pueden confirmar. Estábamos todos levantados a las once de la noche con el pequeño Willem, que estaba con difteria.

Emmanuel sacó su libreta.

–Tendré que hablar con tu mujer y verificar tu coartada.

–Por mí no hay inconveniente –dijo Erich sin vacilar–. Está ahí al lado. La peluquería Moira es suya.

La peluquería Moira, en la calle principal, era una porción más de Jacob's Rest que pertenecía al clan Pretorius. La familia del comisario no necesitaba las leyes de segregación que favorecían a la población blanca para disfrutar de una posición destacada. Les iba perfectamente sin la ayuda oficial que recibían los blancos con el nuevo Gobierno.

Emmanuel tanteó a la montaña de hombre que tenía delante. Quizá no hubiera matado a su padre, pero ¿estaba tan enfurecido por el asunto de la deuda como para encargarse de que recibiera un duro castigo?

–¿Te parece bien pagarle todo ese dinero a un mestizo?

–No tengo elección –contestó Erich mientras volvía hacia su silla con un gesto sombrío–. Mi padre dijo que, si no pagaba, ese gilipollas inglés, Elliot King, llenaría el pueblo de abogados indios.

Emmanuel hizo un ruido que indicaba que le entendía. Era un hecho universalmente aceptado que los abogados indios estaban al nivel de los judíos en inteligencia y en ambición.

Erich abrió un cajón y sacó una abultada bolsa de papel.

–Ciento cincuenta libras –dijo mientras la dejaba caer en la mesa. Un fajo de billetes de veinte libras se salió de la bolsa–. Te la metería por el culo, pero tengo que llevársela al viejo judío esta noche.

–Menudas ideas tenía tu padre –caviló Emmanuel en voz alta–, mira que hacerte dar dinero a un judío para pagar a un mestizo...

Erich controló su genio.

–Eres muy listo –dijo–, pero no lo suficiente para hacer que me confiese culpable de un asesinato que no he cometido. En mi vida le levanté la mano a mi padre.

–Estabas muy enfadado con él, ¿no?

–Claro –contestó Erich–. Pregunta a los chicos de ahí fuera, te dirán que discutimos por los pagos. Si el viejo judío seguía en sus trece con su historia, yo tenía que contratar a un abogado para que me defendiera. Después tendría que cerrar el taller para el juicio, que podía durar muchas semanas. Al final era muchísimo más barato pagar el dinero y acabar con el asunto.

Era interesante que el comisario no hubiera discutido con su hijo sobre lo correcto o incorrecto de sus acciones. Había convencido a Erich por la vía del bolsillo. Había sido una cuestión de dinero. La señora Pretorius vivía en un mundo gobernado por un código moral, pero su difunto esposo era un hombre práctico.

–¿Sabe tu madre lo del incendio? –preguntó Emmanuel. Tenía curiosidad por ver hasta qué punto mantenía intacto Willem Pretorius el mundo de color de rosa de su mujer.

–No –dijo Erich sonrojándose, una imagen extraña en un hombre tan grande–. Mi padre pensó que era mejor no disgustarla con..., umm..., los detalles.

–Ya.

Willem Pretorius había conseguido ocultar muchos de los, umm..., detalles, pero en algún momento había fracasado en su intento de proteger todos sus secretos. Había alguien que sabía lo de la cabaña. Había alguien que sabía lo de los objetos escondidos en la caja fuerte. El robo de las pruebas no había sido casualidad. El garrote de madera demostraba que el responsable estaba dispuesto a utilizar la violencia para sacar ventaja a la policía.

Mientras el comisario Pretorius vigilaba a la gente de Jacob's Rest, alguien le había estado vigilando a él.

–¿Es todo?

Erich volvió a meter el dinero en la bolsa, lo que claramente le enfureció.

Emmanuel decidió probar con la pista del «hombre blanco en el mundo negro». Tenía que seguir todas las vías con la esperanza de que alguna volviera a llevarle a las pruebas robadas.

–Tu padre tenía buena relación con la gente de color, ¿verdad?

–Mi padre se crió con los *kaffirs*, pero no era un *kaffirboetie*, si es lo que estás insinuando.

Kaffirboetie, hermano de los *kaffirs*, era uno de los insultos más fuertes que se podían lanzar a un blanco que no trabajara en los servicios de asistencia social a los nativos.

–¿Crees que había algún blanco que pensara que tenía una relación demasiado estrecha con los nativos?

–A lo mejor alguno de los ingleses. A vosotros os cuesta entender que nosotros no odiamos a los negros; los queremos. Entran y salen de nuestras casas, están con nuestros hijos y nuestros ancianos. Para nosotros los negros son parte de la familia.

–¿Como Aggie?

–Exacto. No sirve para nada, pero padre no se deshizo de ella porque ha estado con nosotros desde que yo llevaba pañales. Aggie ha sido una segunda madre para mí y para mis hermanos.

Emmanuel no ponía en duda los sentimientos de Erich. Su cariño por la anciana negra con las manos nudosas era sincero. El carro afrikáner del amor, sin embargo, descarrilaba en cuanto las personas de otras razas querían ser algo más que miembros honoríficos de la sagrada tribu blanca.

–Bueno –dijo Emmanuel metiéndose la libreta en el bolsillo–, entonces no se te ocurre ningún problema que hubiera entre los blancos, ¿no?

–Ninguno –dijo Erich.

Eso volvía a llevarle a Sarel Uys. Era el único blanco que había manifestado verdadera hostilidad hacia los lazos del comisario con Shabalala. ¿Cuánto resentimiento tenía acumulado el celoso policía en el estómago?

–Gracias por tu atención –Emmanuel terminó con la despedida estándar de los interrogatorios–. Me pasaré por la peluquería Moira según vuelvo a la comisaría.

–Muy bien –dijo Erich mientras volvía a meter el dinero en el cajón.

Emmanuel cerró la puerta del despacho al salir, pero el ruido del auricular del teléfono al levantarse de la base llegó hasta sus oídos. Erich estaba llamando a su hermano soldado a la comisaría para informarle sobre el interrogatorio. Los del Departamento de Seguridad también tendrían una oreja puesta en el teléfono.

La comisaría de policía era zona prohibida durante el resto del día. Tenía que encontrar otro sitio en el que hacer su trabajo, algún lugar al otro lado de la frontera racial.

11

Emmanuel salió de la peluquería Moira y fue directo al camino *kaffir*. Todo había quedado confirmado: el pequeño Willem estuvo despierto con difteria, primero a las once de la noche y de nuevo a las dos de la madrugada. La criada negra, Dora, estaba dispuesta a jurarlo por sus propios hijos. Quizá Erich Pretorius fuera un lanzallamas humano, pero la noche del asesinato estaba tranquilamente en su casa.

El tercer hijo del comisario tenía muy pocas probabilidades de ser el asesino, así que no fue ninguna sorpresa descubrir que no había tenido una participación física y directa en el homicidio. Las pruebas del lugar del crimen apuntaban a la falta de fuerza física del asesino; Erich podía arrastrar un tren de mercancías cargado hasta Durban en una tarde. El asesino era una persona serena; Erich era un setenta por ciento de músculo y un treinta por ciento de combustible inflamable.

Emmanuel atravesó una parcela desocupada llena de hierbajos y arbustos sin cuidar. Se acercaba la hora de comer y la calle estaba tranquila cuando tomó una pronunciada curva a la derecha para dirigirse a la tienda Poppies. El viejo judío estaba sentado detrás del largo mostrador de madera, leyendo un libro. Desde la trastienda llegaba el murmullo de las máquinas de coser. Zweigman levantó la vista cuando entró.

–Oficial.

Emmanuel había ido a pedirle que le dejara utilizar el

teléfono de la tienda, pero se había acordado de otra cosa.

—¿Cómo sabía el comisario Pretorius que era usted médico titulado? —preguntó.

Zweigman el cirujano y Zweigman el tendero seguían sin encajarle. Si la hermana Angelina y la hermana Bernadette hubieran cumplido su promesa, Zweigman habría seguido siendo un judío más comerciando con sus géneros en el mercado, prácticamente invisible.

—Saber cosas era la especialidad del comisario —respondió Zweigman con sequedad.

Había algo más. Lo veía en el rostro del alemán, en la extraña forma en que mantenía la cabeza ligeramente inclinada hacia un lado al hablar. Cuando Shabalala no revelaba información, Emmanuel suponía que era para proteger la memoria y la reputación de su amigo de la infancia. ¿A quién estaba protegiendo el doctor Zweigman?

Emmanuel escribió «preguntar fecha de la recomendación del médico a Shabalala» en una página en blanco de su libreta. ¿Cuándo le había dicho el comisario a su mano derecha que fuera a ver a Zweigman en lugar de al doctor Kruger si necesitaba ayuda?, ¿antes o después de que atropellaran al niño delante de la tienda? Si había sido antes, el comisario estaba enterado de antemano de cuál era el verdadero estatus de Zweigman.

—Venía a pedirle que me dejara utilizar su teléfono —dijo Emmanuel.

—Hay un teléfono en la comisaría precisamente para esos asuntos.

Los ojos castaños de Zweigman ardían con curiosidad suficiente para matar a seis gatos.

—El Departamento de Seguridad se ha hecho con el control del caso del homicidio y de la comisaría de policía —contestó Emmanuel, diciéndole la verdad—. Necesito otro lugar en el que llevar a cabo mi investigación.

—¿Está volviendo a investigar el caso de los abusos?

—Eso y algunas otras cosas —dijo Emmanuel, pensando en el expediente que tenía guardado en un escondite seguro, esperando a que fuera a leerlo. Antes, sin embargo, daría el parte a Van Niekerk y tantearía el terreno en busca de información nueva.

—En ese caso… —Zweigman metió la mano debajo del mostrador y sacó un pesado teléfono negro conectado a kilómetros de cable pelado—, encantado de hacerle el favor, oficial Cooper. Puede llamar desde la habitación del fondo.

Las mujeres levantaron la vista de las máquinas de coser cuando entraron los dos hombres, esta vez con menos miedo. Emmanuel dirigió un saludo con la cabeza a cada una de las costureras y se aseguró de echarle una mirada extralarga a la Ardiente Tottie mientras seguía a Zweigman hacia la sala de estar. Concentrarse en la presumida joven era una forma segura de ocultar su encuentro con el tímido pajarito mestizo en la cabaña del comisario.

Los ojos verde esmeralda de Tottie brillaron con regocijo. Ella era una reina y él, otro suplicante más que venía a poner su deseo ante su puerta.

Davida estaba diseñando un patrón de papel sobre una mesa de corte bajo la supervisión de Lilliana Zweigman. La cabeza, cubierta con un pañuelo verde, se mantuvo inclinada. No dejó ver nada que indicara que Emmanuel había hablado con ella, la había tocado y le había pedido que le guardara sus secretos.

—Aquí —dijo Zweigman mientras ponía el teléfono negro de baquelita en una mesita de té y le señalaba una silla—. Mi mujer y las señoras van a pasar por esta habitación para salir al patio trasero dentro de veinte minutos. Es el descanso para la comida.

—Ya habré terminado.

Emmanuel se sentó y se acercó el teléfono. Zweigman salió de la habitación y Emmanuel esperó a que volviera a sonar el murmullo de las máquinas de coser en funcionamiento. La delicada Lilliana había interrumpido toda la actividad hasta que su marido saliera ileso de la sala de estar. Había algo de su pasado que todavía se cernía como una sombra sobre la pareja judía. ¿Cuánta gente vivía en aldeas, pueblos y ciudades sabiendo por experiencia que ningún lugar es seguro? La historia, escrita con la ayuda de las balas y las bombas, lo arrasaba todo a su paso.

Llamó y esperó a que la operadora le pusiera con la jefatura de policía del distrito. La línea estaba libre.

–¿Cooper? –la voz de Van Niekerk fue directa y contundente. Algo pasaba en la oficina.

–Sí, señor.

–Llámame a este número dentro de diez minutos. Con el prefijo local.

El inspector le dio el número y colgó sin dar ninguna explicación. A través de la línea le llegó el habitual «pi, pi, pi», seguido de la voz de la operadora:

–Su llamada se ha cortado, señor. ¿Quiere que vuelva a intentarlo?

–No, gracias.

Emmanuel colgó el teléfono y miró la hora. Diez minutos era el tiempo justo que necesitaba Van Niekerk para recorrer las dos manzanas que separaban la jefatura de policía de una cabina telefónica pública. El Departamento de Seguridad había echado al inspector de su despacho particular y le había mandado a la calle.

El ruido constante de las máquinas de coser contrastaba con el ritmo entrecortado de los latidos de su corazón. Repasó las notas que había tomado en el lugar del crimen. ¿Era el asesinato del comisario Pretorius la pieza de la esquina de un rompecabezas mayor que estaba intentando resolver el Departamento de Seguridad?

Emmanuel se fijó en el lugar en el que estaba. Se encontraba en una pequeña sala de estar anexa a la trastienda de un taller de costura con empleadas que trabajaban en malas condiciones en el lado oscuro de la frontera racial. El Departamento de Seguridad y los pesos pesados de la política que lo respaldaban ocupaban el asiento del poder mientras él escarbaba en las sucias entrañas de la vida privada de la víctima. Le asaltaron las dudas y cerró los ojos para pensar. Sintió un dolor punzante en la cuenca del ojo.

–*Dios mío...* –susurró la voz del sargento mayor–. *¿Y si esos cabrones tienen razón y fue asesinado por motivos políticos?*

Emmanuel apartó la voz de su cabeza y repasó los principios básicos de la investigación de homicidios. La mayor parte de los asesinatos son el resultado de impulsos humanos y banales: un ladrón roba por dinero, un marido mata por venganza y un inadaptado mata para liberar sus impulsos sexuales. Son necesidades humanas vulgares, tristes y confusas las que mueven las manos de los asesinos.

–*El Departamento de Seguridad no se mueve en tu mundo de normalidad, amiguito* –dijo el agresivo escocés–. *Mientras tú andas registrando cajones de ropa interior y vagando por los caminos* kaffir, *ellos dibujan el mapa de Sudáfrica y de todos los países de alrededor. Tú eres un soldado de infantería y ellos son los ayudantes personales del general.*

Emmanuel intentó no hacer caso a los comentarios del sargento mayor, pero no pudo. Tenía demasiada razón en lo que decía. ¿Por qué iba a ocuparse el Departamento de Seguridad de este asesinato con tanta rapidez y tanto ahínco si no era porque ya tenían pruebas que respaldaban su teoría de la revolución política?

Las palabras «pulcritud» y «puntería de francotirador» de sus notas le llamaron la atención como nunca hasta entonces. Los asesinos profesionales apuntaban a la cabeza y a la columna. Los asesinos profesionales no dejaban huellas. ¿Se había equivocado al interpretar el escenario del crimen, buscando elementos personales donde no los había?

Marcó el número que le había dado Van Niekerk.

–¿Cooper?

Cuando contestó, al segundo tono, el inspector estaba sin aliento y de mal humor.

–Soy yo. ¿Y ese cambio de teléfono?

–Los del Departamento de Seguridad tienen las orejas muy grandes y no pienso darles información a cambio de nada –respondió Van Niekerk–. ¿Llamas desde la comisaría?

–Llamo desde un teléfono particular.

–Bien. ¿Qué noticias tienes?

–El Departamento de Seguridad va directo a por la conexión comunista. Tienen un expediente confidencial con listas de miembros del partido y sus colaboradores. Parece que el asesinato del comisario Pretorius encaja en una investigación previa.

–La Operación Punta de Lanza –dijo Van Niekerk con ese tono despreocupado de superioridad con el que se había puesto en contra a la mitad de los policías que trabajaban en homicidios o robos–. El Partido Nacional pretende aplastar el movimiento comunista deteniendo a espías que entren en Sudáfrica con panfletos y textos prohibidos. Hacen redadas en los pasos fronterizos ilegales con la esperanza de pescar un pez rojo al que poder freír por traición.

–Al comisario Pretorius le dispararon en un tramo del río que utilizan los contrabandistas –dijo Emmanuel–. A lo mejor el Departamento de Seguridad estaba mirando.

–Les habían dado un soplo y este jueves iban a hacer una redada en el paso de Watchman's Ford, donde encontraron al comisario Pretorius. El Departamento de Seguridad quiere salvar esa operación encontrando una conexión entre el asesinato y un espía comunista en concreto al que han estado vigilando.

El alcance de los contactos políticos y sociales de Van Niekerk impresionó a Emmanuel y le hizo pararse a pensar. ¿Había algún dato que se le escapara al ambicioso holandés?

–¿El espía del que sospechan es un tipo negro licenciado en el Fort Bennington College?

–Ahora soy yo el que está impresionado –contestó Van Niekerk con un tono ligeramente humorístico–. Hay menos de cien personas en toda Sudáfrica que sepan eso. ¿Seguro que no quieres entrar en el Departamento de Seguridad? Están buscando jóvenes brillantes.

–No me interesa rediseñar el mapa del mundo con una empulguera y una tubería de acero.

–¿A tanto han llegado?

–Sí.

Le vino a la mente la imagen del minero con los brazos amoratados y los ojos desorbitados.

—¿Te ha tocado algo a ti?

—Todavía no —dijo Emmanuel—, pero sólo es cuestión de tiempo.

—¿Qué tienes sobre el comisario Pretorius? —de pronto la voz de Van Niekerk había adoptado un tono apremiante.

—Nada concluyente. Aunque ahora ando detrás de algo que podría bajar al comisario de su pedestal.

No mencionó el robo de las pruebas. Esa herida estaba demasiado reciente para abrirla delante de Van Niekerk.

—Encuéntralo —dijo el inspector—. La información sobre el yerno de Frikkie van Brandenburg es la única arma que puede frenar a los del Departamento de Seguridad si van a por ti.

—¿Cree que me van a acorralar y voy a tener que salir por la fuerza?

—Estoy hablando contigo desde una cabina telefónica asquerosa en un callejón. Tú me estás llamando a saber desde dónde. Ya estamos acorralados, Cooper.

—¿Qué hago con los trapos sucios cuando los encuentre?

Las medidas de seguridad que había improvisado en Jacob's Rest no bastaban para frenar una inspección del Departamento de Seguridad. Necesitaba un segundo colchón por si se caía.

—Ve a la oficina de correos del pueblo. Dentro de media hora te envío un telegrama con lo que necesitas.

El murmullo de las máquinas de coser empezó a apagarse. Era casi la hora de la comida de Lilliana Zweigman y las costureras.

—Tengo que irme —le dijo al inspector mientras el ruido de las sillas que se arrastraban llegaba hasta la sala de estar.

—Emmanuel...

El uso de su nombre de pila le hizo quedarse en el teléfono.

—¿Sí, señor?

—Mañana por la mañana van a enviar por mensajería una

214

cartera con información para el Departamento de Seguridad. Una de las cosas que contiene es un dossier personal sobre ti. No puedo pararlo. Lo siento.

–¿Qué tiene?

No pudo evitar hacer la pregunta. Necesitaba saberlo.

–Todo. Razón de más para que encuentres todos los trapos sucios que puedas sobre la familia Pretorius. Los vas a necesitar independientemente de quién atrape antes al asesino.

–Gracias, señor.

Colgó el teléfono y se metió la mano en el bolsillo para sacar unas cuantas pastillas blancas mágicas. El miedo se sumó a las dudas y se preguntó cómo iba a conseguir que su vida no se saliera de los estrechos raíles que había construido con tanto esmero desde que había regresado a Sudáfrica. Se tragó las pastillas con un vaso de agua del grifo de la sala de estar. Era demasiado tarde para parar esa carpeta y demasiado tarde para retirarse de la investigación.

–*Por Dios, deja de compadecerte de ti mismo* –dijo el sargento mayor–. *Levanta el culo y ponte a trabajar. Sigues teniendo un asesinato que resolver.*

Las mujeres salieron al patio trasero en fila y Emmanuel se dirigió al camino *kaffir* que conducía a la oficina de correos. Cuando se acercó, un escuadrón de saltamontes con alas amarillas salió volando y se posó en los tallos curvos de la hierba. No quería pensar en el dossier personal, pero no se le iba de la cabeza.

–*Tiene la piel oscura, ¿verdad?* –pensó el sargento mayor en voz alta–. *¿Qué revela sobre ti, Emmanuel..., el hecho de que Davida te excite?*

–No quiere decir nada –contestó en voz baja.

–*¿Seguro?* –el sargento mayor se estaba divirtiendo–. *Porque a mí me lleva a preguntarme si al final va a resultar que lo que dijo el jurado sobre tu madre era verdad. ¿Tú qué crees, amiguito?*

Emmanuel no contestó. Las pastillas que se había tomado en la tienda de Zweigman harían efecto enseguida. Le cerró la puerta al sargento mayor y echó la llave. Bajo ninguna circunstancia iba a pensar en lo que había dicho el escocés chiflado.

Harry, el soldado traumatizado por la guerra, estaba sentado en las escaleras de la oficina de correos cuando Emmanuel salió del edificio de una sola habitación con el telegrama de Van Niekerk bien guardado en el bolsillo. Era la primera hora de la tarde y una brillante luz de primavera bañaba la calle principal. Calle abajo, un fornido granjero blanco estaba silbando una canción mientras sus mozos de granja cargaban sacos de abono y semillas en su camioneta.

–Pequeño comisario –dijo Harry con un susurro áspero–. Pequeño comisario...

El ruido metálico de las medallas y una mano que le tiraba de la manga con insistencia indicaron a Emmanuel que el veterano estaba hablando con él y no con un fantasma de gas mostaza.

–Soy el oficial Emmanuel Cooper, de la policía judicial de Jo'burgo –le recordó al viejo soldado–. Me conociste en la tienda de Tiny, ¿te acuerdas?

–Pequeño comisario –dijo Harry sin hacerle caso–. Pequeño comisario.

Emmanuel no corrigió a Harry una segunda vez. Tenía que irse de la calle principal antes de que los agentes del Departamento de Seguridad se enteraran de dónde estaba y decidieran transmitirle su descontento por su interrogatorio a Erich Pretorius.

–¿En qué puedo ayudarte, Harry? –preguntó.

–¿Esta noche? –Harry le rodeó la muñeca con su huesuda mano y no le soltó–. ¿Esta noche, pequeño comisario?

Emmanuel miró a su alrededor para ver cuánta atención estaba recibiendo. Ninguno de los transeúntes hizo caso a la inusual estampa de un mestizo con gesto de aturdimiento agarrado a la muñeca de un blanco. Harry era el loco del pueblo: nadie esperaba que se comportara como un vecino normal de Jacob's Rest.

–A lo mejor esta noche –contestó Emmanuel cuando entendió la pregunta de Harry–. A lo mejor esta noche. Todavía no lo sé.

–Bien, bien –la sonrisa de Harry le iluminó el rostro y dejó ver la persona que había sido antes de la guerra: un atractivo hombre de piel clara con las ideas en orden–. Bien, pequeño comisario. Bien.

–Venga, ve. Esta noche me paso.

–Bien, bien.

El viejo soldado le soltó y giró en dirección a la comisaría. Emmanuel le puso la mano en el hombro y le dijo al oído:

–No vayas a la comisaría, Harry. El comisario Pretorius ya no vive allí.

–A casa –dijo Harry–. A casa.

Harry se alejó por la calle arrastrando los pies como un fantasma a plena luz del día. ¿Qué habría sido de él sin Angie, el bulldog que cuidaba de él y de sus hijas que jugaban a ser blancas? El mundo era un lugar hostil para los viejos soldados.

–¿Es usted amigo de Harry?

Era Louis. Se había materializado como una aparición a la luz del sol de primavera.

–Le he visto unas cuantas veces –dijo Emmanuel.

–Es soldado, como usted. Aunque eso no quiere decir que sea igual que usted.

–¿Ah, no?

A Louis debía de haberle llegado información sobre su paso por el ejército a través de sus hermanos.

–Tenemos que estar alerta contra nuestros sentimientos hacia ellos –dijo el joven Pretorius–. Espiritualmente nunca podrán ser nuestros iguales, por eso debemos permanecer separados y puros.

El brillo en los ojos de Louis incomodó a Emmanuel. Aquel sermón en el bordillo de la acera le había cogido de improviso y le trajo a la memoria el himno que había cantado Louis detrás de la licorería de Tiny.

–¿Estuvo tu padre en el ejército?

Un vínculo entre «compañeros de armas» podría explicar la decisión del comisario Pretorius de entregar las cartas a Harry y ayudar a las hijas del anciano a conseguir papeles de blancas.

–Mi padre no estuvo en la guerra inglesa –Louis se parecía mucho a su madre: suave por fuera pero acerado como un sable por dentro–. Dos de mis abuelos fueron generales en los comandos de la guerra de los bóers. Somos una familia de auténtico *volk*.

Los negros tenían razón. Louis y su madre compartían un orgullo desmedido por el linaje afrikáner de la familia y un gusto por la superioridad espiritual. Si antes de la caída viene la soberbia, pensó Emmanuel, Louis y su madre se iban a sumergir en lo más profundo del infierno.

–¿Vienes a recoger la pieza para tu moto? –preguntó Emmanuel. Recordó el traqueteo mecánico que había oído en la cabaña de piedra antes de perder el conocimiento. ¿Podía haber sido el motor de una motocicleta?

–Aún no ha llegado –contestó Louis.

Dickie salió al porche delantero de la comisaría moviéndose pesadamente y encendió un cigarro.

–A lo mejor hoy es tu día de suerte –dijo Emmanuel. Era hora de dirigirse al camino *kaffir*. La tarde estaba avanzando y todavía tenía que recuperar el expediente y leerlo.

–Oficial... –le llamó Louis–. Casi se me olvida. Mis hermanos le están buscando.

–Me encontrarán enseguida –dijo Emmanuel antes de echar a andar a toda prisa por delante de la fila de negocios de blancos de la calle Piet Retief. Tenía que meterse en el camino *kaffir* antes de llegar a la altura del almacén de material agrícola Pretorius, la peluquería Moira y el taller. La familia del comisario estaba por todas partes.

Emmanuel se detuvo a la entrada del camino. Louis estaba en las escaleras de la oficina de correos, observándole con la intensidad que había utilizado su madre al mirar fijamente el expediente policial. El joven le dijo adiós con la mano y desapareció en el interior del edificio donde la señorita Byrd, con la piel de color café, y la señorita Donald, de cutis rosado, clasificaban el correo según los grupos raciales y vendían sellos.

En el camino *kaffir*, Emmanuel pensó en Louis. El muchacho y su futuro tenían que haber sido fuente de tensiones en el hogar de los Pretorius. La señora Pretorius veía en Louis a un santo profeta. Una persona pragmática y realista como Willem Pretorius debía de haber visto otra cosa.

12

El sol se colaba entre las ramas del limonero del patio trasero de Poppies y dibujaba un mosaico de sombras en los informes policiales de las agresiones a las jóvenes mestizas. Seis meses de violencia y perversión que no habían dado ningún resultado.

Emmanuel volvió a comprobar las fechas. El acosador había actuado en dos períodos bien diferenciados. El primero había sido una campaña relámpago de diez días a finales de agosto, durante la cual había estado espiando a las mujeres por las ventanas. Después, en diciembre de 1951, había dado rienda suelta a sus impulsos durante un período de dos semanas de agresiones físicas cada vez más osadas. Cada informe era más siniestro que el anterior.

El autor había empezado el período de diciembre mirando por las ventanas y, al cabo de catorce días, los episodios habían evolucionado hasta terminar en una agresión con costillas rotas y privación de libertad. A los ojos de los tribunales y de la opinión pública, un hombre blanco que se demostrara culpable de esa clase de delitos era un desviado y un traidor a su raza. Paul Pretorius se había reído ante la idea de que el asesinato de su padre tuviera relación con un caso indecente en el que había mujeres de color implicadas, pero un hombre europeo, más que ningún otro, podría verse inclinado a tomar medidas drásticas para mantener oculto su ignominioso secreto.

Emmanuel cogió el último informe, escrito en afrikáans por el propio comisario Willem Pretorius.

Resumen del caso de abusos
28 de diciembre de 1951

Tras haber entrevistado de nuevo a las afectadas, considero que las probabilidades de llevar a cabo un arresto son remotas por las siguientes razones:

1. Ninguna de las mujeres puede identificar al agresor, ya que las agresiones tienen lugar de noche y las víctimas son agarradas por la espalda.

2. La raza del agresor sigue sin conocerse.

3. El acento del agresor parece indicar que se trata de un extranjero que quizá entre en Sudáfrica sin ser descubierto para agredir a mujeres de fuera de su territorio. Por la situación fronteriza de nuestro pueblo, Suazilandia y Mozambique son los lugares más probables de procedencia del agresor.

4. Dado que es muy probable que las agresiones estén siendo cometidas por un extranjero o por un vagabundo acampado en la frontera, la detención del agresor sigue siendo difícil.

5. El expediente del caso se reabrirá si se producen nuevas agresiones y cuando se produzcan.

Firmado:
Comisario Willem Pretorius

Un trabajo rápido. A los dos días de la última agresión, Pretorius ya tenía el caso resumido y el expediente guardado en su habitación privada. «Si se producen nuevas agresiones y cuando se produzcan...» El comisario había previsto el cese de las agresiones a pesar de que todo indicaba que el acosador estaba adoptando un comportamiento criminal grave y compulsivo. Una semana después de la intervención del comisario, el agresor había dejado de actuar. No había nuevas incidencias. Solamente el agradable silencio del campo, donde una semana antes se había estado oyendo el ruido de las costillas al fracturarse.

Emmanuel tamborileó con los dedos en el informe. Un extranjero o un vagabundo acampado en el *veld*: ¿quién habría podido esperar que Pretorius tuviera una imaginación tan viva? Por lo visto, poner un acento falso no estaba al alcance de las capacidades de un hombre sudafricano. El endeble resumen no acababa de convencerle. ¿Había encontrado el comisario al agresor y le había apretado las tuercas sin presentar cargos?

Al final del expediente había una lista de sospechosos a los que había interrogado el comisario durante su investigación. Anton Samuels, el mecánico, y Theo Hanson habían sido interrogados dos veces sin ningún resultado. Al final de la lista había un tal Frederick de Sousa, un viajante de comercio de Mozambique que había pasado por Jacob's Rest con una maleta de ropa interior barata. Había estado en el pueblo a la vez que se producían dos de las agresiones, pero no se le podía relacionar con ninguna de las demás.

De Sousa era toda la excusa que necesitaba Emmanuel para cruzar la frontera con Mozambique y visitar el estudio fotográfico anunciado en el calendario del comisario Pretorius. Se enfrentaría al Departamento de Seguridad por la mañana y después fingiría irse renqueando a Lorenzo Márquez para continuar con su trabajo antivicio.

Emmanuel apartó el informe de la policía. No había excusa para el absoluto desprecio hacia el trabajo que mostraba ese expediente chapucero. Él creía en la justicia y en su influencia en la vida de la gente. Se levantó y se dirigió a la parte trasera de Poppies.

–¿Señora Zweigman? –dijo metiendo la cabeza en el taller y llamando la atención de la mujer con la máxima delicadeza posible–. ¿Puedo hablar con Davida y con Tottie? Es por un asunto policial.

–Por favor…, con… –contestó la delicada mujer, trabándose–. Espere…

Lilliana Zweigman desapareció en la parte delantera de

222

la tienda y volvió con su marido, cuya mano descansaba sobre el brazo de ella.

–Tengo que hablar con Davida y con Tottie –dijo Emmanuel. El murmullo de las máquinas se apagó y un silencio lleno de expectación ocupó su lugar.

–Le acompaño. Davida y Tottie, por favor, venid conmigo. Angie, ¿puedes encargarte del mostrador?

–Sí, señor Zweigman.

Angie empujó su silla hacia atrás y fue a ocupar su puesto en la parte delantera de la tienda. Las máquinas de coser volvieron a ponerse en marcha y las dos mujeres que quedaban siguieron trabajando, poniendo las mangas a vestidos de algodón a medio hacer.

Emmanuel condujo a las mujeres a una mesa colocada a la sombra del limonero. No miró al tímido pajarito mestizo. No podía permitirse delatarla ante nadie ni desvelar que tenía información sobre el calendario. Zweigman se quedó en la ventana de la parte de atrás de la tienda con la nariz pegada al cristal. Mostraba un interés casi paternal por las mujeres al cuidado de su esposa. ¿O era más que eso? Desde luego el comisario Pretorius pensaba que había algo más.

–Sentaos –ordenó Emmanuel a Tottie y a Davida mientras deslizaba dos hojas en blanco y dos lápices por la mesa–. Quiero que me dibujéis un plano de vuestras casas. Poned lo que es cada habitación. Dibujad las ventanas y las puertas. Señalad la habitación en la que apareció el mirón.

–Sí, oficial –Tottie le dirigió una sonrisa con la que estaba asegurado saltarle los botones de la bragueta a un hombre adulto. A la hermosa mestiza le daba igual cuántas polillas se quemaran al contacto con su luz.

Davida estaba inclinada sobre el papel con gran concentración. Dibujó el contorno de una casa con una pequeña habitación para el servicio en la parte trasera.

–Oficial –dijo la Ardiente Tottie, desconcertada ante la desacostumbrada falta de atención masculina–, ¿es esto lo que quiere?

Emmanuel se aseguró de mirarla a los ojos antes de bajar

la vista hacia el plano, que había dibujado deprisa y corriendo pero que cumplía su función.

—Es exactamente lo que quiero —dijo con una sonrisa.

El tímido pajarito mestizo deslizó su plano terminado por la mesa sin decir una palabra. No levantó la vista ni una sola vez. Emmanuel puso los dibujos juntos y los analizó, fijándose especialmente en la ubicación de las habitaciones en las que había actuado el mirón.

Puso el dedo sobre el plano de Tottie.

—¿Tu habitación está aquí, al fondo de la casa?

—Lo estaba —dijo la hermosa joven, que se pasó un mechón de pelo moreno por encima del hombro para que se le viera mejor el escote—. Mi padre me cambió a la habitación de delante cuando pasó la segunda vez.

—¿Tu habitación está aquí, separada del resto de la casa? —le preguntó a Davida.

—Sí. Mi cuarto es lo que antes era la habitación del servicio.

—¿Vives con la abuela Mariah?

Sus ojos grises se alzaron rápidamente con un gesto de sorpresa.

—Sí.

Emmanuel quería preguntarle por qué no vivía en la casa con su abuela, pero volvió a concentrarse en los planos. Tanto la habitación de Davida como la de Tottie estaban en el extremo trasero de la casa y tenían ventanas que daban al camino *kaffir*. ¿Era ése un rasgo común a todos los lugares donde se habían producido los hechos?

—¿Sabéis alguna de las dos cómo es la disposición de la casa de Anton? —preguntó.

—Tú sabes dónde están los dormitorios de la casa de Anton, ¿verdad, Davida? —dijo Tottie, que estuvo a punto de ronronear de satisfacción cuando la piel de Davida se puso dos tonos más oscura por el rubor.

Davida no mordió el anzuelo y se limitó a coger un trozo de papel de la mesa y hacer un croquis.

—La habitación de Mary está en la parte de atrás —dijo

mientras le daba a Emmanuel el plano de la casa de Anton–. El cuarto de Della también está al fondo.

–¿Pasa el camino *kaffir* cerca de los límites traseros de todas las casas?

–Yo no sé nada del camino *kaffir* –dijo Tottie–, mi padre sólo me deja usar las calles principales. Esa pregunta tendrá que contestársela Davida, oficial.

Emmanuel evaluó a Tottie. Aquella hermosa joven llena de curvas era una niña mimada aficionada a los golpes bajos. Prácticamente había llamado *kaffir* a su compañera de trabajo al insinuar que las chicas decentes, las chicas con un padre que cuidara de ellas, no se acercaban al oscuro mundo de los nativos. ¿Por qué el tímido pajarito era el blanco de los ataques de Tottie?

–El camino pasa por detrás de todas las casas –dijo Davida sin apartar la atención de sus uñas.

La conexión entre las habitaciones y su proximidad al camino *kaffir* era demasiado evidente para no verla. ¿Cómo había conseguido el agresor esquivar al comisario, que patrullaba el camino y las calles casi todos los días de la semana? En ese momento se le ocurrió una idea radical.

–Y el agresor... ¿era un hombre grande como el comisario Pretorius?

–No lo sé –anunció Tottie con una sonrisa triunfal–. A mí ese hombre no me puso la mano encima. Mi padre y mis hermanos se encargaron de que estuviera a salvo.

Una sola cucharadita de la Ardiente Tottie daba para mucho. Emmanuel tenía para una semana con lo que había probado.

–Puedes volver al trabajo –le dijo–. Tengo unas cuantas preguntas más para Davida.

–¿Seguro, oficial?

–No quiero hacerte sentir incómoda con los detalles escabrosos de las agresiones. No tienes por qué oír unas cosas tan desagradables.

–Claro –dijo Tottie. Parecía decepcionada por perderse lo bueno.

Se alejó dándose aires y Emmanuel esperó a que se metiera en la tienda para volverse hacia Davida.

—¿Era el agresor un hombre grande como el comisario Pretorius? —volvió a preguntar.

—Era más grande que yo, pero no tan grande como el comisario.

—¿Cómo lo sabes? —preguntó. La conexión entre el comisario y el acosador era demasiado fuerte para descartarla. Willem Pretorius recorría los caminos *kaffir* día y noche impunemente y tenía autoridad para interrumpir la investigación cuando las cosas se complicaran. ¿Se había estado protegiendo a sí mismo todo el tiempo?—. ¿Conocías tanto al comisario como para estar segura de que no fue él el hombre que te agarró?

—El comisario Pretorius era muy alto y tenía los hombros anchos. Eso lo sabía todo el pueblo —contestó Davida, que apartó las manos de la mesa y se las puso en el regazo para que Emmanuel no pudiera verlas—. El hombre que me agarró no era tan alto.

—¿Crees que era blanco?

—Era de noche, no le vi. Tenía un acento extraño. Como un hombre blanco de fuera de Sudáfrica.

—¿Podía ser portugués?

—Puede, pero creo que no.

Emmanuel vio que el viejo judío seguía teniendo la nariz pegada a la ventana trasera de la tienda. Así que no era la Ardiente Tottie la que le gustaba a Zweigman. Era el tímido pajarito mestizo el que le interesaba.

—¿Seguro que no estás acostumbrada a que te toquen los de mi clase? —preguntó Emmanuel sin rodeos. Quizá la joven de ojos grises estuviera guardando unos cuantos secretos más aparte de los suyos.

Davida se movió inquieta en su silla pero no levantó la mirada.

—Que no tenga padre no significa que vaya por ahí saliendo con medio mundo.

—¿Y Anton? ¿Estuviste saliendo con él?

Quería saber si se había equivocado al juzgarla como una

226

mujer silenciosa y observadora que prefería encerrarse en sí misma.

–Salí con Anton unas cuantas veces, pero no funcionó.

–¿Me has dicho la verdad sobre todo, Davida?

–¿Por qué iba a mentir?

–No lo sé.

Emmanuel sintió un deseo malsano de arrancarle el pañuelo de la cabeza y desabrocharle el vestido de algodón amorfo para poder buscar los escondites que intuía bajo la superficie. Davida levantó la vista de repente y él tuvo que apartar la mirada.

–Puedes volver al trabajo.

Hizo como si se pusiera a ordenar los informes y después la observó meterse en la trastienda. ¿Ocultaba algo Davida o era simplemente que Emmanuel estaba recuperando esa indecorosa sensación de poder sobre ella que había tenido delante de la cabaña?

Emmanuel salió del camino y pasó por delante de la oficina de correos antes de dirigirse a la entrada trasera de la comisaría. Se apoyó en un árbol y esperó a que apareciera Shabalala en su bicicleta. Se estaba poniendo el sol y el camino *kaffir* se había llenado de filas de negros que volvían al poblado a pasar la noche.

–Han estado buscándole –le dijo el agente después de intercambiar un saludo.

–¿Siguen buscando?

–Ha habido muchas llamadas de Graystown y ahora ya no le buscan.

–¿Llamadas sobre qué?

–Un hombre. Un comunista –dijo Shabalala–. Eso es lo único que he oído.

–¿Y cómo has oído eso? –preguntó Emmanuel. ¿Cómo entraba y salía de una investigación del Departamento de Seguridad un hombre de más de un metro ochenta sin llamar la atención?

–El té –dijo Shabalala con seriedad–. Mi madre. Ella me enseñó a preparar un buen té.

–Ah...

El sirviente negro invisible era un elemento grabado a fuego en el modo de vida de los blancos. Shabalala lo había aprovechado al máximo.

Fueron avanzando por detrás de la fila de casas de la calle Van Riebeeck y enseguida llegaron a la altura de la casa del comisario. La puerta del cobertizo estaba abierta y el sonido de un alegre tarareo llegaba hasta el camino *kaffir*.

Dentro del cobertizo, Louis estaba trabajando en la motocicleta Indian, a la que le faltaba poco para estar completamente montada. Tenía el mono lleno de grasa y las botas de piel salpicadas de aceite y mugre. ¿Conseguía el contenido de un himnario poner a Louis a tararear en voz alta con tanta alegría?

–Ese chico... –dijo Emmanuel señalando hacia donde estaba Louis cuando dejaron atrás la casa del comisario–, ¿va a ser pastor?

–Eso ha dicho la señora a todo el mundo.

–Y tú no lo ves claro.

–Yo sólo veo que es diferente.

–Yo también lo veo –contestó Emmanuel mientras seguían avanzando por el estrecho camino.

La glacial señora Pretorius era consciente de que Louis no era como sus otros hijos, pero ella prefería interpretarlo como una señal de grandeza.

–Estaba pensando... –dijo Emmanuel, que siguió durante un momento con la familia afrikáner–. ¿Cuándo te dijo el comisario Pretorius que el viejo judío era médico?

–Antes de mediados de año –contestó Shabalala–. Creo que en abril.

–Antes de que ocurriera el accidente delante de la tienda –dijo Emmanuel–. ¿Cómo sabía que Zweigman era médico?

–El comisario no me dijo por qué lo sabía. Sólo me dijo que el viejo judío me curaría mejor que el doctor Kruger.

Mejor. Eso era un juicio de valor. Willem Pretorius sabía

que Zweigman era algo más que un médico de cabecera normal y corriente. El astuto comisario tenía vigilado a todo el pueblo menos al asesino.

–¿Dónde está la casa del viejo judío? –preguntó Emmanuel.

–Está en la misma calle que la iglesia de los holandeses. Es una casa pequeña de ladrillo con un tejado rojo y un eucalipto al lado de la puerta.

Siguieron caminando en silencio hasta llegar al hospital Gracia Divina. En un solar vacío, la hermana Angelina y la hermana Bernadette estaban dando patadas a un balón de fútbol lleno de parches con un grupo de huérfanos. El polvo se elevaba a la luz del crepúsculo mientras la diminuta monja irlandesa regateaba a los defensas del equipo contrario y se disponía a lanzar a puerta. Los jugadores descalzos del equipo de fútbol dieron un grito cuando la hermana Angelina se lanzó hacia un lado y atrapó el balón que surcaba el aire hacia la red. Para poder prosperar en África, las monjas tenían que lanzar y parar unos cuantos tiros a puerta.

Emmanuel saludó con la mano y siguió avanzando con Shabalala hasta el grupo de casas de los mestizos, donde había una camioneta con las palabras «Khan's Emporium» pintadas aparcada delante de una puerta de madera. Dos hombres indios estaban cargando el vehículo con cajas llenas de tarros con cierre hermético bajo la mirada atenta de la abuela Mariah.

–Oficial. Agente Shabalala –dijo la matriarca de mirada acerada mientras les dirigía un enérgico saludo con la cabeza–. ¿Qué tal va la investigación?

–Seguimos haciendo indagaciones –contestó Emmanuel.

Un enorme huerto con productos para vender, lleno de surcos en la tierra, se extendía a lo largo de todo el jardín trasero de la casa. En un extremo, a la derecha, estaba la construcción de una sola habitación que anteriormente había servido de alojamiento para el servicio.

–¿Ése es el cuarto de Davida? –preguntó señalando la edificación, que tenía las paredes encaladas y estaba rodeada de plantas en flor y cajas de madera vacías apiladas hasta la altura del alféizar de la ventana.

–Sí. ¿Y eso qué tiene que ver con nada? –preguntó la abuela.

Emmanuel se acercó a la puerta abierta del jardín y miró hacia la pequeña habitación blanca. La ventana con cortinas se veía bien desde el camino *kaffir*. Comprobó el mecanismo de cierre: la puerta se mantenía cerrada con una pieza de madera que encajaba en dos soportes colocados a los lados de la entrada.

–¿Esto ha estado aquí siempre?

–Lo mandé poner después de que ese hombre agarrara a Davida. No volvimos a tener problemas después de poner el cierre.

¿Había renunciado el agresor a satisfacer sus impulsos cuando se le complicó el acceso a las mujeres? A Tottie la habían trasladado a la parte delantera de la casa, donde tenía a su padre y a sus hermanos alrededor, y la puerta del jardín de Davida estaba bien cerrada.

–¿Pusieron seguridad extra las otras mujeres agredidas?

–Huy, sí –la abuela Mariah se detuvo para dirigir a uno de los hombres indios hacia la última caja de tarros de encurtidos–. Cuando pasó la primera vez, en agosto del año pasado, los hombres empezaron a patrullar el camino *kaffir* por las noches, pero pasaron tres semanas y no habían oído ni un suspiro. Fue como si el hombre se hubiera evaporado, así que todo el mundo siguió con su vida. Entonces llegaron los problemas de diciembre y todos pusimos cerrojos.

–¿Qué opinaba el comisario acerca de las patrullas?

Por la noche, el camino *kaffir* era el territorio de Willem Pretorius. Quizá no hubiera recibido con los brazos abiertos a una patrulla rival.

–Dijo que no había inconveniente siempre que los hombres se quedaran en la zona mestiza. No podían pasar del hospital o de la zapatería Kloppers y acceder al otro lado del pueblo.

A pesar de lo que había dicho Davida sobre la estatura de

su agresor, Emmanuel no conseguía librarse de la persistente sensación de que Willem Pretorius pudiera encajar en el perfil del autor de los hechos. El afrikáner conocía los caminos *kaffir* como la palma de su mano y estaba acostumbrado a recorrerlos sin levantar sospechas. Conocía a las mujeres y sabía dónde vivían. La patrulla no era ningún obstáculo para su actividad. Ningún grupo de mestizos se atrevería a detener a un comisario de policía blanco para interrogarle.

Si Willem Pretorius estaba implicado en las agresiones, quedaba abierto todo un nuevo abanico de posibilidades en relación con su muerte. ¿Qué vía legal podía seguir un hombre mestizo al descubrir que un comisario de policía blanco estaba abusando de sus hermanas? Tiny y Theo habían ido detrás del propio Emmanuel con un arma cargada.

Apoyó el hombro en el poste de la puerta del jardín. Desde detrás de la cortina de la habitación de Davida llegó la luz titilante de una vela. Una sombra pasó por la ventana. Señales de una vida modesta y secreta. ¿Qué hacía el tímido pajarito mestizo cuando caía la noche?

—¿Están comprobando las habitaciones de las otras chicas o sólo la de Davida? —preguntó cortantemente la abuela Mariah.

—Sólo me estaba preguntando cómo consiguió esquivar el agresor al comisario Pretorius. El comisario estaba siempre aquí, ¿no?

—¿Aquí? ¿Quién dice que estuviera aquí, en mi casa?

—Quería decir en el camino *kaffir*. El comisario pasaba corriendo por aquí un par de veces a la semana, ¿no?

—A veces pasaba y otras veces no. No iba repartiendo horarios.

—No, no iba repartiendo horarios.

Emmanuel dio las buenas noches levantándose el sombrero y se puso en marcha con Shabalala. Una vez que el último criado se iba a casa, el camino se convertía en el territorio de Willem Pretorius y de un puñado de mestizos que se tomaban un descanso en su partida de póquer semanal. ¿Había abusado el comisario de su poder y acosado a mujeres a las que sabía que seguramente la justicia no iba a tomar en serio? ¿Qué otra alternativa tenía un hombre mestizo que no fuera coger un arma y salir a por el agresor para que se hiciera justicia?

–*Hamba gashle*. Que te vaya bien, Shabalala –dijo Emmanuel. El alto policía pasó la pierna por encima de la bicicleta y se agarró al manillar para recuperar el equilibrio. Emmanuel no podía mencionar sus sospechas sobre el comisario todavía.

–*Salana gashle*. Que siga usted bien, oficial.

El agente negro se alejó pedaleando en la penumbra. Enseguida desapareció, dejando tras de sí una puesta de sol roja. Emmanuel pasó por delante de la iglesia y las tiendas de los mestizos. Dejó atrás jardines vallados, protegidos de la noche con cerrojos y barrotes, dejó a un lado el camino que conducía a la pensión Protea y a su habitación, y avanzó después por la curva de las afueras del pueblo, desde la que vio jardines cultivados que contrastaban con el agreste *veld*.

Mantuvo el ritmo hasta llegar a la desvencijada puerta de un jardín trasero. Sacó una carta que había conseguido por la tarde en la oficina de correos a través de la señorita Byrd. Iba dirigida al comisario, pero en realidad era para Harry, de una de sus hijas. Ahora que vivía como si fuera blanca, no tenía otra forma de comunicarse con su padre sin poner en peligro su nuevo estatus.

El fantasma de Willem Pretorius cobró vida dentro de Emmanuel. Se acercó a la puerta trasera de Harry, llamó dos veces y deslizó la carta con matasellos de Durban en la ruinosa habitación del viejo soldado. Se alejó rápidamente, como sabía que había hecho el buen comisario, y volvió a dirigirse al camino.

La oscuridad le rodeó. Se paró aquí y allá para escuchar las voces que salían de las habitaciones de la parte trasera de las casas. La bendición de una mesa antes de la cena, una discusión, los sollozos inquietos de un niño… Los habitantes de Jacob's Rest se preparaban para despedir un día más. De nuevo en casa de la abuela Mariah, apoyó la espalda

232

contra la puerta de barrotes y se imaginó la pequeña habitación de Davida, rodeada de plantas y flores. Se oyó el susurro de las hojas del eucalipto y el suspiro del viento.

A su derecha, una pisada sigilosa agitó la maleza y después volvió a hacerse el silencio. Emmanuel se quedó quieto. Una segunda pisada avanzó en la oscuridad. Había algo o alguien dirigiéndose lentamente hacia él. Movió el cuerpo hacia delante y la puerta volvió a la posición en la que estaba con un fuerte chasquido.

Se oyó un resoplido y un cuerpo que se deslizaba a través de la oscuridad. Emmanuel se giró, salió del camino *kaffir* y dio una vuelta completa sobre sí mismo intentando localizar el origen de los sigilosos movimientos. Lo único que se oía era el murmullo de la hierba y las hojas. Expulsó aire y la noche le envolvió. Bajo el manto de la oscuridad, sintió una presencia humana cerca de él. Había alguien en el *veld*, observando.

A la mañana siguiente, Emmanuel entró en la comisaría a las nueve y veinte, preparado para cualquier cosa tras haber interrogado a Erich Pretorius. En lugar de una emboscada, se encontró a los policías del Departamento de Seguridad y al soldado Paul Pretorius agolpados alrededor de la mesa del comisario. Sonó el teléfono y Piet se abalanzó sobre él.

–*Ja?* –dijo mientras sacaba un cigarro de su cajetilla con unos golpecitos y se lo ponía en la comisura de los labios.

Paul y Dickie se inclinaron junto al teléfono. Había una corriente eléctrica en el ambiente que señalaba el comienzo de una gran ofensiva. El Departamento de Seguridad estaba listo para actuar.

–No hagáis nada –Piet succionó la nicotina de su cigarro–. Dentro de tres horas estamos allí. Esperadnos. ¿Entendido?

Piet colgó el teléfono bruscamente y se volvió hacia Dickie.

–Ve al hotel y prepara nuestras maletas. Esta noche nos movemos –y, volviéndose hacia Paul, dijo–: ¿Vienes con nosotros?

–No me lo perdería por nada del mundo.

El corpulento soldado estaba listo para la acción, con los músculos del cuello y los hombros llenos de nudos y tensos por la expectación.

–Sólo para una noche –le advirtió Piet–. Mañana volvemos aquí con el paquete. Para poder trabajar sin llamar la atención.

Emmanuel se apartó de la pared y se acercó a ellos. Quería dar el parte y que le dieran permiso para irse enseguida. El paso de la frontera y su entrada en Mozambique estaban a sólo unos minutos.

–¿Puedo ayudaros en algo? –preguntó al equipo del Departamento de Seguridad.

Piet echó una nube de humo al aire.

–¿Dónde has estado?

–Investigando el caso de los abusos. Estoy siguiendo la pista a un sospechoso que vive en Lorenzo Márquez. Un vendedor de ropa interior.

Piet entornó los ojos y Emmanuel se preguntó si había ido demasiado lejos incluyendo el comentario sobre la ropa interior. El agente del Departamento de Seguridad le escudriñó durante unos instantes e intentó estudiar los distintos ángulos de la pista de Mozambique.

Sonó el teléfono y Piet lo cogió antes de que Dickie o Paul tuvieran oportunidad de contestar. A Piet le encantaba estar al mando.

–No hagáis nada –dijo Piet con calma por el auricular–. Seguidle y observad, nada más. Nosotros dirigiremos la operación cuando lleguemos.

Colgó el teléfono de golpe y volvió a centrar su atención en Emmanuel. Su sonrisa era una fea trinchera cavada en su rostro irregular y lleno de marcas de acné.

–Más vale que esta excursión a Mozambique esté relacionada con el caso de los abusos. No quiero que se repita lo de ayer.

–Eso fue un error –Emmanuel le dijo a Piet lo que quería oír–. Me extralimité, pero no volverá a ocurrir.

234

–Más vale que no –dijo Paul Pretorius, que avanzó hacia él con el dedo índice extendido como una espada–. Tienes suerte de que no te encontráramos ayer, amigo.

Emmanuel sintió una presión en el pecho acompañada de un pinchazo cuando Paul le empujó con fuerza. El hecho de que Emmanuel fuera a librarse del castigo le enfurecía.

–Ve a preparar tus cosas –le ordenó Piet sin alterarse–. Si Cooper vuelve a pasarse de la raya, nos ocuparemos de él más concienzudamente. ¿Entendido?

–Bien –dijo Paul. El atractivo de darle una paliza en el futuro bastó para apaciguarle y hacer que se dirigiera a la puerta principal.

Piet recogió los expedientes de la mesa y se los dio a Dickie.

–Pon esto con el equipaje y echa gasolina al coche. Te veo en el hotel.

Emmanuel dio un buen margen a los hombres del Departamento de Seguridad para que se pusieran en marcha. Les daría una hora para que salieran del pueblo y después se pondría en camino hacia la frontera con el nombre del estudio fotográfico metido en el bolsillo de la chaqueta.

Piet se detuvo en la puerta y le lanzó una mirada fría por encima del hombro. Seguía preocupado por la pista de Mozambique y no le gustaba la idea de que el policía inglés andara cruzando fronteras internacionales sin nadie que le vigilara.

–¿Te acuerdas de lo que te prometí?

–¿Lo de ponerme mi cara inglesa del revés? –dijo Emmanuel–. Sí, me acuerdo.

El equipo del Departamento de Seguridad salió a la calle y desapareció. Tenían a un pez gordo comunista en el anzuelo y eso era mucho más importante que la necesidad de castigar a un polizonte encargado de atrapar a un pervertido.

Emmanuel atravesó la comisaría hasta la parte trasera y se encontró a Hansie y a Shabalala sentados en el patio.

–¿Dónde está el subcomisario Uys? –preguntó mientras tomaba asiento entre el policía adolescente y el agente zulú.

—Se ha ido —contestó Hansie—. A él le dejan ir con los otros.

Estaba claro que le molestaba que le excluyeran del coche lleno de tipos duros. Incluso Hansie se daba cuenta de que mandarle fuera con el *kaffir* mientras los otros blancos hablaban de cosas importantes era un punto bajo en su carrera policial.

—Ve adentro —le dijo Emmanuel—. Puedes sentarte a la mesa del comisario y contestar el teléfono.

Hansie estaba en marcha antes de que terminara la frase. Obviamente, nunca le habían dejado sentarse en la silla del comisario.

—¿Qué te han dicho que hagas tú? —le preguntó a Shabalala en zulú.

—Quedarme aquí. Ir a casa cuando se haga de noche y volver mañana.

—Yo tengo que ir a Lorenzo Márquez, sólo un día. ¿Puedes encargarte de que ese chico se quede ahí dentro, no se meta en líos y haga su trabajo?

—Haré lo que pueda —contestó Shabalala.

—Oficial... —gritó Hansie con una voz estridente—. ¿Oficial Cooper?

Hansie estaba en la puerta trasera dando saltitos de una pierna a la otra.

—Un mensajero. Tiene un sobre especial.

A Emmanuel se le contrajo el estómago de la emoción. ¿De verdad podía tener tanta suerte? Fue corriendo al despacho de la entrada, donde había un mensajero cubierto de polvo esperando junto a la mesa del comisario. Hansie fue detrás, pegado a él.

—¿Puedo ayudarte? —preguntó Emmanuel.

—Un sobre para el subinspector Piet Lapping —dijo el joven, que vestía un mono de viaje marrón y que habló casi sin abrir la boca.

—¿Eres de un servicio de mensajería? —preguntó Emmanuel, que sabía perfectamente que el Departamento de Seguridad no se fiaba de nadie ajeno a la organización para transmitir información.

–No –la boca del mensajero se transformó en una marcada línea de descontento–. Soy del Departamento de Seguridad.

Emmanuel entendió el motivo de la actitud taciturna. Al joven mensajero, la crema de la academia de policía y seleccionado cuidadosamente para el Departamento de Seguridad, no le hacía gracia haber sido escogido para la vulgar tarea de llevar un sobre a un pueblo recóndito y atrasado. El valor de la información aún no se le había hecho patente.

–Yo soy el oficial Emmanuel Cooper, de la policía judicial –se presentó–. Me temo que se te ha escapado el subinspector Lapping. Está fuera cumpliendo una misión y no sabe cuándo volverá.

–Se han ido todos –añadió Hansie mientras daba una vuelta en la silla del comisario–. Hasta se han llevado al subcomisario Uys.

–Yo te puedo firmar el sobre con mucho gusto –dijo Emmanuel, asediando al disgustado mensajero y a su paquete–. Yo me encargo de dárselo al subinspector Lapping cuando vuelva.

–Tiene que recibirlo el subinspector Lapping previa firma. Ésas son mis órdenes.

–¿Tiene que ser el subinspector Lapping el que firme para que le den el paquete?

–Exacto.

–Podrías dejarlo en el buzón de la policía que hay en la oficina de correos –le sugirió Emmanuel. La señorita Byrd le había explicado con todo detalle en su primer encuentro cómo funcionaba el servicio postal–. El subinspector Lapping es el único que puede retirarlo con su firma, y tendrá que identificarse para que le dejen llevarse el paquete.

–No sé…

El mensajero se frotó la barbilla bien afeitada para quitarse el polvo que se le había acumulado al meterse por equivocación en el camino de una granja y tener que dar la vuelta para volver a la carretera principal. Las ruedas de la moto todavía tenían estiércol de vaca fresco en las ranuras.

–Puede que el subinspector Lapping esté aquí mañana cuando vuelvan a mandarte con el paquete –continuó Emmanuel–. O quizá no vuelva hasta pasado mañana. No puedo prometerte nada.

El mensajero recorrió la comisaría de pueblo con la mirada como si fuera un médico inspeccionando una casa afectada por la peste. No quería tener que ponerse en camino antes del amanecer y atravesar el país para que le mandaran de vuelta una y otra vez.

–¿El subinspector Lapping es el único que puede retirar el paquete con su firma?

–Y con su identificación –enfatizó Emmanuel.

–De acuerdo –el mensajero hizo como si estuviera considerando seriamente la idea al tiempo que se ponía los guantes de motorista, preparándose para el viaje de vuelta a la ciudad–. ¿Está cerca la oficina de correos?

–En esta misma calle –dijo Emmanuel–. Te acompaño y le pedimos a la señorita Byrd que meta el sobre en el buzón de la policía con su firma.

13

Eran las doce y cuarto del mediodía cuando Emmanuel aparcó el Packard en el paseo marítimo de Lorenzo Márquez. Las tranquilas aguas de la bahía Delagoa lamían la arena y las gaviotas revoloteaban en el cielo. Había turistas con la piel de todas las tonalidades caminando por el paseo, las mujeres con vestidos de algodón de colores vivos y los hombres con pantalones cortos de dril y camisas de sport con el cuello abierto.

Emmanuel tomó una profunda bocanada de aire fresco y salado. Era agradable estar al sol y saber que el Departamento de Seguridad y los hermanos Pretorius se encontraban en otro país. Cruzó la ancha avenida hacia el mar. La marea estaba alta. Los pescadores estaban metiendo sus redes en el agua y los *dhows* de bajo calado de estilo árabe se deslizaban por el horizonte apenas rozando el agua. Hacia el sur se levantaba un largo embarcadero de madera con barcas amarradas.

Un grupo de pescadores con las caras coloradas estaba cargando provisiones a bordo de un ancho arrastrero para una excursión de pesca en alta mar. El embarcadero era el lugar obvio para encontrar un guía que le llevara al estudio fotográfico a cambio de algo de dinero.

—*Samosas* calientes, helados... —oyó a los vendedores anunciar sus mercancías mientras avanzaba junto a la playa. Un artista callejero de piel cetrina entretenía a un grupo de turistas lanzando cacahuetes al aire para un mono atado a una cuerda deshilachada. La entrada al embarcadero estaba abarrotada de carteles caseros que anunciaban visitas a las islas y barcos de pesca para alquilar. Había un letrero que destacaba entre los demás. Anunciaba la isla de Santa Lucía. Detrás del cartel estaba amarrado un elegante velero de madera, un himno a la artesanía costosa y tradicional. En la popa tenía escrito *Saint Lucia Lady*.

–*Baas...*, *senhor...*, *mister...*

Un grupo de niños de piel morena esperaba la oportunidad de sacarles las monedas de los bolsillos a los turistas. Un muchacho con las piernas largas y delgadas se le acercó corriendo.

–¿Gambas, cerveza, pollo al piri-piri? Yo le consigo al *baas* lo que quiera, sea lo que sea –dijo el muchacho. El final de la frase fue acompañado de un guiño teatral y una sonrisa que dejó ver una dentadura con dos dientes de menos. El niño tenía unos siete años y ya estaba familiarizado con los hombres blancos en busca de placeres ilícitos.

Emmanuel se sacó del bolsillo el nombre del estudio fotográfico y lo leyó en voz alta. Lo más probable era que aquel pequeño guía con las piernas como palillos y con tanto mundo no supiera leer ni escribir. La calle era su escuela.

–Estudio fotográfico Carlos Fernández, ¿conoces ese sitio?

El chico contestó:

–Conozco todos los sitios de Lorenzo Márquez. Le llevo por sólo cincuenta peniques, *baas*.

Emmanuel le dio veinticinco peniques al niño.

–La mitad, ahora; el resto, cuando lleguemos al estudio. ¿De acuerdo?

–Venga conmigo.

El niño le llevó por el paseo marítimo, donde pasaron por delante de todo un despliegue de vendedores de helados, mazorcas de maíz a la parrilla y baratijas. Las calles bullían de vida y Emmanuel se relajó por primera vez desde que había encontrado al comisario Pretorius flotando en el río.

Avanzaron por una gran avenida bordeada de flamboyanes y jacarandas que crecían sin control y, a continuación, por el borde de un mercado al aire libre en el que vendían frutas y pescado. Más adelante, el pequeño guía giró a la izquierda y después, enseguida, a la derecha, antes de detenerse delante de un edificio anodino en el que no ponía el número de la calle ni ningún nombre que sirviera para identificar el negocio. El escaparate, donde había expuesta una cámara de cajón antigua delante de una cortina de terciopelo azul llena de polvo, era lo único que daba alguna pista sobre la actividad del edificio.

Emmanuel le dio el resto del dinero a su guía y abrió la puerta del estudio. Un corpulento portugués que lucía una grasienta mata de pelo con la que se tapaba la calva y media docena de cadenas de oro gruesas como neumáticos en el cuello estaba sentado detrás del bajo mostrador de madera. Sonrió y dejó ver una dentadura llena de empastes dorados y plateados.

–¿Puedo ayudarle?

La voz sonó como si el hombre gordo y grasiento tuviera la tráquea llena de gravilla.

–Vengo a buscar lo de Willem Pretorius –dijo Emmanuel–. Le han detenido y no puede venir a recoger lo de este mes.

El hombre se pasó la mano por los temblorosos pliegues que formaba su cuello e hizo como si pensara.

–¿Pretorius? No recuerdo ese nombre.

–Éste es el estudio fotográfico Fernández, ¿no?

Emmanuel mantuvo la calma y siguió presionando.

–Sí, claro. Pero sigo sin acordarme del hombre del pedido que viene a recoger.

–Es un tipo grande, con la nariz rota y el pelo corto y rubio.

El hombre que Emmanuel supuso que era Fernández se llevó la mano a las cadenas de oro que le colgaban del cuello. Llevaba la camisa de seda verde lo suficientemente abierta para que se viera su amplio escote.

–No –dijo negando con la cabeza–, no recuerdo a ese hombre.

–A lo mejor se acuerda alguna otra persona que trabaje aquí. Me juego la vida si vuelvo a Sudáfrica sin su pedido, y ésta es la dirección que me ha dado.

–Ahmed –croó con fuerza la rana toro portuguesa–. ¡Ahmed!

Un hombre enjuto con el pelo negro y unos ojos inquietos de cría de foca salió disparado de la trastienda y se quedó al lado del señor Fernández. Parecía una mezcla de árabe y africano negro y llevaba una bata blanca de laboratorio; olía a productos químicos y a sudor. Llevaba un casquete de ganchillo sujeto a la cabeza con cuatro enormes horquillas.

–Ahmed, este caballero está buscando un pedido de un tal...

Fernández hizo una pausa dramática y miró a Emmanuel en busca de ayuda.

–Willem Pretorius. Un hombre grande con la nariz rota –Emmanuel le repitió la descripción a Ahmed, cuya atención iba saltando de un objeto a otro de la habitación sin detenerse en nada en particular.

–Señor Fernández –dijo Ahmed, tocando suavemente el hombro a su jefe con unos dedos llenos de manchas amarillas mientras esperaba pacientemente a que le hiciera caso.

Fernández giró pesadamente su enorme mole en sentido contrario a las agujas del reloj y miró fijamente a su empleado.

–Contesta a la pregunta de este caballero para que se convenza de que se ha equivocado de sitio.

–Las *samosas*. Rose ha traído las *samosas* y el café. Todavía están calientes.

El obeso hombre, animado por la perspectiva de la comida frita y la cafeína, se incorporó en la silla con gran esfuerzo y se puso de pie dificultosamente.

–Siento que no hayamos podido ayudarle a localizar el pedido de su amigo, pero ahora vamos a cerrar el estudio para celebrar que es mi santo. Ahmed, acompaña al caballero a la puerta y echa el cierre cuando salga.

–Por supuesto, señor Fernández –dijo el empleado del laboratorio, que fue corriendo a la puerta de la tienda y la abrió con un gesto ceremonioso–. Por aquí, por favor.

Emmanuel repasó las alternativas que tenía y llegó a la conclusión de que la única que le quedaba era marcharse y regresar cuando el grueso señor Fernández estuviera alimentado y descansado. Cuando estaba saliendo por la puerta, Ahmed se acercó a él.

–Tiene usted que ir a bañarse y después a tomarse un helado –le dijo en un aparte el dependiente, susurrando con fuerza–. A las cinco en punto tiene que ir al café Lisboa. Yo también estaré allí a esa hora.

–¿A las cinco en el café Lisboa?

–Sí. Si llego tarde, quizá le apetezca pedir el pescado al curry. Está muy bueno.

La puerta se cerró tras él y Emmanuel vio que su pequeño guía le estaba esperando calle arriba. El muchacho se le acercó corriendo.

–Necesito comprar un bañador –dijo Emmanuel–, ¿conoces algún sitio?

–Por supuesto –respondió el muchacho–. Pero primero le voy a llevar a un sitio para que cambie su dinero. Le conseguiré el mejor cambio, *baas*. Después le llevaré a comprar el bañador. En esa tienda le conseguiré el mejor precio.

–De acuerdo –dijo Emmanuel–. ¿Puedes llevarme al café Lisboa a las cinco en punto?

–Sí, puedo hacer eso por el *baas* –contestó el guía–. Cuando esté allí, tiene que tomar el pescado al curry. Es el mejor de Lorenzo Márquez.

El dependiente del estudio fotográfico entró en el café e hizo una rápida comprobación de la clientela. Llevaba en las manos una cartera fina de piel firmemente agarrada. Emmanuel levantó la mano para saludarle y Ahmed se acercó a la mesa.

–Señor Hombre Blanco Curioso –dijo el dependiente mientras se sentaba a su lado y colocaba su silla mirando hacia la puerta–. Yo, Ahmed Said, he decidido que tengo que hablar con usted.

243

—¿Sobre qué?

—Sobre las fotos, claro —contestó el dependiente, que se sacó un pañuelo del bolsillo de la chaqueta y se secó la frente. Estaba sudando como un pollo—. Pero antes, creo que tiene que invitarme a una copa. Un whisky doble, si es tan amable.

Emmanuel señaló con la cabeza el gorro tejido que cubría la reluciente cabeza de Ahmed.

—Pensaba que tu religión no te permitía beber.

—Así es —contestó Ahmed sin ninguna acritud—. Pero yo soy muy mal musulmán, que es por lo que he venido a hablar con usted de las fotos de ese policía. Le contaré todo lo que sé en cuanto no tenga la garganta tan seca.

—Un whisky doble y un café cargado —pidió Emmanuel a un camarero que pasaba por la mesa antes de volverse hacia su informante—. ¿Cómo sabes que el hombre por el que he preguntado era policía?

—Vamos, ¿qué iba a ser si no? Hasta sus pantalones cortos caquis eran de pinzas, como un uniforme.

—¿Siempre eres tan observador con los clientes que entran al estudio?

—Sólo con los que preguntan por mí por mi nombre. Son los que están dispuestos a pagar al señor Fernández por mi servicio especial.

Emmanuel pagó al camarero y esperó a que se fuera a otra mesa antes de seguir hablando.

—¿Por revelar fotos pornográficas?

—Fotografías artísticas —le corrigió Ahmed con una sonrisa—. El cliente tiene que pedir expresamente que Ahmed le revele unas fotos artísticas; si no, no tocamos el carrete.

—¿Sabía el policía lo que tenía que pedir?

—Desde luego —contestó Ahmed, que daba sorbitos a su vaso de whisky como una anciana soltera—. Al principio pensé que igual nos estaba espiando, intentando conseguir pruebas para cerrarnos la tienda, así que le dije que ya no aceptaba encargos de fotos artísticas.

—¿Y entonces?

–Aquel tipo estaba tan tranquilo. La mayoría de los hombres sudan, como yo ahora, por miedo a que los cojan con las manos en la masa, pero él no. Él me miró directamente a los ojos y me dijo: «No te preocupes, éstas son para uso personal».

Emmanuel dio un trago a su café, negro como el alquitrán.

–¿Y eran fotografías para «uso personal»?

–Huy, sí –al dependiente se le iluminaron los ojos negros–. Y además muy buenas. No las típicas imágenes de mujeres chupando penes como si fueran piruletas o a las que están dando por detrás como a vacas. Éstas eran muy… atípicas.

–¿Dos chicas? –conjeturó Emmanuel.

–No –Ahmed miró el reloj y apuró su vaso de whisky de un trago–. Esas cosas las veo todos los días. Estas fotos no son como las demás, pero me he prometido a mí mismo que no le contaría demasiado. Tiene que verlas con sus propios ojos.

–¿Tienes copias?

Emmanuel se enderezó. Aquello era más de lo que podía haber esperado. El cabrón que le había dejado inconsciente no iba a ser el único que tuviera acceso a las pruebas.

–Por eso estoy aquí –dijo Ahmed con un suspiro–. Soy un mal musulmán que está a punto de casarse con una buena musulmana. Por mucho que me duela, tengo que quedar limpio de la porquería que he acumulado a lo largo de los años.

–¿Tienes las fotos aquí?

Ahmed se levantó de repente.

–No. Están en la caja fuerte del estudio. Tiene que meterse y robarlas dentro de diez minutos.

–¿Qué?

–El señor Fernández es muy tacaño –explicó Ahmed–, el vigilante nocturno no entra a trabajar hasta una hora después de cerrar el estudio. Eso le deja a usted una hora para entrar, coger las fotos e irse de Lorenzo Márquez antes de que avisen a la policía.

Emmanuel no podía creer lo que estaba oyendo.

–¿Tengo que robar las fotos? Pensaba que eran tuyas.

–Son mías –dijo Ahmed, que volvió a mirar el reloj–. Tenemos que irnos. Se lo explico por el camino.

El bullicio del café aumentó con la llegada de un gran grupo de turistas con la piel quemada en busca de una cena temprana a base de gambas y vino barato. El robo con allanamiento era tan delictivo allí como en Sudáfrica, y Ahmed no era el cómplice ideal; ni siquiera se habían puesto en marcha todavía y ya tenía la camisa y la chaqueta chorreando de sudor.

–¿Qué te hace suponer que estoy dispuesto a infringir la ley para conseguir las fotos?

–Ha hecho usted todo el viaje hasta Mozambique. Algo me dice que no le gustaría volver a casa con las manos vacías. Vamos, por favor, tenemos que darnos prisa. Le prometo que se lo explicaré por el camino.

–Tienes de aquí al estudio para convencerme –dijo Emmanuel, que siguió a Ahmed hacia la puesta de sol.

Fuera, el aire olía a hogueras de carbón y a mar. La gente que venía de la playa, con la piel morena o colorada, avanzaba por la acera en tropel en busca de comida picante y baratijas para turistas. En medio de la multitud, Ahmed agarró de la manga a Emmanuel y le arrastró hasta que estuvieron en mitad del tráfico.

–Por aquí es más rápido –gritó por encima del estruendo de las bocinas que acompañó su temeraria carrera entre parachoques y humeantes tubos de escape. No pareció oír los chirridos de los neumáticos ni los gritos en portugués que les dirigió un enfurecido conductor. Por segunda vez, Emmanuel se preguntó si era una buena idea ir a cualquier sitio con un pornógrafo musulmán reincidente.

–Dime más cosas sobre las fotos –dijo Emmanuel cuando salieron del chorreante asfalto y llegaron al otro lado del bulevar–. ¿Venía el policía a recogerlas una vez al mes?

Se metieron por una callecita flanqueada por mujeres africanas que vendían figuras de animales talladas y joyas hechas con conchas. Una muchacha negra muy delgada les mostró un gordo hipopótamo de madera para que lo vieran. Ahmed le hizo gestos para que se fuera y siguieron avanzando rápidamente hacia el estudio.

–Sólo vino dos veces, una en enero y otra en marzo. Con un carrete cada vez.

–¿Estás seguro?

Ahmed se detuvo para recobrar el aliento y secarse la cascada de sudor de la cara y el cuello.

–Ya se lo he dicho, yo siempre me acuerdo de mis clientes especiales. Sólo vino dos veces.

–¿Sale la misma mujer en los dos carretes?

Si no salían las chicas Du Toit, ¿quién era entonces la protagonista?

–¿Quién ha dicho que fuera una mujer? –Ahmed soltó una risita malvada y se metió por un pequeño callejón entre dos hoteles para turistas con postigos de madera pintados y ondeantes cortinas con motivos marítimos en las ventanas. Emmanuel no había llegado a entrar en el estrecho pasadizo. La impresión le tenía prisionero.

–¿Son fotos de un hombre? –preguntó sin rodeos. Quizá Louis, con su pelo rubio y su boca afeminada, fuera realmente hijo de su padre. ¿Cómo se podía ocultar un secreto como ése en Jacob's Rest? Era casi imposible, pero el comisario ya había demostrado su habilidad para ocultar ciertos aspectos de sí mismo a la gente.

Ahmed le sonrió burlonamente y le hizo un gesto para que entrara en el callejón.

–¿Quién ha dicho que fuera un hombre?

–¿Qué significa eso? Tiene que ser una cosa o la otra.

–¿Ah, sí? –dijo el dependiente riéndose. Era evidente que se estaba divirtiendo con el juego–. No se imagina usted las cosas que veo en mi trabajo. Ésa es precisamente la razón por la que no puedo tener mascotas.

Emmanuel le dirigió una sonrisa al empleado del laboratorio. Sabía que era un error, pero le había cogido simpatía al chiflado de Ahmed.

–¿Ni siquiera una gallina? –le preguntó Emmanuel cuando volvieron a ponerse en marcha–. Seguro que algunas cosas son sagradas, incluso en tu profesión.

–Ummm... –Ahmed se paró a pensar en el tema–. Tiene razón. He visto huevos en sitios muy poco naturales, pero nunca una gallina. Mi nueva esposa y yo tendremos gallinas, gracias a usted. Gallinas, y puede que unos cuantos saltamontes. Sí, eso haremos.

Ahora Emmanuel se estaba riendo a carcajadas. No había suficientes médicos en la unidad de psiquiatría del ejército para curar lo que fuera que tuviera Ahmed.

–¿Quién es esa mujer con la que te vas a casar? –preguntó.

–Una mujer pobre –respondió enseguida–. Mi madre la encontró en el campo.

–Y ella no tiene ni idea de a lo que te dedicas.

–No –dijo Ahmed mientras atravesaban un callejón con el suelo de tierra y se paraban detrás de la entrada trasera del laboratorio fotográfico–. Por eso tengo que hacer todo lo posible por librarme de mi pequeño problema.

Emmanuel se fijó en los altos muros coronados con alambre de espino y cristales rotos. La puerta del patio trasero estaba cerrada con un candado.

La locura de Ahmed ya no tenía tanta gracia.

–¿Por qué las fotos están en la caja fuerte si son tuyas? –preguntó Emmanuel. Era el momento de irse y dejar que el inquieto dependiente hiciera su propio trabajo sucio. Ahmed se sacó una llave del bolsillo y la introdujo en el candado.

–Están en la caja fuerte para mi propia protección. Después de un año o dos trabajando aquí, empecé a pasar demasiado tiempo con mis amigas.

–¿Con quién?

–Las fotos. No sabe la cantidad de horas que he pasado disfrutando con ellas a solas. Una vez me pasé todo el fin de semana sin salir de mi habitación. Todos los lunes estaba agotado después de exprimirme el cuerpo hasta dejarlo sin fluidos vitales. Cubos enteros...

–Vale... –Emmanuel interrumpió la nostálgica narración–. Te salió pelo en las palmas de las manos. ¿Y entonces qué pasó?

–No –el dependiente abrió el candado y le mostró las sudorosas palmas de las manos para que las viera–. Mis palmas siguieron como estaban, pero mi madre empezó a preocuparse. Habló con el señor Fernández, que vino a mi casa y se llevó a mis amigas. Las metió en la caja fuerte. Tengo permiso para verlas dos veces a la semana, una hora cada vez.

La puerta del patio se abrió unos centímetros con un chirrido. «Vete de aquí, es lo más sensato», se dijo Emmanuel. Seguro que aparecían nuevas pruebas en Jacob's Rest.

No se movió.

–Sigue –dijo–, ¿dónde está el problema?

Ahmed parecía abochornado.

–He empezado a abrir la caja fuerte cuando no está el señor Fernández. Tengo miedo de que no me quede fluido vital para mi mujer si mis amigas y yo seguimos viéndonos.

–¿Y qué pasa cuando consigas las fotos? ¿Te vas a encerrar en una habitación con tus amigas hasta quedarte seco?

–No. Las voy a destruir. Las vamos a quemar en una hoguera los dos juntos.

–¿Los dos juntos? –dijo Emmanuel dando un paso atrás–. ¿Qué te hace suponer que voy a hacer alguna de todas esas cosas?

Ahmed pasó de loco a astuto en un abrir y cerrar de ojos.

–Ha venido a Mozambique solo y no ha pedido ayuda a nuestra policía local a pesar de que usted también es policía. Igual que mis clientes especiales, usted no puede conseguir legalmente eso que desea con tantas fuerzas.

–Yo estoy buscando pruebas. No es lo mismo que ser uno de tus clientes especiales.

–Aun así, yo soy el único que puede ayudarle a agenciarse lo que necesita.

La palabra «agenciarse» le hacía parecer un pervertido que rondaba las calles de noche. No se alejaba demasiado de la verdad.

—¿Cómo sé yo que las fotos tienen algo que ver con el policía?

Ahmed se puso la mano en el pecho.

—No le ofrezco ninguna prueba. Solamente le doy mi palabra.

—Puede que tu palabra sea de oro en el mundo de los pajilleros, Ahmed, pero yo necesito más que eso.

El pornógrafo negó con la cabeza.

—Hablar de las fotos empobrece la experiencia de verlas, virgen, por primera vez. No voy a hacer eso, ni a mí mismo ni a usted. Lo siento.

Emmanuel le dio una palmadita en el hombro al sudoroso hombre.

—Buena suerte con el robo. Yo me voy a tomar una copa y luego me vuelvo a la frontera.

Se dio la vuelta para marcharse. El dependiente le rodeó correteando y puso en alto la cartera vacía como una señal de stop.

—Ni las imágenes. Ni mis favoritas. Ni el orden. El escenario. Sí, el escenario. Le daré un lugar.

—Adelante.

—Una comisaría de policía con dos celdas, una al lado de la otra. Una mesa con una silla, cerca de la puerta trasera. En la pared, encima de la mesa, una fila de llaves, un *shambok* y un *knobkierie*. Eso es todo lo que voy a decir sobre las fotos. ¡No me presione más!

Era una descripción precisa de la comisaría de policía de Jacob's Rest.

—¿Cuál es la combinación de la caja fuerte? —preguntó Emmanuel.

Ahmed se sacó un papel del bolsillo y lo sostuvo en alto, entre el pulgar y el índice.

—Le doy esto solamente porque nuestra causa es pura.

—Llevas demasiado tiempo en el negocio, Ahmed. Estamos entrando en una propiedad privada para robar un alijo de pornografía dura. Un juez encontrará otra expresión para describir nuestra causa.

–No va a haber ningún juez. Por favor, vaya directo a la puerta trasera, aquí tiene la llave. El despacho es la primera puerta a la izquierda. La caja fuerte está escondida en la parte de abajo de un armario alargado que hay detrás de la mesa. Puede usar esta bolsa para meter los sobres, y deje la caja fuerte abierta para que parezca un robo. Cuando termine, salga, yo le espero fuera.

–¿Así de fácil?

Emmanuel se metió en el bolsillo la llave y la combinación de la caja fuerte. Era demasiado aséptico y demasiado sencillo, pero la descripción de la comisaría de policía le impulsó a seguir. Tenía a veinte pasos el sobre con los trapos sucios del comisario, lleno de pruebas admisibles. Él no era mejor que los clientes especiales de Ahmed. Estaba dispuesto a arriesgarse a ir a la cárcel por probar lo prohibido.

–Que Dios le acompañe –susurró Ahmed mientras Emmanuel entraba en el patio. Había dos cubos de basura pegados a la fachada trasera del estudio.

Dio doce pasos hasta la puerta trasera. Metió la llave y entró en el edificio. A la izquierda estaba la puerta que había descrito Ahmed. Por una ventana entraba una luz débil. Estaba anocheciendo.

Entró rápidamente en el despacho. Con la respiración entrecortada, se arrodilló junto a la caja fuerte y marcó los números que le había dado Ahmed. Sintió un clic bajo sus dedos, la puerta se abrió con suavidad y Emmanuel metió la mano. Tocar el gran fajo de carpetas envueltas cuidadosamente en cartulina marrón le pareció igual que tener oro en las manos.

Metió las carpetas en la cartera y se dirigió hacia el patio a toda velocidad. Era hora de salir corriendo. Una carrerita y la carpeta sería suya. Había sido tan aséptico y tan sencillo como le había prometido Ahmed. Salió al patio.

Un haz de luz blanca le dio de lleno en la cara.

Recibió un puñetazo que fue directo a la cabeza y cayó al suelo pesadamente. Miró hacia arriba, aturdido. El guarda de seguridad, un hombre negro delgado, se le echó encima como una piqueta. El dolor le recorrió el tórax y se extendió a la mandíbula cuando el vigilante adoptó el enfoque «lo hago por tu bien» con sus pesadas botas. Emmanuel rodó por el suelo y esquivó una segunda patada. Palpó el bulto de los sobres mientras se ponía en pie con dificultad y evaluaba sus posibilidades. La cosa no pintaba bien: el guarda ocupaba toda la entrada y no pensaba moverse. Emmanuel esperó a que el vigilante se acercara a él. El hombre negro le miró fijamente, con los orificios de la nariz ensanchados por el olor de la presa herida. Emmanuel amagó un movimiento hacia la izquierda y el guarda fue a por él a toda velocidad. Emmanuel se agachó, le golpeó las piernas desde abajo y oyó el sonido húmedo del cuerpo del vigilante al aterrizar sobre el duro suelo de cemento. El hombre se incorporó hasta quedar de rodillas. Emmanuel salió disparado hacia la valla. No se sentía demasiado orgulloso de salir huyendo de un adversario unos segundos después de hacerle picadillo.

Llegó hasta la puerta y la encontró cerrada. Golpeó el acero con el puño.

—¡Abre!

—Tiene que saltar la valla —le indicó Ahmed tranquilamente desde el otro lado—. No puedo dejarle salir por aquí.

—¡Abre la puta puerta!

—Tiene que saltar la valla. Salte la valla.

La valla era demasiado alta para pasar por encima de un salto y tenía la superficie demasiado lisa para encontrar un punto de apoyo en el que poner el pie. El guarda se le acercó con la porra en alto. Sintió cómo el peso de las carpetas le tiraba del hombro y su plan quedó definido: primero, machacar al vigilante; segundo, coger un cubo de basura al que subirse y salir de allí; tercero, machacar a Ahmed. No llegaba al nivel de la invasión del Día D, pero serviría.

Dejó que el guarda se acercara lo suficiente como para acariciar la victoria y entonces le esquivó y se dirigió hacia la derecha. La porra descendió y le rozó el hombro, pero Emmanuel no se detuvo. En dos segundos exactos llegó hasta el cubo de basura. Levantó el contenedor medio vacío y, al darse la vuelta, vio de cerca la porra, que volvía al ataque. Esta vez le alcanzó de lleno en el brazo y mandó el cubo de basura al suelo.

Emmanuel agarró la tapa y se la puso delante como un escudo. La porra se movía a toda velocidad, y con cada golpe enviaba un ruido metálico amortiguado al aire nocturno. Un gato callejero maulló mientras Emmanuel llevaba el cubo rodando hacia la valla. Lo puso bien firme contra el muro y volvió a dirigir su atención al vigilante, que seguía dando golpes a la tapa con una precisión implacable.

Agachándose, sacó un brazo de la protección de la tapa, agarró al guarda por los tobillos y tiró de él. El hombre cayó pesadamente por segunda vez. Soltó la porra y Emmanuel la lanzó por encima de la valla. Una cosa menos de la que preocuparse. Puso la tapa en el cubo, se quitó la chaqueta y la tiró por encima del alambre de espino que coronaba la valla. Puso un pie sobre la tapa y el vigilante nocturno le dio un fuerte golpe entre los omóplatos.

Emmanuel se volvió, esquivó otro golpe y le propinó un fuerte puñetazo al guarda en la mandíbula. El hombre perdió el equilibrio y se tambaleó. Emmanuel le pegó con la derecha, después con la izquierda, y el guarda se desplomó y se quedó en el suelo. Emmanuel se subió rápidamente al cubo de basura y pasó como pudo por encima del muro. Al hacerlo, se le clavó un trozo de cristal en la pantorrilla. Aterrizó en el callejón, magullado y sangrando, y vio que Ahmed le estaba esperando. Cogió la porra del suelo.

Ahmed echó a correr.

Emmanuel atrapó al sudoroso empleado del laboratorio y le zarandeó con fuerza contra la fachada de una tienda vacía.

—Está furioso. Lo entiendo.

Emmanuel volvió a empujar a Ahmed.

–Estoy ligeramente enfadado –dijo–. Furioso va a ser cuando te rompa las dos rótulas con esta porra.

–El vigilante, claro. Estaba convencido de que le manejaría eficientemente.

–¿Ah, sí?

Emmanuel se aseguró de que Ahmed sintiera toda la fuerza de sus pulgares al clavárselos en los blandos músculos de los hombros.

–Por favor –dijo estremeciéndose de dolor–. Tiene que escucharme. Tenemos que darnos prisa para concluir nuestro plan.

–Es tu plan, Ahmed. Mi plan es coger las fotos y largarme sin llamar la atención.

–Las fotos. Ahora son suyas –dijo el dependiente, lo suficientemente desequilibrado para adoptar un tono de entusiasmo–. Puede sacarlas por la frontera si deja que le guíe.

Emmanuel redujo la presión de los pulgares en los hombros de Ahmed.

–Otro truco como el que acabas de hacer y vas a probar esta porra. Te lo prometo.

–Sígame y terminaremos nuestra misión –dijo Ahmed, que se deslizó a través de la oscuridad con la seguridad de una rata callejera. Avanzaron por un callejón polvoriento y giraron por un bulevar arbolado con edificios coloniales de estilo portugués con fachadas blancas de estuco.

Ahmed aceleró y pasaron por delante de un grupo de hombres mayores que jugaban a las cartas delante de un café muy iluminado. Atravesaron un mercado nocturno en el que se vendían monos en jaulas, trajes de algodón colgados de sus perchas y cuencos de gambas con chile muy picantes. Tras una caminata de diez minutos cuesta arriba, se detuvieron delante de una puerta de madera desencajada de sus bisagras. Ahmed se metió por un hueco de la entrada e hizo un gesto a Emmanuel para que le siguiera hasta un jardín lleno de maleza atravesado por un camino en zigzag que conducía a una casucha ruinosa.

–Mi casa –anunció Ahmed con orgullo mientras le llevaba a un rincón despejado del jardín en el que había un círculo de piedras lleno de hojas secas y astillas para encender una hoguera. Al lado había una lata de gasolina.

–¿Me estabas esperando? –dijo Emmanuel.

–Todas las semanas me digo a mí mismo: «Ahmed, quema esa porquería y acaba con el tema», pero no he tenido fuerzas para hacerlo. Ahora, con su ayuda, voy a despedirme de todas mis amigas.

El aire quedó impregnado de un fuerte olor a gasolina cuando Ahmed empapó las hojas secas y lanzó una cerilla encendida a la mezcla incendiaria. Se oyó un silbido cuando el fuego hizo arder las hojas.

Emmanuel dejó la cartera en el suelo. Ahmed podía hacer lo que quisiera con sus «amigas», pero él tenía que conseguir las fotos del comisario y largarse de Mozambique. Se arrodilló para desempaquetar el alijo de pornografía y la pierna y el hombro se le contrajeron del dolor. Tenía abierta la herida producida por el cristal y sentía un dolor punzante donde le había golpeado la porra.

–Dame las fotos –dijo–. Tengo que volver a Sudáfrica antes de que cierren la frontera.

Ahmed sacó los sobres de la cartera de piel y los colocó en el suelo a intervalos regulares. Fue acariciando los sobres uno por uno con el dedo índice hasta detenerse en el antepenúltimo de la fila.

–Esto es suyo –cogió dos sobres idénticos del suelo pero no hizo ningún ademán de soltarlos–. Tiene que prometerme que mirará las fotos en orden. Es muy importante. No se puede hacer de otra manera. No se debe hacer de otra manera.

–¿Por qué? –preguntó Emmanuel con toda la paciencia que consiguió reunir.

–Tiene que prometérmelo –insistió Ahmed–. Tiene que mirarlas una por una y desplegarlas en orden encima de una mesa.

–¿Cómo sé cuál es el orden? –preguntó Emmanuel siguiéndole la corriente a Ahmed, que ahora tenía los sobres abrazados contra el pecho como a un ser querido.

Ahmed metió la mano en el primer paquete y sacó dos fotos con cuidado.

–Las he numerado –dijo acercando las copias al fuego–. Tiene que colocarlas siguiendo el orden de los números.

La fotografía número uno era una instantánea de las celdas de la comisaría de policía de Jacob's Rest. La número dos era de las mesas del despacho de la entrada. La luz del fuego parpadeó sobre las imágenes banales. Pese al dolor y a la dificultad para conseguir las fotos, Emmanuel estaba intrigado. Lo que fuera que hubiera en los sobres que tenía Ahmed en la mano había hecho que le pegaran y le mearan encima en la cabaña del comisario.

–Te prometo que las miraré en orden –dijo Emmanuel. Estaba dispuesto a prometerle su primer hijo a Ahmed si con eso conseguía que le diera las fotografías antes.

–No se arrepentirá –dijo Ahmed, que volvió a meter las fotos en el sobre y le entregó el paquete de mala gana–. Es usted un hombre muy afortunado. El feliz comienzo de su relación con estas amigas especiales me llena de envidia.

El material desgastado del sobre descansaba suavemente sobre la palma de la mano de Emmanuel. Estaba un paso más cerca de la verdad sobre Willem Pretorius y un paso más cerca, esperaba, de atrapar al asesino. Se dio la vuelta y se dispuso a marcharse.

–Señor policía –dijo Ahmed–, quédese un momento, por favor. Necesito que se asegure de que concluyo mi tarea.

–Adelante –respondió Emmanuel. Ahmed sacó las fotos de los sobres y las echó al fuego. El calor ampolló y distorsionó las imágenes granuladas de rubias, morenas, mujeres negras, mujeres blancas, gemelas y parejas desnudas y dispuestas en todas las configuraciones imaginables. La colección de Ahmed era variadísima. En cuestión de minutos, lo único que quedaba de las «amigas» del pornógrafo chiflado eran un montón de cenizas grises sobre las brasas.

Ahmed estaba sollozando. Se sacó un pañuelo del bolsillo y se sonó la nariz enérgicamente.

–Gracias, señor policía. Ha sido usted mi redención. Seré

fiel a mi mujer como quiso el Creador. Por favor, llévese esta cartera de piel como muestra de mi agradecimiento.

Emmanuel aceptó el regalo y metió sus sobres dentro. Para Ahmed, era el redentor; para la familia Pretorius, quizá fuera a ser el destructor.

14

El oscuro manto de la noche ya se había desplegado sobre Jacob's Rest cuando Emmanuel volvió de Lorenzo Márquez. Aparcó delante de su habitación de la pensión Protea y sacó su dolorido cuerpo del asiento del conductor con cuidado. El Departamento de Seguridad estaba llevando a cabo una redada en otra zona del país, lo que por primera vez le daba libertad para utilizar su propio alojamiento sin miedo a una intrusión.

Fue cojeando hasta su habitación con la cartera de piel en las manos y abrió la puerta. Una vez dentro, encendió la luz y abrió el cajón de la mesilla de noche. Miró en el hueco vacío, pasando los dedos por todos los rincones con la esperanza de que alguna pastilla mágica se hubiera salido del envase.

El cajón estaba vacío y Emmanuel calculó que faltaba una media hora para que el intenso dolor que sentía en la pantorrilla le subiera hasta el hombro y después hasta la cabeza: media hora como máximo para ir arrastrándose por el camino *kaffir* hacia la humilde casita de ladrillos del doctor Zweigman.

Le aparecieron unas gotitas de sudor en el labio superior cuando se inclinó para sacar las fotos del primer sobre. El hombro herido protestaba por el movimiento y Emmanuel redujo a quince minutos el tiempo que faltaba para que su raciocinio dejara de funcionar.

Abrió el sobre y extendió las fotos numeradas del uno al

cuatro. Aparecían las celdas, los despachos, la mesita con el té y las tazas, y la ventana del patio. Instantáneas inofensivas que podría haber hecho un entusiasta niño de doce años en una excursión de los Voortrekker Scouts. En las fotografías de la cinco a la diez salía el patio trasero de la comisaría. Un árbol. Una silla. El círculo de piedras que se usaba para la hoguera del *braai*.

Le asaltó una sensación de pánico. ¿Se había vuelto Ahmed tan insensible después de años de revelar pornografía dura que ya sólo le excitaban las imágenes de cosas normales y corrientes? Sintió un intenso deseo de abrir el paquete de fotos por la mitad, pero se resistió. Quizá dentro de la locura de Ahmed hubiera cierto orden.

Apoyó las fotografías once y doce y su suerte cambió. La número once era de una roca en el *veld*, al sol. En la número doce salía la misma roca, pero con una joven apoyada en ella, con los brazos morenos cruzados delante del torso. Estaba totalmente vestida. La imagen no tenía nada de especial, salvo por el hecho de que era una fotografía de una mujer mestiza sacada por un hombre blanco y porque a la mujer no se le veía la cara.

Emmanuel desplegó las demás fotografías del primer paquete en orden y las examinó una por una. Las instantáneas iban revelando el cuerpo de la mujer de forma tímida, casi adolescente; el fotógrafo era un principiante que había ido pidiendo un poquito más en cada foto. El traje de la mujer, un sencillo vestido de algodón hecho a medida para los picnics familiares y las reuniones de reavivación de la fe en la iglesia, tenía dos botones desabrochados más en cada foto, y las lustrosas curvas de los pechos, los muslos y las caderas se iban revelando gradualmente. A continuación desaparecía el sencillo atuendo. Las imágenes mostraban piel morena, luz del sol, oscuros pezones duros y vello púbico.

En la última fotografía del paquete, la número veinticinco, aparecía la mujer apoyada en la roca, aún sin mostrar el rostro, desnuda y con las piernas abiertas. La joven era una bella y luminosa invitación al placer.

Emmanuel examinó aquel *striptease* a cámara lenta. Entendía por qué a Ahmed le encantaban las fotografías: documentaban una pérdida de la inocencia más profunda que la de quitarse la ropa. Todas las instantáneas transmitían la sensación de que la mujer y el fotógrafo estaban avanzando lenta e inexorablemente hacia un lugar en el que ninguno de los dos había estado antes. Como pruebas, las imágenes tenían mucho menos atractivo. No había un solo elemento en las fotografías que relacionara a Willem Pretorius con la misteriosa mujer. Cualquier persona con acceso a la comisaría de policía podía haber sacado las primeras fotos, y la única prueba de que el comisario afrikáner había sido quien había llevado los carretes a revelar era la palabra de Ahmed. Un pornógrafo musulmán con la piel oscura y medio árabe no era un testigo fiable en un tribunal sudafricano.

–*Abre el segundo sobre* –el sargento mayor entró en la habitación en una oleada de dolor y ocupó su lugar al frente de la formación–. *No vas a ir a por las pastillas hasta que no sepas qué tienes exactamente, amiguito.*

Emmanuel abrió el sobre y sacó un nuevo montón de fotografías. Sintió un intenso dolor punzante en el hombro que se extendió por la espalda y le obligó a respirar por la boca.

Desplegó las cinco primeras fotos con las manos temblorosas. La misma mujer en un escenario distinto: un dormitorio con una gran cama de hierro forjado y cortinas con puntillas en la ventana. No era la cabaña de piedra, con su estrecha cama individual. La habitación de las fotografías era un espacio femenino, posiblemente el dormitorio de la propia mujer.

–*El cuerpo desnudo de la mujer es algo maravilloso, ¿verdad, soldado?* –el escocés estaba anonadado–. *Mira qué culo. Está tan prieto que podría lanzarle un chelín y rebotaría.*

Emmanuel siguió pasando las fotografías, ahora más deprisa, mientras el dolor empezaba a subirle hacia el cuello. Faltaban cinco minutos para que la cabeza se le llenara de ruido de taladradoras. Las fotos fueron desfilando ante sus ojos en una sucesión borrosa de imágenes de pornografía dura. La mujer desnuda a cuatro patas, desnuda desde atrás, con las piernas abiertas y enseñando cada pliegue y cada detalle de su sexo rasurado.

–*Oh, sí, chico* –el sargento mayor estaba encantado–. *Después de la comida, el agua y el whisky, esto es lo que uno necesita para vivir. Justo lo que mandó el médico, ¿eh?*

–A menos que consiga encontrar una conexión entre estas fotos y Willem Pretorius –dijo Emmanuel en voz alta–, los del Departamento de Seguridad las van a tirar a la basura por no guardar ninguna relación con el caso. El porno y los infiltrados comunistas no casan.

–*No tan deprisa. Te estás perdiendo todo lo bueno, chico. ¿No puedes pararte un momento a disfrutar de tu trabajo? Mira la última.*

Emmanuel cogió la foto. La mujer yacía desnuda en la cama deshecha, con las caderas levantadas y la mano hundida entre las piernas. Volvió atrás y examinó la foto anterior, en la que la mujer aparecía tumbada de costado con su larga melena oscura tapándole la cara. Se había introducido un nuevo detalle y había estado a punto de no verlo. En el cuello de la mujer había un colgante, una flor abierta con un pequeño diamante en el centro.

–*Qué preciosidad* –susurró el sargento mayor–. *Me gusta.*

–¿El colgante o lo que hay debajo?

–*Las dos cosas. Las joyas en el cuerpo de una mujer desnuda son algo sagrado, amigo mío.*

–Dirías lo mismo si llevara una llave inglesa en el cuello –dijo Emmanuel.

El montón de fotografías fue disminuyendo de tamaño hasta desaparecer y Emmanuel puso las dos últimas en la cama. La identidad de la mujer iba a seguir siendo un misterio. La delgada cintura descartaba a Tottie, y la larga melena y el atrevimiento físico del cuerpo de la mujer hacían de Davida Ellis una sospechosa poco probable. ¿Era la modelo del comisario alguien de una granja o aldea de los alrededores?

Emmanuel apoyó la última fotografía y sintió cómo le atrapaba su poder magnético.

–Vaya, vaya –dijo. El dolor abandonó su cuerpo y su lugar fue ocupado por una sensación impenetrable de bienestar. Quizá sí que fuera a ganar la guerra después de todo.

–*¿Qué coño lleva a un hombre a hacer una cosa tan... obscena?* –soltó el sargento mayor.

Emmanuel se secó el sudor de la frente y examinó la última fotografía. Aparecía un hombre desnudo tumbado en la cama deshecha tapándose los ojos con el antebrazo, imitando en broma los esfuerzos de la mujer para ocultar su identidad. Se cubría las caderas con una sábana arrugada, muy baja, por la que asomaba una pequeña franja de vello púbico rubio e hirsuto. La forma definida de su pene erecto se marcaba contra la sábana de algodón, prueba de que estaba listo para continuar, pese a que la sonrisa de su boca indicara que ya había pasado un buen rato subiendo al séptimo cielo a embestidas.

–*¡Por Dios!* –la imagen había violentado al duro sargento mayor–. *No está bien que un hombre se exhiba así.*

–Ella le pidió que posara. Y él dijo que sí.

–*¿Lo hizo para complacerla a ella?*

–Sí.

–*Bueno...* –el escocés se paró a pensar unos instantes–. *Un hombre haría casi cualquier cosa por un polvo.*

–No es solamente eso –dijo Emmanuel mientras pasaba el dedo por la nariz rota y el original reloj con la esfera de oro que identificaban claramente a esa masa de virilidad afrikáner como un tal comisario Willem Pretorius, guardián de la moralidad del pueblo de Jacob's Rest y entusiasta fotógrafo *amateur*. El polvo, como había sugerido el sargento mayor, era tan sólo parte de la razón de aquel escandaloso acto de exhibicionismo. Willem Pretorius había puesto en peligro su vida al posar ante la cámara–. A él le encanta que ella le esté mirando, que esté viendo quién es realmente. Fíjate en la expresión de su cara. No es el comisario Willem Pretorius, defensor del pacto sagrado con el Señor. Es un hombre malo que se ha pasado la tarde haciéndole cosas malas a una mujer considerada impura por su tribu, y joder, no podría estar más feliz.

–*A lo mejor lo hizo por amor.*

–Lo dudo –dijo Emmanuel. La sensación de bienestar, parecida a la producida por la morfina, empezó a desvanecerse y el dolor le subió hasta la mandíbula–. Cuarenta y tantas fotos de ella haciendo todo lo imaginable para darle placer a él y una foto de él con cara de ser el rey del mundo. Lo que le encantaba era ser el *induna* blanco.

–*El colgante costó lo suyo.*

–Una baratija –dijo Emmanuel mientras empezaba a guardar las fotos. Sus pensamientos habían dado un giro hacia un lugar oscuro–. Un seguro para ganarse su lealtad. ¿De verdad crees que la habría defendido si eso hubiera afectado a su familia afrikáner perfecta? La habría metido en un autobús a Suazilandia con diez libras en el bolsillo o a dos metros bajo tierra sin nada.

–*¿Por qué narices estás tan enfadado? Yo solamente me refería a que le hizo regalos y se aseguró de que nadie supiera quién era ella. La protegió, ¿no?*

–Se protegió a sí mismo –contestó Emmanuel, que volvió a meter las fotos en la cartera de piel lo más rápido que pudo sin estropearlas. Necesitaba las pastillas. Necesitaba algo que le impidiera ir renqueando hasta la casa del comisario y estamparle aquel festín de pornografía dura a la señora Pretorius en su nívea cara.

–*No vas a hacer eso* –le advirtió el sargento mayor–. *El viejo judío te curará y mañana a primera hora le enviarás todo esto a Van Niekerk por correo urgente. Esta mierda te va a salvar la vida, soldado.*

El sargento mayor tenía razón, pero eso no hizo disminuir la rabia que sentía. Había sido la última foto. La cara de satisfacción de Willem Pretorius le había provocado una ira incomprensible. Emmanuel casi podía oír la insistente voz de la mujer intentando convencer al holandés desnudo para que sonriera a la cámara después de que ella le colocara la sábana justo así.

Emmanuel cerró la cartera. Él tenía que soñar con una mujer en una bodega quemada mientras Pretorius tenía una de verdad. La rabia se agudizó con la aparición de otro sentimiento. Se paró en seco. Sentía unos celos feroces y desmedidos del comisario y de la mujer que se habían pasado la tarde follando y después habían compartido una arriesgada broma.

El dolor le empujó hacia al camino *kaffir*, en dirección al viejo judío y a su raído maletín de médico.

Emmanuel llamó a la puerta por tercera vez y esperó. Eran las 22:35 y Jacob's Rest era un pueblo pequeño: los vecinos se habían encerrado en casa para pasar la noche y Zweigman iba a tardar un poco en abrir.

–¿Sí? –preguntó el alemán desde el otro lado de la puerta.

–Soy el oficial Cooper. Vengo por un asunto personal.

La cerradura doble se abrió con un chasquido y Zweigman asomó la cabeza. Tenía el pelo blanco revuelto, como si se acabara de levantar, disparado hacia arriba formando extraños ángulos, pero sus ojos marrones estaban despiertos y atentos. Llevaba un pijama de algodón de color liso debajo de una estropeada bata con un cuello de terciopelo apolillado.

–Está usted herido –dijo Zweigman–. Venga por aquí.

Señaló una puerta situada inmediatamente a su derecha y Emmanuel arrastró su dolorido cuerpo hasta una habitación en la que apenas cabían el sofá y el sillón de cuero colocados en el centro. En una mesa auxiliar había un gramófono y una pila de discos en fundas de papel, pero lo que dominaba la habitación eran los libros. Llenaban las paredes y se peleaban por el espacio en los rincones y a los lados del sofá. Había más libros de los que podrían leerse en toda una vida.

Zweigman recogió un periódico viejo del sillón de cuero y lo tiró a un lado, sin preocuparse de dónde aterrizaba.

–Veamos qué lesiones tiene –dijo.

Emmanuel se hundió en el sillón de agrietado cuero y estiró la pierna herida con esfuerzo.

–Sólo daños menores. Nada que no puedan curar unos calmantes.

–Eso me corresponde decidirlo a mí –dijo Zweigman mientras le levantaba con delicadeza la pernera rota para examinar la herida. Dejó escapar un ruidito de satisfacción–. Los calmantes le aliviarán, pero la herida es profunda y hay que limpiarla y coserla. ¿Me permite verle el hombro, por favor?

Emmanuel no le preguntó al alemán cómo sabía lo del otro *souvenir* que había recibido del vigilante de Lorenzo Márquez. Pese a sus circunstancias actuales, Zweigman era incapaz de desprenderse del manto de superioridad intelectual que llevaba colgado de sus hombros encorvados. En una vida anterior había infundido respeto y Emmanuel imaginó que alguna vez el buen médico había puesto sus conocimientos al servicio de familias rodeadas de lujo en habitaciones con muebles encerados.

Emmanuel tenía la camisa a medio desabrochar cuando llamaron a la puerta con unos suaves golpecitos que, al no recibir una contestación inmediata, enseguida se convirtieron en un aporreamiento frenético.

–*Liebchen?* –dijo la mujer con la voz áspera por el llanto–. *Liebchen?*

–No se mueva, por favor –dijo Zweigman, que se acercó a la puerta y la abrió con suavidad. Lilliana Zweigman entró en la habitación dando un traspié, vestida con una bata de seda de un tono pálido con decenas de mariposas violetas en vuelo bordadas. Extendió las manos y palpó la cara y los hombros de su marido como un médico de campaña en busca de lesiones ocultas.

–Tenemos visita –dijo Zweigman, que no dio muestras de que el comportamiento de su mujer fuera en modo alguno inusual–. ¿Serías tan amable de prepararnos un té para servirlo con tus deliciosas galletas de mantequilla?

–¿Es...? –balbució Lilliana–. ¿Viene a...?

–No, no es eso. El oficial es aficionado a la lectura y estábamos charlando sobre nuestros autores favoritos, ¿verdad, oficial?

–Sí –dijo Emmanuel cogiendo el libro que tenía más cerca y sosteniéndolo en alto. Su hombro dio un grito de protesta pero él no dejó que se notara–. Quería que me prestara este libro durante unos días.

–Ah... –contestó Lilliana, que se iluminó como la chispa de un soldador ahora que había pasado el peligro–. Sí, claro. Voy a preparar el té.

La mujer salió de la habitación como una pluma y Emmanuel se quedó maravillado ante la capacidad de la mente humana para amoldar la realidad a su voluntad. Estaba sentado en casa de Zweigman con unos pantalones manchados de sangre, una camisa desabrochada y una *Guía de hongos y esporas* en la mano, y Lilliana había querido creer que era una visita de placer.

–El hombro –continuó Zweigman como si no los hubieran interrumpido–. Déjeme verlo, por favor.

Emmanuel se quitó la camisa lentamente y un intenso dolor le recorrió los músculos. El vigilante podría decirle al señor Fernández, la foca marina portuguesa, que había hecho sufrir al ladrón.

–Una nueva contusión sobre una antigua herida de bala. No voy a preguntarle cómo ha acabado con unas lesiones tan agresivas –dijo Zweigman mientras apretaba con los dedos la zona de alrededor del moratón–. Árnica para reducir la hinchazón y calmantes para quitarle el dolor. La naturaleza hará el resto a su ritmo.

El médico encontró su maletín de cuero en medio del caos, lo abrió y revolvió en el interior. Sacó un frasco de pastillas y se echó cuatro en la palma de la mano.

–Tómeselas con el té –le ordenó Zweigman antes de rebuscar en el maletín y sacar un bote de crema–. Échese esto en el hombro mientras yo preparo la palangana y esterilizo una aguja del costurero de mi mujer.

Emmanuel metió los dedos en el bote y se extendió la pomada sobre el hombro mientras el médico salía de la habitación. Zweigman tenía razón. La porra había resucitado el dolor de su antigua lesión.

El médico volvió a entrar y puso la palangana al lado del gramófono. Se movía con tanta seguridad que Emmanuel volvió a preguntarse por qué el viejo judío y su mujer habían acabado en Jacob's Rest.

—¿Cómo sabía el comisario que usted era médico? —preguntó.

El alemán humedeció un paño en la palangana y empezó a limpiar el corte.

—Ya me lo preguntó y le dije que no lo sé.

—Se enteró por algo que pasó en abril. ¿Qué fue lo que ocurrió?

—No recuerdo tal incidente, oficial —dijo Zweigman, que alargó la mano para coger unas pinzas y empezó a hurgar en el corte—. Por favor, no se mueva, he encontrado la causa de sus molestias. Aquí está —dijo levantando las pinzas y enseñándole un pedazo de cristal transparente—. Una vez más, no voy a preguntarle cómo se ha hecho esto.

—Muy amable por su parte, pero no puedo devolverle el favor.

El médico no respondió al comentario y se puso a preparar el equipo de sutura. En algún momento de su caída en desgracia, el alemán había aprendido a mantener la boca cerrada. No iba a darle ninguna información voluntariamente.

—¿Con cuál de las mujeres mestizas tenía una relación estrecha el comisario? —preguntó Emmanuel sin rodeos.

—¿Estrecha? —dijo Zweigman, que ofreció una imitación de primera de un inmigrante pobre que oye hablar inglés por primera vez—. ¿Qué quiere decir eso, oficial?

—Quiere decir lo suficientemente estrecha para meterle la lengua por la oreja y por unos cuantos sitios más —contestó Emmanuel, haciendo sonrojarse al médico.

Zweigman permaneció callado unos instantes.

—Si repite esa acusación fuera de esta habitación, incluso en broma —le advirtió—, va a hacer falta un equipo de cirujanos para reconstruirle y no tengo claro que vayan a conseguirlo.

—¿Era una de las mujeres de su tienda? —preguntó Emmanuel mientras el alemán enhebraba una aguja y hacía un nudo en el hilo quirúrgico. Tenía las manos firmes, pero la cabeza estaba inclinada de una forma peculiar, como si estuviera intentando alejarse lo máximo posible de la conversación–. ¿Tottie?, ¿o quizá Davida?

–Me temo que no puedo ayudarle –dijo Zweigman al tiempo que cerraba el corte. Suturó la carne con la destreza y la rapidez de un cirujano acostumbrado a coser heridas mucho más profundas. Emmanuel estaba seguro de que el viejo judío sabía más de lo que decía, pero, a diferencia del Departamento de Seguridad, él prefería que las confesiones fueran voluntarias.

–¿Sabe lo que es extraño? –le dijo a Zweigman cuando el hilo estuvo atado y el escozor de la piel había disminuido–. No me ha dicho que estuviera equivocado sobre el comisario. La sugerencia de que un policía blanco decente pudiera andar con una chica mestiza no ha provocado ninguna reacción en usted. Ni sorpresa. Ni nada.

Zweigman volvió a guardarlo todo cuidadosamente en el costurero de su mujer. Parecía viejo y agotado, como si llevara un gran peso sobre los hombros.

–Somos hombres de mundo, oficial. Hemos vivido una guerra y hemos visto ciudades en llamas. ¿De verdad un *affaire* va a conseguir que usted o yo nos escandalicemos?

–Puede que no. Pero el resto del pueblo y del país lo verá de otra forma. La Ley de Inmoralidad es la legislación vigente, y el hecho de que fuera infringida por un policía va a escandalizar a mucha gente.

–La Ley de Inmoralidad –dijo Zweigman con desdén–. Las fuerzas de la naturaleza son más poderosas que cualquier ley creada por los hombres.

La puerta del salón-biblioteca se abrió y Lilliana Zweigman entró de espaldas en la habitación sujetando una bandeja con una tetera, tazas y un plato de galletas de mantequilla con forma de copos de nieve.

–Aquí –dijo Zweigman cogiendo la bandeja a su mujer y apoyándola en el ancho brazo del sofá–. Eres un encanto, *liebchen*, una auténtica maravilla. Te mereces un descanso. ¿Por qué no vuelves a la cama mientras nosotros hablamos?

Lilliana no se movió. Había algo en la presencia del policía en su casa que no le olía del todo bien.

–Por favor, sírvase té y coja una de las galletas de mi mujer.

Emmanuel mordió la pasta de color amarillo pálido, de forma plana y espolvoreada con azúcar. Estaba deliciosa y llevaba horas sin comer. Se terminó la galleta en dos mordiscos y alargó la mano para coger otra.

–¿Lo ves? –dijo Zweigman poniendo la mano sobre el brazo de su mujer–, sigues conservando tu toque. Seguro que a nuestro invitado le gustará llevarse una pequeña lata con tus galletas.

–Sí –dijo Lilliana mientras volvía a dirigirse lentamente a la puerta–, voy a guardarle unas cuantas en la lata de las rosas rojas.

–La elección perfecta –contestó el médico, que cerró la puerta con delicadeza cuando salió su mujer–. Le ruego que disculpe a mi esposa, oficial. No se siente cómoda en presencia de los miembros de la policía.

–No se preocupe –contestó Emmanuel antes de tomarse los calmantes con un trago de té.

Zweigman se sentó y apoyó su taza en la rodilla. El médico parecía estar envuelto en una plétora de pesares del pasado, y su melancolía tendió la mano a Emmanuel y le abrazó como a una vieja amiga. Hombres de mundo, así los había llamado Zweigman. Hombres formados por la guerra y la crueldad…, y los favores inesperados.

Emmanuel cogió un libro para romper el ambiente macabro y pasó las yemas de los dedos por la suave cubierta de piel de becerro. El título *La ciudad del pecado* estaba grabado en el lomo. Tenía el mismo tamaño y diseño que *Placeres celestiales*, el fino volumen que había encontrado guardado bajo llave en el santuario del comisario. En un pueblo del tamaño de Jacob's Rest, el libro erótico sólo podía haber salido de aquella habitación.

–¿Se llevó prestado Pretorius alguno de estos libros?

–Nunca tuve el honor de recibir tal petición –dijo Zweigman–. Creo que la Biblia era su libro de cabecera.

–¿Presta usted libros aquí?

–Todo el mundo es bienvenido, oficial.

Emmanuel suspiró con frustración.

–No me va a dar nombres concretos, me imagino, ni ninguna pista sobre quién se llevó prestado un libro llamado *Placeres celestiales*.

–No recuerdo ese libro en particular ni tengo idea de quién podría haber querido leerlo.

Emmanuel se terminó el té y apoyó las manos para levantarse de los profundos pliegues del sillón de cuero. Los calmantes le corrían por la sangre y se encontraba perfectamente.

–Cuando el agente Shabalala se calla alguna cosa, sé que es para proteger al comisario Pretorius. ¿A quién protege usted, doctor?

–A mí mismo –respondió Zweigman sin vacilar–. Es todo para proteger a mi alma de más arranques de culpa y de acusaciones.

–Esperaba algo tan simple como un nombre –dijo Emmanuel mientras se daba la vuelta para marcharse. Necesitaba dormir. Al día siguiente tenía que intentar identificar a la mujer de las fotos y confiar en que ella le condujera al hombre que había robado las pruebas de la cabaña.

–Oficial –dijo Zweigman tendiéndole el bote de pomada–, échese esto en el hombro dejando pasar entre dos y cuatro horas entre una aplicación y la siguiente. Ayudará a reducir la hinchazón.

–Gracias. También necesito más calmantes. No me quedan.

Los ojos castaños de Zweigman estudiaron atentamente al policía herido antes de contestar.

–Recibió una ración para tres semanas hace unos días. ¿Qué ha pasado con el resto?

–Se han acabado –dijo Emmanuel, consciente de cómo

debía de sonarle aquello a un profesional de la medicina–. Normalmente no los gasto tan rápido.

–¿Qué le ha hecho aumentar la dosis?

La voz del sargento mayor y el recuerdo de ir corriendo a través del humo de las hogueras de leña no eran cosas que estuviera dispuesto a compartir con nadie, ni siquiera con un cirujano altamente cualificado. El pueblo de Jacob's Rest abría todas las jaulas que él normalmente mantenía cerradas y no entendía por qué.

Zweigman se acercó a su maletín y volvió con un frasco de pastillas blancas lleno hasta la mitad.

–Esto es para el dolor físico. No le aliviará el dolor que siente en el corazón o en la mente. Ese dolor sólo se cura sintiéndolo.

–¿Y si el dolor es tan fuerte que no se puede sorportar? –preguntó Emmanuel. En la unidad de psiquiatría del ejército eran unos fanáticos de la eliminación del dolor con medicación: su objetivo era conseguir que el paciente no sintiera nada que le impidiera volver al servicio activo. Si se estaba lo suficientemente sano como para apretar el gatillo, se estaba lo suficientemente sano para volver a los campos de matanza.

–Entonces se volverá loco –dijo Zweigman sonriendo–. O se transformará en una persona nueva, en alguien que ni siquiera usted reconocerá.

–¿Eso es lo que ha hecho usted?, ¿transformarse?

–No –contestó el viejo judío, que parecía de los tiempos de la piedra de Jerusalén–. Yo me limito a esconderme de la persona que era antes. Un final triste y cobarde acorde con el resto de mi vida.

–Usted salió en defensa de Anton. Protege a su esposa y a las mujeres a su cuidado. ¿Qué tiene eso de triste y cobarde?

–Son intentos desesperados de mantener el pasado a raya –dijo Zweigman mientras abría la puerta principal y dejaba entrar un poco de aire fresco–. Venga a la tienda mañana. Le miraré las heridas y le daré la lata con las galletas de mi mujer. Parece que se ha entretenido.

271

Desde el fondo de la casa llegaron unos suaves sollozos y Emmanuel salió a la calle, donde le recibió el soñoliento abrazo de Jacob's Rest.

–Gracias –dijo antes de dirigirse cojeando a la puerta del jardín. Tenía la sensación de que el refugiado alemán y su mujer habían huido del pasado para acabar descubriendo que se lo habían llevado con ellos a un rincón remoto del sur de África.

Zweigman observó al policía herido escabullirse en la oscuridad y después corrió a la cocina encajonada al fondo de la pequeña casa de ladrillos. Su mujer estaba de pie junto a la mesa, con la lata de galletas de mantequilla fuertemente agarrada contra el pecho.

–Ese hombre… va a quitarnos las cosas que amamos.

–No, *liebchen* –contestó Zweigman. Intentó quitarle de las manos la lata con el dibujo de las rosas pero comprobó que no había forma de que su mujer la soltara. Le tocó la mejilla–. Te prometo que eso no nos va a volver a pasar.

Emmanuel había recorrido la mitad del trayecto hasta la pensión Protea cuando empezó a oír a alguien que cantaba. Era una canción popular, interpretada de una forma que la hacía casi irreconocible por una voz aguda que se quebraba cada cinco palabras y volvía a empezar como un disco rayado. Localizó al ebrio pajarito cantor detrás de la iglesia de los mestizos.

–Hansie –Emmanuel saludó a la figura tambaleante–, ¿qué haces aquí?

–Buenas, oficial –contestó el joven policía mientras le mostraba triunfalmente dos botellas de whisky–. ¿Lo ve? Louis decía que no me las iba a dar, pero me las ha dado cuando ha visto el uniforme. Mi uniforme.

–¿Tiny te ha dado esas botellas?

Una de las dos ya estaba medio vacía. Hansie se lo estaba pasando en grande.

–A Louis no se las da, pero a mí sí, por el uniforme.

–¿Adónde vas con las botellas, Hansie?

–Louis se ha apostado conmigo que no iba a poder, pero lo he conseguido –dijo Hansie dándose golpes en el pecho–. Porque soy policía y la gente respeta a la policía.

–¿Vas de vuelta a casa de Louis?

–Al cobertizo –contestó el muchacho, que miró hacia el oscuro *veld* entrecerrando los ojos y dio una vuelta sin demasiado equilibrio–. Louis me ha dicho que siguiera el camino *kaffir*, pero no sé... por dónde..., ¿por dónde se vuelve?

Emmanuel le pasó el brazo por encima de los hombros a Hansie. Tenía interés en saber cómo había convencido el león de Dios a su amigo para que consiguiera sacarle el alcohol a un comerciante mestizo.

–Yo te llevo –dijo mientras dirigía a Hansie hacia las casas de los mestizos para tener más tiempo de «interrogarle»–. ¿Por qué no ha ido Louis a por las botellas? Él conoce el camino *kaffir* mejor que tú, ¿no?

–Mire –dijo Hansie enseñándole las botellas–. Las he conseguido. Yo.

–Buen trabajo –contestó Emmanuel, que cambió de táctica–: ¿Normalmente va Louis a buscar las botellas?

–*Ja*. Pero esta vez me ha mandado a mí.

–¿Por qué?

Le estaba costando controlarse para no pegarle un guantazo al estúpido agente para que espabilara.

–Ha ido él, pero Tiny le ha dicho que no, que ni hablar.

–¿Por qué?

–El comisario descubrió lo del alcohol. Mandó a Louis a una granja en el Drakensberg..., muy lejos, en las montañas.

Hansie soltó un fuerte eructo que resonó por el *veld* desierto. Delante de ellos, la oscuridad quedaba interrumpida por la luz del cobertizo del comisario.

–Ahí está el cobertizo. Entra, pero no le digas a nadie que me has visto, ¿entendido?

–*Ja*.

El afrikáner ebrio echó a andar dando bandazos, ansioso

por enseñar su botín. Emmanuel agarró a Hansie, le dio la vuelta para tenerlo de frente y le dirigió una mirada severa, como la de un director de colegio a punto de propinar una buena tunda con la palmeta.

–Olvídate de que me has visto. Es una orden, Hepple.

–Sí, señor, oficial, señor.

Emmanuel mandó a Hansie hacia la luz con un suave empujón. El embriagado muchacho se acercó a la puerta abierta dando traspiés y sujetando las botellas en alto como un héroe victorioso. Al entrar en el cobertizo, fue recibido con una ovación. Louis no era el único que estaba esperando a que empezara a correr el whisky.

Desde la puerta abierta del cobertizo, Emmanuel se arriesgó a echar una mirada rápida al interior. Hansie, Louis y dos adolescentes con pecas en la nariz estaban sentados en una manta con manchas de aceite pasándose la botella de whisky medio vacía. La segunda botella de ámbar, ya destapada, estaba preparada en el centro del círculo.

–Eh, Hansie –dijo un muchacho con un hueco del tamaño de un túnel ferroviario entre los dientes delanteros antes de dar un trago–, dice Louis que la hija de Botha no es la chica más guapa de la región. Dice que las ha visto mejores.

–¿Quiénes? –contestó Hansie, estupefacto–. ¿Quién puede haber que sea mejor que ella? Ninguna.

–Mis gustos son distintos de los vuestros –dijo Louis apartándose de la frente el pelo rubio despeinado–. Recordad que, por muy recatadas que aparenten ser las mujeres, por muy tímidas y puras que sean en apariencia, son la razón por la que Adán cayó en el pecado.

–¡Eso es justo lo que espero que pase, hombre! –contestó Hansie.

La respuesta del policía provocó un estallido de risas que siguió oyéndose mientras Emmanuel se escabullía por el *veld*. No le hacía falta quedarse allí más tiempo para saber cómo continuaría la velada. Hablarían de chicas, reales e inventadas, y entonces alguien, muy probablemente Hansie, mentiría y contaría que había perdido la virginidad. Seguirían hablando de chicas, de coches y del próximo gran baile. Y durante todo el tiempo, Louis, el león dormido de Dios, y Louis, el delincuente juvenil, lucharían por la supremacía.

15

A la mañana siguiente, Emmanuel hizo una visita al hospital Gracia Divina a primera hora y encontró a la hermana Bernadette y a la hermana Angelina vigilando el desayuno, a base de copos de avena sin leche, de unos veinte huérfanos a los que habían reunido en la galería. Esperó a que sirvieran el último tazón y entonces se acercó. No tenía ni idea de cómo pedir lo que quería.

–Hermanas... –carraspeó y volvió a empezar–. Hermanas, quería pedirles que atestiguaran que la persona que sale en una fotografía es el comisario Pretorius.

–Por supuesto –contestó la hermana Bernadette. La diminuta monja blanca se secó las pálidas manos con el delantal–. ¿Tiene un bolígrafo, oficial?

–Sí..., pero..., es que... –la voz de Emmanuel se fue apagando.

–¿Sí? –le animó la hermana Angelina.

–Debo advertirles que se trata de una... una imagen provocativa. Podría ofenderlas o escandalizarlas.

–Ah... –dijo la hermana Bernadette con una sonrisa forzada–. En ese caso, deberíamos acabar con ello lo antes posible.

«Que Dios bendiga a las pragmáticas monjas católicas», pensó Emmanuel mientras sacaba el segundo sobre de la cartera de piel. Un cuarto de hora más tarde, las fotografías tenían que estar en un autobús directo a Jo'burgo en manos de la prima de la señorita Byrd, Delores Bunton.

La hermana Angelina le condujo al final de la galería, donde había una vieja camilla tapada con una sábana y donde los niños no podían verlos ni oírlos. Emmanuel vaciló y después sacó la fotografía.

–Miren la foto y después denle la vuelta y escriban «Declaro bajo juramento que ésta es una imagen auténtica del comisario Willem Pretorius» –dijo–. Debajo pongan sus firmas y la fecha, por favor.

Puso la fotografía boca arriba sobre la camilla y notó el calor en las mejillas al ruborizarse.

–Madre del amor hermoso –dijo la hermana Bernadette, boquiabierta.

–Válgame Dios –la hermana Angelina se santiguó y parpadeó con fuerza.

–Menuda sorpresa –balbució la pequeña monja irlandesa–. No tenía ni idea.

–*Yebo* –la monja negra frunció los labios–. Quién iba a decir que el comisario tenía una sonrisa tan grande.

–Sí –dijo la hermana Bernadette metiéndose un mechón de pelo imaginario bajo la toca–. No recuerdo haberle visto nunca tan contento.

Las hermanas se quedaron quietas mirando fijamente la fotografía. Emmanuel la puso boca abajo y oyó suspirar a las monjas. Les dio el bolígrafo, observó cómo firmaban y fechaban la foto y volvió a meterla en el sobre.

–Gracias, hermanas –dijo–. Si alguien del Departamento Especial o de la familia Pretorius les pregunta por esta fotografía, digan que no la han visto jamás. Es lo más seguro.

La tienda Poppies estaba en silencio. El murmullo habitual de las máquinas de coser había sido sustituido por el suave roce de los zapatos de Zweigman, que estaba sacando latas de sardinas de una caja y colocándolas en un estante.

–Oficial –dijo el tendero dirigiéndole un saludo con la cabeza. Su pelo, normalmente caótico, parecía ahora el de una auténtica Medusa, con mechones de pelo blanco enfrentados en una batalla épica por el control.

Emmanuel señaló hacia la silenciosa trastienda.

–¿No hay nadie en casa?

–Mi mujer no se encuentra bien –contestó Zweigman–. Les ha dado un día libre a las señoras.

–¿Ha tenido algo que ver con mi visita?

–El daño ya estaba hecho mucho antes de que apareciera usted –dijo el alemán mientras ponía la última lata de sardinas en el estante–. Viene a su revisión, ¿verdad?

–A eso y a usar el teléfono, si es posible.

Tenía que avisar a Van Niekerk de que la cartera con las fotografías ya iba de camino a la dirección que le había telegrafiado dos días antes.

–Por supuesto.

Zweigman cogió el teléfono del mostrador y entró en la trastienda arrastrando los pies. Las filas de máquinas de coser todavía estaban cubiertas con las fundas que les ponían por la noche. Sin las mujeres inclinadas sobre los patrones y los alfileres bajo la atenta mirada de Lilliana, daba la sensación de que Poppies estaba desierta.

–Estaré en la tienda desembalando –dijo Zweigman mientras ponía el teléfono en la mesita de té–. Avíseme cuando esté listo para que le examine.

Emmanuel se sentó y llamó a la centralita. Quería estar en la comisaría de Jacob's Rest menos de media hora más tarde para ver si el Departamento de Seguridad había pescado a un pez gordo comunista durante su redada nocturna.

Contactó con la jefatura de policía sin ningún problema y le dieron otro número al que llamar. Van Niekerk sabía cómo esquivar al Departamento de Seguridad.

–Le he enviado una cosa –dijo Emmanuel cuando el inspector cogió el teléfono.

–¿Es algo útil?

Para ser un hombre poderoso obligado a ensuciarse las manos en una cabina telefónica pública, Van Niekerk estaba de muy buen humor. Como un valioso perro sabueso, olía que había algo en el aire.

—Extremadamente útil —dijo Emmanuel.

—¿Porno? ¿Dinero sucio? ¿Algo político?

—Porno.

—¿Se puede relacionar con nuestro difunto amigo o con algún miembro de su familia?

—Digamos que el comisario era tan bueno detrás de la cámara como delante.

—¡Dios mío! ¿Estás totalmente seguro de que es él?

—Completamente —contestó Emmanuel—. Dos personas que le conocían me han verificado y firmado la foto.

Se sentía culpable por utilizar a la hermana Bernadette y la hermana Angelina, pero las monjas eran testigos difíciles de intimidar en el estrado. Estaba feo atacar a una esposa de Cristo.

—Bien hecho —dijo el inspector—. Sabía que cumplirías. Siempre lo haces.

Dar la información a Van Niekerk no le resultó tan gratificante como había esperado. El homicidio de Willem Pretorius seguía sin resolverse y ésa era la única razón por la que había ido a Jacob's Rest. Las fotografías pornográficas sólo tenían valor si servían para atrapar al asesino.

—El paquete va a ser entregado en mano esta noche en la dirección del telegrama.

De pronto Van Niekerk le estaba impacientando. Atrapar al asesino era menos importante que el poder que la posesión de esas fotografías le daba al inspector sobre el Departamento de Seguridad y algunas facciones del Partido Nacional.

—Tengo que ir a ver qué han pescado los del Departamento de Seguridad —añadió Emmanuel. No pensaba irse de Jacob's Rest hasta averiguar quién había matado a Willem Pretorius y por qué.

—Le han cogido —dijo Van Niekerk sin rodeos—. A tu hombre del Fort Bennington College.

–¿Cómo lo sabe?

Van Niekerk se echó a reír, como si la propia pregunta fuera demasiado estúpida para contestarla.

–Simplemente lo sé, Cooper.

–¿Hay algo más que pueda contarme? –preguntó Emmanuel. Iba a ser imposible que Piet o Dickie compartieran con él información sobre el interrogatorio.

–Estaba en el paso fronterizo la noche que asesinaron al comisario –dijo el inspector–. Eso es un hecho constatado. El minero del poblado, Duma, era su contacto. Quizá deberías empezar a contemplar la posibilidad de que el Departamento de Seguridad ande bien encaminado.

–Lo haré, señor –dijo Emmanuel antes de despedirse. Su instinto le decía que el espía comunista no encajaba en el perfil del asesino. ¿Por qué habían arrastrado el cadáver hasta el agua cuando podrían haberlo dejado en la arena? Y Shabalala estaba seguro de que el asesino había vuelto a Mozambique a nado. Quizá el Departamento de Seguridad tuviera algunas respuestas.

Fue a la parte delantera de la tienda, donde Zweigman estaba ocupado limpiando los estantes con un plumero de avestruz.

–Volveré para que me examine esta tarde –le dijo al tendero mientras volvía a poner el teléfono en el mostrador–. Tengo que presentarme en la comisaría.

–Por supuesto. Estaré aquí aproximadamente hasta las cinco y media.

Emmanuel salió a la acera de tierra agujereada que había delante de Poppies y la licorería. Era hora de aporrear la puerta de Shabalala hasta que el hombre negro le contara todo lo que sabía sobre la vida secreta de Willem Pretorius.

Delante de la comisaría había aparcados cuatro sedanes Chevrolet, todos con los embellecedores de cromo llenos de polvo y con los cuerpos resecos y espachurrados de los insectos que habían recogido durante el viaje nocturno. En el porche había un grupo de policías de paisano con trajes arrugados, fumando y hablando con un hombre rollizo que llevaba una cámara colgada del cuello. La prensa, supuso Emmanuel. El reportero debía de trabajar para alguno de los periódicos afrikáners pelotas que publicaban la versión oficial del Partido Nacional independientemente de cuál fuera la historia real.

Emmanuel subió las escaleras, listo para que le echaran de allí. Ahora la maquinaria del Departamento de Seguridad tenía el control absoluto de la comisaría de policía y él no estaba en su lista de invitados. Uno de los nuevos agentes del Departamento de Seguridad dio un paso hacia él.

–Ésta es una zona restringida –dijo el hombre, que tenía cara de pan y vestía un traje mal cortado–. No se puede entrar sin permiso del subinspector Lapping.

Emmanuel retrocedió. Era muy poco probable que el subinspector con la cara llena de marcas le diera el visto bueno en esa vida.

–Estaba buscando a la policía de aquí. El agente Shabalala, el subcomisario Uys y el agente Hepple. Estoy investigando un asunto local.

–Mira en la parte de atrás –dijo Cara de Pan con una sonrisa, antes de añadir–: ¿Qué, ya ha cogido al pervertido, oficial?

Emmanuel se alejó sin contestar. Por si no bastaba con apartarle de la investigación del asesinato, el subinspector Lapping le había convertido en el hazmerreír del caso. Mordería el polvo durante el tiempo necesario para encontrar a Shabalala y terminar de examinar los trapos sucios de Willem Pretorius.

Abrió la puerta lateral que daba al patio de la comisaría. Paul Pretorius y el diminuto subcomisario Uys estaban sentados a la sombra del aguacate con tres hombres a los que no reconoció. ¿Había quedado alguien en las oficinas del Departamento de Seguridad?

Paul Pretorius se levantó y recorrió lentamente la distancia que le separaba de Emmanuel con sus andares arrogantes.

—Bueno —dijo el corpulento soldado, que le sonrió por primera vez desde que se conocían; no fue un espectáculo agradable–, ¿qué se siente al estar en el culo de la investigación, oficial?

—¿Tenéis una confesión del sospechoso? —preguntó Emmanuel.

—Un par de horas más y estará lista —contestó Paul, acariciándose el vello del mentón para recalcar lo larga que había sido la noche para los que estaban en el centro del poder–. Te aseguro que esa gente de ahí dentro sabe lo que hace.

—¿Están seguros de que es él?

—Completamente. Y tú que pensabas que el asesino de mi padre era algún depravado blanco. Parece que vas a tener que volver corriendo a Jo'burgo con los bolsillos vacíos. Qué lástima, ¿eh?

Emmanuel sabía exactamente lo que necesitaba para borrarle la sonrisa de la cara a Paul Pretorius: una sola imagen del respetado comisario de policía blanco con una erección descomunal en la cama de una mujer mestiza. Eso funcionaría. Afortunadamente, el paquete con las fotos pornográficas estaba de camino hacia Van Niekerk y bien lejos de su alcance.

—¿No están los agentes? —dijo Emmanuel, siguiendo con la conversación como si el arrogante hijo de Pretorius no le hubiera atacado. Paul estaba condenado a descubrir la verdad acerca de su padre algún día y Emmanuel esperaba estar delante para presenciar ese momento.

—Hansie está fuera con su chica y a Shabalala no le he visto.

Paul Pretorius volvió andando tranquilamente hacia el grupo de hombres sentados a la sombra después de encogerse de hombros, dando a entender que tenía cosas más importantes que hacer ahora que había terminado de torturar a un oficial de policía sin poder y sin credibilidad.

Emmanuel se dirigió al camino *kaffir*. Tenía que encontrar a Shabalala y explicarle que proteger la memoria de Willem Pretorius era una pérdida de tiempo. Si le presionaba lo suficiente, quizá incluso consiguiera averiguar la identidad de la misteriosa mujer de las fotos.

En el cruce del camino *kaffir* con la calle principal vio al agente Hepple bien arrimado a una joven morena de enormes pechos y brazos de ordeñadora. Era la chica de la iglesia, la muchacha en la que se había fijado Hansie después del funeral del comisario. Los tortolitos no le vieron hasta que estuvo casi encima de ellos.

–Oficial –dijo Hansie pegando un brinco hacia atrás y estirándose la chaqueta sobre sus delgadas caderas de niño–. No le... no le había visto.

–Estabas entretenido –contestó Emmanuel mientras la joven hacía un rápido intento de enderezarse el escote del vestido–. ¿Sabes dónde está el agente Shabalala?

–En el poblado –dijo Hansie con la respiración ahogada y los colores subidos–. El subinspector Lapping le ha dicho que vuelva mañana.

–El subinspector le dijo a Hansie que también podía cogerse el resto del día libre –añadió la chica, que levantó las manos curtidas por el trabajo para acariciar el diamante central del colgante que llevaba encima de sus inmensos senos–. Íbamos a ir a dar un paseo.

Emmanuel señaló el colgante que descansaba sobre el escote de la joven.

–Ese diseño es muy original. ¿Puedo verlo más de cerca?

–Claro –contestó la ordeñadora, que se sonrojó con engreimiento y levantó la barbilla para que se viera mejor–. Es de oro y diamantes auténticos.

–Una flor –dijo Emmanuel, que examinó los pétalos de oro con un estambre de relucientes diamantes engastado. Era el colgante que llevaba la mujer de piel morena en el festival de la carne del comisario. Hansie se acercó dando pasitos cortos, decidido a proteger a su chica de las atenciones del policía de la gran ciudad. Emmanuel no hizo caso. Si los pechos de la joven granjera eran importantes era sólo porque su impresionante tamaño la descartaba como la modelo de las fotos.

283

El cerebro de Emmanuel fue saltando de una extraña hipótesis a otra, intentando explicar la aparición de la flor de oro en el cuello de una joven morena afrikáner. ¿Tenía el comisario Pretorius un harén de mujeres de todos los colores a las que premiaba con colgantes idénticos de flores de oro?

–¿De dónde has sacado el colgante? –preguntó.

–Hansie –contestó la joven mirando al idiota de su novio con una gran sonrisa–. Me lo acaba de regalar.

Eso explicaba el sudoroso achuchón. A una chica de granja no le regalaban todos los días una joya cara de la que ir presumiendo.

–Tiene usted buen gusto, agente –dijo Emmanuel mientras le ponía la mano en el hombro a Hansie y se lo llevaba por el camino *kaffir*–. ¿De dónde has sacado el colgante?

El muchacho se puso tenso al oír el tono serio de Emmanuel y restregó la punta de su bota contra el camino de tierra.

–No me acuerdo.

–Dímelo.

–Me lo... me lo encontré.

–¿Dónde?

Los ojos azul aciano del agente se llenaron de lágrimas, igual que cuando los hermanos Pretorius habían hecho ademán de darle una paliza en el lugar del crimen.

–Junto al río. En el camino que lleva al *veld*.

Emmanuel se arrepintió de no haber permitido que los Pretorius le dieran una buena tunda de palos a Hansie. Era más de lo que se merecía el policía descerebrado.

–¿Te refieres a la ribera del río donde encontraron al comisario?

–*Ja*.

Las lágrimas empezaron a correrle por la cara y a caer sobre el uniforme almidonado. Su madre iba a tener que limpiarle las manchas de la tela por la noche.

–¿El colgante estaba en el camino por el que volvieron los niños al poblado?

Emmanuel aclaró los hechos y resistió el impulso de clavarle los dedos en el hombro a Hansie. Era imposible que el Gobierno del Partido Nacional no se diera cuenta de que dar un uniforme a un muchacho como aquél era igual que dárselo a un mono.

–*Ja*, en ese camino.

–¿Por qué no me llamaste para enseñarme que habías encontrado algo extraño?

Hansie se mordisqueó el pulgar y se concentró en la pregunta con todas sus fuerzas. Presenciar aquello era una tortura.

–Es que... Un colgante de mujer no tiene nada que ver con la muerte del comisario. O sea..., sería como si hubiera habido una mujer allí con él..., y... no había ninguna mujer con él, así que..., porque... el comisario no era así.

–Hepple –Emmanuel apartó la mano del hombro del muchacho y se la metió en el bolsillo de la chaqueta para buscar las llaves del coche–, ese colgante es una prueba. Tienes hasta esta tarde para que tu novia te lo devuelva y dármelo, ¿entendido?

–Pero es que... a ella le... le encanta.

–Esta tarde –dijo Emmanuel, que se dirigió hacia el Packard. Ahora tenía una idea de lo que ocultaba Shabalala y de la razón por la que el policía zulú estaba encubriendo a su amigo de la infancia, Willem Pretorius.

Emmanuel recorrió el laberinto de casas ruinosas levantadas sin orden ni concierto en busca de la puerta rosa que le habían dicho que identificaba la casa del agente zulú. La encontró y dio dos fuertes golpes. La puerta se abrió y Shabalala retrocedió sorprendido.

–Había una mujer con él –dijo Emmanuel–. Había una mujer con el comisario Pretorius en la orilla del río la noche que le dispararon.

–Llovió y muchas de las huellas...

–No me vengas con esos cuentos, hoy no me los trago. Eres rastreador. Tú sabías que Pretorius no estaba solo esa noche.

El agente zulú-*shangaan* intentó hablar y, al no conseguirlo, se metió la mano en el bolsillo del peto y sacó un sobre en blanco que le entregó a Emmanuel sin decir una palabra.

–¿Qué es esto?

–Léalo, por favor, *nkosana*.

Emmanuel rasgó el sobre y sacó una hoja de papel doblada con dos líneas de texto escritas en la cara pautada. Leyó las palabras en voz alta.

–«El comisario tenía una pequeña esposa. Esta esposa estaba con él en el río cuando murió.» Fuiste tú quien me envió a la finca de King –dijo Emmanuel.

Reconoció la letra. Ahora lo entendía. La persona que había dejado la nota había corrido como nunca había visto correr a nadie, había corrido sin tregua hasta dejarle sin resuello en el *veld*. El comisario Pretorius y Shabalala conmovían a la gente mayor cuando atravesaban corriendo la granja de los Pretorius de un extremo a otro sin detenerse, sin beber. «Como a tantos otros hombres blancos, me ganó un guerrero del *impi* zulú», pensó Emmanuel.

–¿Qué pasó aquella noche en la orilla del río? No se lo voy a contar a la familia Pretorius ni a los otros policías. Así que venga, dilo y ya está.

Shabalala se quedó callado unos instantes, como si no pudiera soportar expresar con palabras lo que había estado conteniendo tanto tiempo.

–El comisario y la pequeña esposa estaban juntos en la manta. Dispararon al comisario y cayó hacia delante. La pequeña esposa salió de debajo de él como pudo y se fue corriendo por la arena hasta el camino, y entonces el hombre arrastró al comisario hasta el agua. Eso es todo lo que sé.

–Por el amor de Dios, ¿por qué no me lo dijiste directamente, hombre?

–Los hijos del comisario. A ellos no les gustaría oír estas cosas. A ninguno de los afrikáners le gustaría oír esta historia.

Los hermanos Pretorius eran los legisladores extraoficiales de Jacob's Rest. Anton y su taller quemado eran un ejemplo de la justicia sumaria que administraban a aquellos que infringían las normas. ¿Qué posibilidades tenía un policía negro contra la poderosa familia Pretorius?

–Entiendo –dijo Emmanuel.

Shabalala tenía que vivir en Jacob's Rest. Escribir notas anónimas era la forma más sencilla de colaborar en la investigación y mantenerse a salvo. Era mejor y más seguro para todos los implicados que fuera un policía blanco de fuera del pueblo quien destapara la verdad sobre el comisario.

–Oficial –dijo el agente zulú invitándole a entrar y a dirigirse a la parte trasera de la casa–, por favor.

Emmanuel siguió a Shabalala a través de la ordenada sala de estar hasta la cocina. Había una mujer negra de pie junto a una mesa. Levantó la vista y los miró con un gesto de preocupación, pero no abrió la boca.

Shabalala hizo salir a Emmanuel por la puerta trasera. Se sentaron junto a una pequeña mesa plegable, uno a cada lado. En el jardín trasero de la casa de Shabalala había un gallinero y un *kraal* tradicional para meter a los animales por la noche. Detrás del *kraal*, el terreno descendía hasta llegar a la orilla de un serpenteante arroyo.

Los dos hombres miraron las lejanas colinas mientras hablaban. La importante conversación en la que el comisario Pretorius quedaría al desnudo no se podía mantener cara a cara.

–¿Sabes quién es la mujer?

–No –dijo Shabalala–. El comisario me habló de la pequeña esposa, pero no me dijo quién era.

Emmanuel se hundió en su silla. Estaba empezando a hartarse de los cortafuegos de Willem Pretorius. ¿Por qué no fanfarroneaba de sus conquistas como un hombre normal?

–¿Qué te contó sobre su amiguita?

–Dijo que había escogido una pequeña esposa entre los mestizos y que la pequeña esposa le había dado…, ummm… –la pausa se prolongó mientras Shabalala buscaba la forma más amable de traducir las palabras del comisario.

–¿Placer? ¿Poder? –sugirió Emmanuel.

–Fuerzas. La pequeña esposa le dio nuevas fuerzas.

287

—¿Por qué la llamas «pequeña esposa»?

Emmanuel había visto las fotos. Su propia ex mujer, Angela, no habría accedido a hacer ni una sola de las cosas que aparecían en ellas.

—Era una pequeña esposa de verdad —dijo Shabalala—. El comisario pagó la *lobola* por ella, según la costumbre.

—¿A quién pagó el comisario por la esposa?

—Al padre.

—¿Me estás diciendo que un hombre, un mestizo, accedió a cambiar a su hija por ganado? —preguntó inclinándose hacia Shabalala. ¿De verdad el policía zulú se creía esa rocambolesca historia?

—El comisario me contó que eso fue lo que hizo. Él respetaba las antiguas tradiciones. No habría tomado una segunda esposa sin pagar primero la *lobola*. Yo me lo creo.

—Sí, bueno, seguro que la blanca señora Pretorius va a estar encantada cuando se entere de que su marido era tan estricto a la hora de cumplir las normas.

—No. A la señora no le gustaría oír esto —contestó Shabalala muy serio.

La brisa trajo el sonido de la voz de una mujer que cantaba en un campo a lo lejos. Ante ellos se extendía una enorme pradera que llegaba hasta las colinas que se levantaban en la lejanía. Una África poblada por hombres y mujeres negros que todavía entendían y aceptaban las antiguas tradiciones. A ocho kilómetros al sur, en Jacob's Rest, existía otra África paralela. ¿Qué le hacía suponer a Willem Pretorius que él podía vivir en ambos lugares a la vez?

—Tenemos que encontrar a esa mujer —dijo Emmanuel mientras se sacaba del bolsillo el calendario mozambiqueño y lo ponía en la pequeña mesa entre los dos. La hora de los secretos había terminado—. Ella fue la última persona que vio a Pretorius con vida y quizá pueda decirnos qué estaba haciendo el comisario esos días.

Shabalala estudió el calendario.

—El comisario estuvo en Mooihoek el lunes y el martes antes de morir, pero los otros días no salió del pueblo.

–¿Qué crees que significan estas marcas rojas? ¿Iba a algún sitio a pasar unos días todos los meses?

–No. Iba a Mooihoek a comprar material para la comisaría y a veces a Mozambique y a Natal con su familia, pero no todos los meses.

–Estas marcas quieren decir algo –dijo Emmanuel, que notó que se acercaba a otro callejón sin salida–. Si Pretorius hubiera estado haciendo algo ilegal..., pasando artículos de contrabando o reuniéndose con algún contacto..., ¿lo habrías sabido?

–Sí, creo que sí.

–¿Y estaba haciendo algo así?

Shabalala negó con la cabeza.

–El comisario no hacía nada ilegal.

–¿Para ti no cuenta la Ley de Inmoralidad?

A Emmanuel le asombraba el empeño con el que Shabalala seguía guardándole respeto a su difunto amigo. Precisamente Shabalala, entre toda la gente de Jacob's Rest, se había ganado el derecho a desconfiar de Willem Pretorius, el hombre blanco adúltero y embustero.

–Pagó la *lobola*. Un hombre puede tener muchas esposas si paga por ellas. Eso dice la ley de los zulúes.

–Pretorius no era zulú. Era afrikáner.

Shabalala se señaló el pecho, justo encima del corazón.

–Aquí. Dentro. Era como un zulú.

–Entonces me sorprende que no le mataran antes.

Se oyeron unos débiles pasos en la puerta y la mujer de la cocina, con la cara y el trasero redondos, salió al porche con una bandeja de té y la dejó en la mesa.

–Oficial Cooper, ésta es mi esposa, Lizzie.

–*Unjani, mama.*

Emmanuel le estrechó la mano a la mujer a la manera tradicional zulú, agarrándose la muñeca derecha con la mano izquierda en señal de respeto. La sonrisa de la mujer iluminó el porche y medio poblado con su calidez. Medía la milésima parte que su marido, pero era igual que él en todo.

–Tiene usted buenos modales –dijo.

Su pelo canoso le daba autoridad para hablar en una situación en la que una mujer más joven habría guardado silencio. Dirigió una atenta mirada al calendario.

—Mi mujer es maestra —dijo Shabalala, intentando buscar una excusa para la curiosidad de su esposa—. Enseña todas las materias.

Lizzie tocó el ancho hombro de su marido.

—*Nkosana*, ¿puedes venir un momento a la otra habitación, por favor?

Hubo un silencio incómodo antes de que el policía zulú se levantara y siguiera a su esposa al interior de la casa. No era conveniente que una mujer interrumpiera los asuntos de los hombres. El murmullo de sus voces llegó desde la cocina mientras Emmanuel daba sorbos a su té. Cómo había arreglado el comisario Pretorius la compra de una segunda esposa no era tan importante como encontrar a la propia mujer. Ella era la clave de todo.

Shabalala volvió a salir al porche pero se quedó de pie. Se tiró del lóbulo de la oreja.

—¿Qué pasa?

—Mi esposa dice que ese calendario es el calendario de una mujer.

—Era del comisario. Lo encontré en la cabaña de piedra de la finca de King.

—No —dijo Shabalala, titubeante como un colegial en una situación embarazosa—. Es un calendario que usan las mujeres para..., esto...

La mujer de Shabalala salió de la cocina y agarró el calendario.

—¿Puede ser más bobo un hombre adulto? —le dijo a Shabalala chasqueando la lengua. Señaló los días rodeados con círculos rojos—. Durante una semana cada mes, una mujer fluye como un río. ¿Me entiende? Eso es lo que pone en este calendario.

—¿Está segura?

—Soy mujer y sé esas cosas.

Emmanuel se quedó impresionado ante la simplicidad de

la explicación. A él no se le habría ocurrido ni aunque se hubiera pasado cien años mirándolo. El calendario se refería a la mujer y su ciclo, no a un complejo rompecabezas de fechas de recogida y actividades ilegales. La cámara, el calendario y las fotos: todo estaba relacionado con la enigmática pequeña esposa, fuera quien fuese.

–Gracias –dijo antes de volverse hacia Shabalala–. Tenemos que encontrar a la mujer antes de que el Departamento de Seguridad le saque una confesión a golpes al hombre que tienen en las celdas y tire por la borda todas las demás pruebas.

–El viejo judío –sugirió Shabalala–. Él y su mujer también conocen a muchos de los mestizos.

–Él no va a hablar –respondió Emmanuel–. Pero sé de alguien que quizá sí.

Emmanuel cruzó la calle hasta la estructura quemada del taller de Anton mientras Shabalala montaba guardia en la parcela vacía que lindaba con Poppies. Si Zweigman se daba a la fuga durante la charla de Emmanuel con Anton, el policía negro tenía órdenes de seguirle y observarle desde lejos.

Emmanuel entró en el taller en obras y el mecánico mestizo levantó la vista de la carretilla de ladrillos tiznados que estaba limpiando con un cepillo de cerdas de alambre. Poco a poco se iba instalando un cierto orden en las ruinas carbonizadas de lo que anteriormente había sido un negocio próspero.

–Oficial –Anton se limpió con un trapo el hollín de los dedos antes de darle la mano–, ¿qué le trae por estos lares?

–¿Tú conoces a la mayoría de las mujeres mestizas de por aquí? –Emmanuel no perdió el tiempo con preámbulos. Si el mecánico no le contaba nada, seguiría con el viejo judío.

–A la mayoría. ¿Tiene esto que ver con el caso de los abusos?

–Sí –mintió Emmanuel–. Quiero averiguar qué distinguía a las víctimas de las otras mujeres mestizas del pueblo.

–Bueno... –dijo Anton mientras seguía llevando ladrillos a la carretilla–, todas eran jóvenes, solteras y decentes. Hay alguna mujer que otra, y no voy a dar nombres, que va repartiendo favores con mucha alegría. El acosador no fue a por ellas.

–¿Y Tottie? ¿Sabes algo de su vida privada?

–No tiene. Su padre y sus hermanos la tienen tan controlada que un hombre tendrá suerte si consigue pasar un minuto a solas con ella.

–¿No ha habido rumores de que haya empezado a salir con un hombre de fuera de la comunidad mestiza?

El mecánico interrumpió su trabajo y se secó unas gotas de sudor del labio superior. Sus ojos verdes se entornaron.

–¿Qué me está preguntando realmente, oficial?

Emmanuel se dejó llevar por la corriente. Ya no ganaba nada siendo tímido o sutil.

–¿Conoces a algún hombre mestizo que practique las viejas costumbres? ¿Alguien que pudiera aceptar un pago a cambio de dar a su hija como esposa?

Anton se echó a reír, aliviado.

–Imposible. Ni siquiera Harry, con el gas mostaza, cambiaría jamás a sus hijas por un par de vacas.

Era muy probable que el acuerdo, cualquier acuerdo con connotaciones nativas, se hubiera establecido en secreto para evitar el desprecio de una comunidad mestiza que trabajaba incansablemente para ocultar toda relación con la parte negra de su árbol genealógico.

–¿Hay algún hombre mestizo que haya recibido un dinero que no pueda justificar?

–Sólo yo –Anton sonrió burlonamente y el empaste de oro de su diente emitió un destello–. Recibí mi último pago hace un par de días, pero no tengo ningún papel que demuestre de dónde ha salido.

Era poco probable que el reservado comisario afrikáner y el mestizo que había negociado el acceso a la sexualidad de su hija hubieran hecho algún tipo de publicidad de su operación. Sólo un hombre negro tradicional, empapado de las viejas costumbres, hablaría abiertamente del pago recibido a cambio de su hija.

–De acuerdo –Emmanuel abandonó ese enfoque y dio marcha atrás–. ¿Ha habido rumores de que alguna mujer del pueblo o de las granjas de los alrededores haya empezado a salir con un hombre de fuera de la comunidad?

Anton seleccionó cuidadosamente un ladrillo carbonizado y empezó a restregarlo a conciencia.

–Nos encantan los rumores y los chismes –dijo–. A veces parece que es lo único que nos mantiene unidos.

–Cuéntamelos.

–Si la abuela Mariah se entera de que he contado esto, me va a poner los testículos a secar en la valla trasera. No exagero. Esa mujer es una fiera.

–Te prometo que no le va a llegar esa información a través de mí.

–Hace un par de meses… –Anton prefirió hablar dirigiéndose al ladrillo que tenía en la mano–, Tottie dejó caer ante algunas mujeres que pensaba que el viejo judío y Davida tenían una relación muy estrecha. Demasiado estrecha.

–¿Y hay algo de verdad en eso?

–Bueno, Davida estaba en casa de Zweigman a todas horas, día y noche. Entraba y salía cuando quería y aquello no parecía apropiado, que uno de nosotros tuviera tanta confianza con los blancos.

–¿Le preguntó alguien qué hacía allí? –no conseguía imaginar el acalorado intercambio de fluidos corporales entre el tímido pajarito mestizo y el protector Zweigman. Su relación con ella parecía paternal, no sexual.

–Leer, coser, cocinar, cualquier cosa, ella siempre tenía alguna excusa para estar allí –dijo Anton mientras intentaba quitar un pegote de ceniza de la superficie del ladrillo con la uña–. Por aquel entonces a mí me gustaba mucho Davida. Íbamos de paseo y hasta me dio unos cuantos besos, pero ella cambió, vaya si cambio. Una vez que empezaron los rumores, fue como si se metiera en un caparazón. Ella no era como la ve ahora, toda tapada y discreta. Antes esa chica tenía chispa.

—¿De verdad?

—Huy, sí. Un pelo ondulado precioso que le llegaba hasta la mitad de la espalda; todo natural, no alisado. En las reuniones era la primera en salir a bailar y la última en sentarse. A la abuela le faltaban manos para controlarla, se lo digo yo. La descripción no encajaba ni remotamente con la reservada mujer que se escondía bajo un pañuelo atado a la cabeza. Pero el hecho de que el tímido pajarito mestizo hubiera tenido una larga melena morena la convertía en candidata a ser la modelo de las fotografías del comisario. ¿Cómo era su cuerpo bajo esas prendas amorfas que llevaba colgadas como sacos de arpillera?

—¿Qué pasó? —preguntó Emmanuel.

—Yo todavía no lo entiendo —dijo Anton—. Superó bien lo del acosador, y luego, un día, se deshace de la melena y ya no quiere salir de paseo conmigo.

—¿Cuándo ocurrió ese cambio?

—En abril —Anton tiró el ladrillo estropeado a una carretilla—. Zweigman y su mujer estuvieron cuidando a Davida durante una enfermedad, y cuando salió, bueno, ya nada era igual que antes.

Abril. El mismo mes en el que el comisario Pretorius había descubierto que el tendero alemán era en realidad un cirujano cualificado. ¿Había revelado Zweigman el alcance de sus conocimientos médicos durante el tratamiento de la misteriosa enfermedad de Davida? Y si había sido así, ¿cómo se había enterado Willem Pretorius? El tímido pajarito mestizo era el único eslabón entre los dos hombres.

—Gracias por tu ayuda, Anton —dijo Emmanuel, que le tendió la mano para dar por terminado el interrogatorio informal—. Suerte con la limpieza.

Quería repasar las conexiones entre Willem Pretorius y Davida Ellis con Shabalala para poder aclarar las relaciones que había establecido en su mente. Primero, Donny Rooke había visto al comisario detrás de las casas de los mestizos la noche del asesinato. A continuación, Davida había aparecido en la cabaña de piedra. Además, *Placeres celestiales* había viajado de alguna forma del estudio de Zweigman a la habitación cerrada de Pretorius. Las piezas empezaban a encajar.

–Oficial –dijo Anton, que se mantuvo medio paso detrás de él–, lo de la abuela Mariah no iba en broma. Si le causo problemas a su nieta no me lo va a perdonar en la vida.

Emmanuel no sabía cómo decirle al mecánico que seguramente los problemas de Davida iban a ser mucho más graves y profundos que un rumor propagado por un ex novio. Si se demostraba que el tímido pajarito mestizo era el principal testigo del asesinato de un comisario de policía blanco, su nombre y su cara iban a ser conocidos en toda Sudáfrica.

16

La abuela Mariah y Davida estaban trabajando en el jardín, plantando semillas en una larga franja de tierra recién removida. Los ojos verdes de la anciana se abrieron de par en par al ver al policía blanco y a su ayudante negro atravesar su jardín en un día de primavera.

–¿Qué quieren? –dijo enderezándose y poniendo los brazos en jarras.

–Tengo que hablar con Davida.

Emmanuel mantuvo la calma y la simpatía frente a la hostilidad de la abuela Mariah. Una mujer de color no podía hacer mucho una vez que las fuerzas del orden se volvían contra ella.

–¿Qué tiene usted que hablar con ella?

–Eso es algo entre Davida y yo.

–Pues no pienso consentirlo. No voy a consentir que venga usted aquí y le cause problemas a mi nieta.

–Ya es demasiado tarde para eso –contestó Emmanuel. Sintió pena de la fiera mujer y admiró la fuerza que demostraba en una situación en la que lo tenía todo en contra. Ambos sabían que aquella batalla la iba a ganar él.

–Abuela... –dijo el tímido pajarito mestizo dando un paso adelante–. No pasa nada, hablaré con el oficial.

–No, no pienso consentirlo.

–Tiene razón –dijo Davida en voz baja–. Ya es demasiado tarde.

La matriarca de piel morena le cogió la mano a su nieta y la apretó con fuerza.

–Id a la sala de estar, cariño –dijo–, estaréis más cómodos.

–Hablaremos en su dormitorio.

Emmanuel se dirigió hacia la pequeña construcción blanca al borde del jardín y abrió la puerta. Dentro del antiguo cuarto del servicio, cogió una silla desde la que poder examinar el interior de la habitación. Reconoció inmediatamente la cama de hierro forjado y la mesita de noche de las fotografías. En el suelo, cerca de las almohadas, había una pila ordenada de libros encuadernados en piel procedentes de la biblioteca de Zweigman. Lo único que faltaba era una enorme mole de carne blanca y resplandeciente tumbada en la cama.

Davida entró en la habitación y las imágenes que había visto Emmanuel al volver de Lorenzo Márquez le pasaron por la mente como un rayo. La caída de la larga melena oscura sobre la cara; los pezones erectos, duros como piedras preciosas, marcándose bajo las sábanas blancas; las tersas líneas de las piernas, que acababan en una mata de vello púbico moreno... y Willem Pretorius listo para probarlo todo.

–¿Conocías al comisario Pretorius? –preguntó.

–Todo el mundo le conocía.

–Quiero decir si le conocías lo suficiente como para, no sé, charlar con él. Ese tipo de cosas.

Davida se volvió hacia la ventana y sus dedos empezaron a juguetear con la puntilla de las cortinas.

–¿Por qué me hace esas preguntas?

–¿Por qué no contestas?

–Porque ya sabe la respuesta. Por eso está aquí –echó aire por la boca con un resoplido que dejó ver su enfado–. ¿Por qué tengo que decirla yo?

–Tengo que oírtela a ti, con tus propias palabras.

–De acuerdo –el tímido pajarito mestizo se volvió hacia él y Emmanuel alcanzó a ver el espíritu guerrero de la abuela Mariah muy vivo en Davida–. Me acostaba con el comisario Pretorius en esa cama de ahí. ¿Contento?

—¿Con acostarte te refieres a dormir o a follar?

—La mayoría de las noches hacíamos las dos cosas.

Estaba desafiante, lista para quemar todos los rastros de su papel de buena chica. A Emmanuel le gustaba mucho más la Davida furiosa que la versión descafeinada que vendía al mundo.

—Me pregunto por qué una mujer mestiza iniciaría una relación con un hombre blanco casado cuya familia vive a unas pocas calles de distancia. ¿Te gusta correr riesgos, Davida?

—No. No fue así.

—¿Cómo fue?

—Yo no quería —dijo mientras arrancaba volutas de pintura descascarillada del alféizar de la ventana y frotaba los restos con los dedos—. Él no quería.

—Se obligó a hacerlo, ¿no?

Emmanuel no intentó ocultar su escepticismo. ¿Cuánto había tardado Willem Pretorius en alzar la bandera blanca y rendirse al placer de la cama de hierro forjado? ¿Un día, una semana?, ¿un mes entero quizá?

—Intentó resistirse —insistió Davida—. Primero con la abstinencia y después con las fotos, pero esas cosas no funcionaron.

—Háblame de las fotografías —dijo Emmanuel.

Davida le había dado la información voluntariamente, sin saber que él tenía copias de las fotos. Quizá se sentía mejor al desvelar los aspectos de su vida que había tenido guardados a buen recaudo en una cámara acorazada dentro de sí misma. Posar para fotografías pornográficas era una actividad ilegal que sin duda le habría impedido ser miembro de la Asociación para el Avance de las Mujeres Mestizas.

—El comisario dijo que si tenía unas fotos para mirarlas, no tendría que tocarme. Decía que mirar fotografías era un pecado menor que cometer adulterio.

—Ya entiendo.

El contraste entre los dos sobres de fotografías era muy marcado. Las primeras fotos eran inocentes y discretas; las segundas eran explícitas y salvajes. En algún momento entre la sesión del primer carrete y la del segundo, el pecado había ganado la batalla por el alma del comisario Pretorius.

—Pero lo de las fotografías no funcionó y acabasteis cometiendo adulterio, ¿no? ¿Es así?

—Sí —su voz había disminuido de volumen hasta convertirse en un susurro—. Eso fue lo que pasó.

—¿Cómo era vuestra relación?

—Ya se lo he dicho.

—Entonces, ¿el comisario Pretorius mantenía relaciones contigo y después se marchaba inmediatamente? ¿No había nada más?

—No. Al comisario le gustaba quedarse a charlar un rato después.

—¿Cómo describirías tu relación con él? ¿Buena?

—Todo lo buena que podía ser —dijo encogiéndose de hombros—. Nunca iba a haber campanas de boda.

—¿Entonces por qué lo hiciste? Anton o cualquier otro de los mestizos del pueblo habrían sido una elección más apropiada, ¿no?

Del fondo de la garganta de Davida salió un sonido de incredulidad.

—Sólo un hombre blanco haría una pregunta como ésa y esperaría una respuesta.

Emmanuel tenía la sensación de estar viéndola por primera vez. A la dócil joven mestiza podía tratarla, incluso ignorarla, pero esta mujer furiosa con ojos de lince era algo totalmente distinto.

—¿Qué tiene que ver la pregunta con que sea blanco?

—Los blancos son los únicos que hablan de elegir como si hubiera una caja de bombones de la que todo el mundo puede escoger uno. O sea que un comisario de policía holandés entra en esta habitación, ¿y qué es lo que se supone que tengo que decirle? «No, gracias, señor comisario, pero no quiero echar a perder mis posibilidades de tener un buen matrimonio con un buen hombre de mi comunidad, así que, por favor, *ma' baas*, vuélvase con su mujer y su familia. Le prometo que no le haré chantaje si usted me promete no castigar a mi familia por haberle rechazado. Gracias por pedírmelo, señor policía, me siento muy honrada.» Dígame, oficial, ¿es así como funcionan las cosas para las mujeres de color en Jo'burgo?

Emmanuel sintió la verdad que encerraban sus palabras. Fue como si le hubiera dado una fuerte bofetada con la mano abierta. Se inclinó hacia delante en la silla y pensó en las implicaciones de lo que había dicho Davida. No cabía duda de que una aventura secreta e ilegal con un afrikáner retrasaba cualquier posibilidad de casarse o de iniciar una relación seria con un hombre de su propio grupo racial. Jacob's Rest era demasiado pequeño para ocultar una actividad ilícita de esa envergadura. Davida Ellis estaba atrapada entre dos tierras: una mestiza soltera atada a un blanco casado.

—¿Cuándo fue la última vez que viste al comisario Pretorius?

El color que había provocado en sus mejillas su diatriba contra el hombre blanco fue desapareciendo hasta dejarla curiosamente pálida.

—La noche que murió —contestó.

—¿Dónde?

—Vino aquí, a la habitación. Me dijo que cogiera mis cosas porque íbamos a ir al río. Yo no quería ir, pero él estaba enfadado y dijo que íbamos a ir.

—¿Por qué estaba enfadado?

—Pilló a Donny Rooke espiándole y tuvo que darle una paliza como advertencia. Le limpié las manos al comisario con un paño antes de irnos porque tenía abierta la piel de los nudillos.

Eso era un punto de ventaja para Donny y la confirmación de que Pretorius pegaba fuerte cuando tenía que hacerlo. Era improbable que Donny, el paria, pudiera haber organizado un asesinato y una incursión en Mozambique para que no le encontraran después de la paliza que había recibido. Donny no tenía, ni con mucho, la inteligencia ni la fuerza necesarias para eso.

—¿Tú no querías salir esa noche?

—No —Davida volvió a las andadas y se concentró en sus manos mientras hablaba—. A mí nunca me gustó salir a la calle con el comisario. Me daba miedo que alguien nos viera.

—¿A Pretorius no le preocupaba eso?

—Dijo que no pasaba nada ahora que sabía quién le estaba espiando, y el río era su lugar preferido para…, bueno…, para ir.

Emmanuel recordó la impresión que le había producido el lugar del crimen y la clara sensación de que quizá la víctima estuviera sonriendo cuando le alcanzó la bala. Así que no andaba muy descaminado.

—¿El comisario Pretorius pensaba que había alguien espiándole antes de pillar a Donny esa noche?

—Dijo que sabía que había alguien en el *veld* y que le iba a atrapar.

—¿Cuándo fue la primera vez que te dijo que alguien le estaba espiando?

—Unas tres o cuatro semanas antes de morir.

—¿Pensaba que ese alguien era Donny?

—Sí. Eso es lo que me dijo el comisario.

¿Qué demonios habría llevado a Willem Pretorius a creer que Donny Rooke, precisamente Donny Rooke, era capaz de poner en práctica una astuta vigilancia secreta? La acechante presencia seguía ahí, en la oscuridad, y estaba clarísimo que no era Donny.

—¿Qué pasó después?

Se creía todo lo que le había contado hasta entonces y se preguntó cuándo patinaría Davida e intentaría tapar algún agujero en su historia. Todo el mundo tenía algo que ocultar.

—Fuimos a la furgoneta de la policía y yo me metí debajo de la manta en la parte de atrás. Fuimos a la granja del viejo Voster. El comisario se bajó para asegurarse de que no había peligro. Tardó mucho en volver y… —respiró hondo—. Yo me asusté, pero entonces volvió y dijo que estaba despejado, así que fuimos al río.

Ahora respiraba con mayor dificultad, moviendo el pecho arriba y abajo con un ritmo irregular. Así era como la había visto en la cabaña de piedra. Muerta de miedo.

–Sigue.

–El comisario extendió la manta y entonces..., bueno..., fue cuando pasó. Se oyeron dos estallidos y se cayó de bruces, sin más.

–¿El comisario estaba de pie al lado de la manta y tú estabas sentada? –preguntó Emmanuel. Faltaba algo en su descripción de los hechos.

–Estábamos los dos en la manta –contestó mirando por la ventana como un preso que observa una bandada de pájaros en vuelo sobre el alambre de espino–. Estábamos..., él me estaba..., ya sabe...

–Davida, date la vuelta y mírame –dijo–. Dime qué pasó exactamente en la manta. No te calles nada. No me voy a enfadar ni a escandalizar.

Davida se volvió hacia él, pero no levantó la mirada del botón central de la chaqueta de Emmanuel. Después de lo que había hecho en las fotografías, era increíble ver cómo un rubor le subía por el cuello y le oscurecía la piel.

–El comisario me lo estaba haciendo por detrás –susurró con una voz atiplada–. Acabó y se estaba abrochando los botones cuando oí los dos estallidos. Yo no sabía lo que era y entonces el comisario se cayó hacia delante y yo no me podía mover. Le tenía encima, tumbado encima de mí. Intenté moverme, pero le tenía encima.

–¿Qué hiciste entonces?

–El corazón me latía tan fuerte que me zumbaban los oídos. También estaba llorando, intentando salir de debajo del comisario. Por eso no le oí hasta que estuvo detrás de mí.

–¿A quién?

–Al hombre.

–¿Qué hombre?

–El hombre que disparó. Me dio una patada en la pierna y me dijo: «Vete corriendo. Como te des la vuelta para mirar, te disparo». Me quité de encima al comisario y salí corriendo. Me caí en el camino *kaffir* y se me rompió un colgante que llevaba, pero no me paré a buscarlo. Volví a levantarme y vine corriendo hasta casa.

–Y el hombre… ¿en qué idioma habló?

–En inglés. Con acento.

–Háblame del hombre. ¿Le viste alguna parte del cuerpo?

–Yo estaba mirando hacia otro lado y tenía detrás al comisario. No le vi. Sólo le oí decirme que me fuera corriendo.

–Por la voz, ¿qué dirías que era? ¿Blanco, mestizo, negro o indio? –preguntó Emmanuel.

–Holandés –contestó inmediatamente–. Un auténtico afrikáner.

–¿Cómo lo sabes?

–Por su voz. Un bóer acostumbrado a dar órdenes.

Aquella descripción valía para el noventa por ciento de los hombres que habían asistido al funeral de Willem Pretorius. Era como encontrar a alguien que encajara en el perfil de un hombre vestido con un mono o un pantalón de trabajo de color caqui.

Emmanuel tenía sus dudas acerca de la aparición de «el hombre». ¿No era un poco improbable, además de muy oportuno, que hubiera bajado del cielo un fantasma afrikáner para absolver a Davida de su implicación en el asesinato del comisario?

–¿Conocías al hombre, Davida?

–No.

–¿Era un mestizo? ¿Alguien del pueblo?

Davida levantó la mirada, atenta al cambio de atmósfera. El color de sus ojos era como el de unas nubes que amenazan lluvia.

–Era blanco –repitió–. Me habló como a un perro, como si disfrutara dando órdenes.

–¿Conocías al hombre, Davida? –volvió a lanzar la pregunta y esperó a ver qué hacía Davida con ella.

–Ya se lo he dicho, no –dijo con la voz aguda por la frustración–. No sé quién era.

Emmanuel le examinó el rostro, de una belleza deslumbrante ahora que se había desprendido de la pose de monja novicia y podía verla claramente.

—Te hizo un favor, ¿no? El hombre. Se acabó el posar en fotos ilegales. Se acabó el levantarte la falda cada vez que venía Pretorius.

—Eso no es verdad. Yo no quería hacerle ningún daño al comisario.

—¿Por qué no? —respondió Emmanuel—. Acostarse contigo iba contra la ley. Hacer fotografías pornográficas también iba contra la ley, y aun así, él te obligó a hacer ambas cosas. Eso es cierto, ¿no? No podías decirle que no a un comisario de policía afrikáner.

—Es cierto.

Las nubes estallaron y Davida se secó las lágrimas pasándose la mano por la cara rápidamente. Llorar por un holandés muerto delante de un inglés: ¿podía hacer algo más ridículo una mujer mestiza?

—Tú sentías algo por él —dijo Emmanuel. Había visto la fotografía que le había sacado a Pretorius. Davida y el comisario compartían algo más que un simple placer físico mutuo.

—No le quería —contestó Davida, enfadada por las lágrimas y por la frialdad con que él la observaba mientras ella hacía grandes esfuerzos para no perder el control—, pero tampoco le odiaba. Él jamás hizo nada para hacerme daño. Ésa es la verdad.

—Hay muchas formas de hacer daño a alguien sin ponerle la mano encima —dijo Emmanuel. Notó cómo a él mismo le asaltaba la rabia como un fogonazo y permitió que una décima parte saliera al exterior—. ¿Qué va a pasar cuando testifiques en los tribunales y toda Sudáfrica se entere de lo de las fotos y de que eras la *skelmpie* de un policía blanco? ¿Te va a gustar eso o te va a doler? No importa. Siempre puedes acordarte de lo considerado que fue Willem Pretorius cuando te llevó por un camino que no conducía a ningún lado.

—Es usted cruel —dijo Davida.

304

Emmanuel se quedó callado unos instantes. Había ido demasiado lejos.

—Lo siento —dijo—. Volvamos a la orilla del río. ¿Puedes contarme algo más sobre el hombre que disparó al comisario Pretorius? Cualquier cosa servirá de ayuda.

Davida tardó un rato en recuperarse de la aterradora imagen del tribunal y la repercusión pública del juicio por el asesinato.

—Era silencioso —dijo Davida—. Como un gato. No supe que estaba allí hasta que lo tuve justo detrás.

—Tenías miedo y estabas llorando —le recordó Emmanuel—. Tenía que ser difícil oír a cualquiera.

—Ya, pero…, fue como la vez que me agarró el mirón. No me di cuenta de que estaba allí hasta que se me echó encima. Esto fue igual.

—¿Tenía el asesino el mismo acento que el hombre que te agarró? —preguntó Emmanuel. Daba igual la dirección que tomara el caso: el acosador siempre estaba allí, como una sombra.

—Los dos sonaban raros —dijo Davida mirándole a la cara al tiempo que caía en la cuenta de la conexión—, como alguien que estuviera poniendo un acento falso.

Bueno, si estaba mintiendo sobre el hombre del río, su actuación era intachable. Parecía asombrada por no haber relacionado hasta entonces al asesino de la orilla del río con el acosador.

Emmanuel asimiló la nueva información. Confirmaba su impresión de que el asesinato del comisario estaba relacionado con los secretos y las mentiras de un pueblo pequeño y no formaba parte de una elaborada conspiración comunista para derribar al Gobierno del Partido Nacional.

Se levantó y se alisó las arrugas de la parte delantera de los pantalones. Dos días antes pensaba que Davida era una tímida virgen que rehuía el contacto físico con hombres que no fueran de su propia «clase». Ahora tenía la confirmación de que esa impresión era un auténtico disparate y se veía obligado a dar crédito a la versión de los hechos que ella había contado en relación con el asesinato de Pretorius. Ya no se fiaba de su instinto en lo que concernía a la pequeña esposa del comisario.

¿Era porque, tal como había sugerido el sargento mayor, había algo en ella que le excitaba? Emmanuel evitó mirar la cama de hierro forjado y luchó contra la avalancha de explícitas imágenes que le vinieron de pronto a la cabeza. De todos los momentos en los que podía haber resucitado su libido, éste tenía que ser el peor. Davida Ellis era una mujer mestiza y un testigo clave en el asesinato de un policía afrikáner: aquello era obra del mismo diablo.

Emmanuel se puso de espaldas a la cama, mirando hacia la ventana donde estaba ella.

–¿Cuándo empezaste la relación con Pretorius, antes o después de que dejara de actuar el acosador?

–Después. La primera vez que el comisario vino a esta habitación fue para hacerme unas preguntas sobre el agresor. Eso fue a finales de diciembre.

–¿Recuerdas si el comisario te preguntó algo extraño?

–Bueno... –Davida se pensó bien la respuesta–. La conversación entera fue rara. No fue como con el subcomisario Uys, que me hizo tres preguntas y después me mandó salir de la comisaría.

–¿Rara en qué sentido? Cuéntame cómo fue.

–El comisario vino a esta habitación él solo –se detuvo para dejarle asimilar esa ruptura del protocolo–. Me pidió que me sentara en esa silla y que cerrara los ojos. Yo lo hice, y entonces me pidió que pensara en el hombre que me había agarrado. Me hizo muchas preguntas. ¿Era el mirón más alto o más bajo que yo? Dije que más alto, pero no mucho. ¿Cómo tenía la piel? ¿Suave o áspera? Dije que suave, sólo un poquitín áspera, como un hombre que trabaja con las manos de vez en cuando. ¿Le olía la piel a algo en concreto? ¿Café, tabaco, grasa o jabón..., alguna de esas cosas? Dije que no, pero que sus manos tenían un olor familiar. El comisario me dijo que siguiera con los ojos cerrados e intentara acordarme. ¿Dónde lo había olido antes?

–¿Te acordaste?

–Dije que las manos de Anton olían igual. Como a hojas de eucalipto machacadas.

–¿Crees que Anton es el mirón?

–No –contestó Davida–. Anton tiene las manos ásperas, como papel de lija, y los brazos musculosos. El hombre que me agarró tenía las manos suaves y era más pequeño que Anton.

No le preguntó cómo conocía esos detalles íntimos de Anton. Era de suponer que en sus paseos con el mecánico larguirucho había hecho mucho más que tomar el fresco.

–¿Cuál fue la reacción del comisario Pretorius cuando le dijiste lo del olor de las manos del acosador?

En el informe mecanografiado y archivado por el comisario después de su visita informal a la antigua habitación del servicio no había ninguna alusión al olor a hojas de eucalipto. Tenía que haber algún motivo para esa omisión.

Davida se movió incómoda, y entonces pareció darse cuenta de que ni su reputación ni la del comisario tenían ya salvación posible. Se dirigió a Emmanuel directamente y con la cabeza alta, de forma muy similar a como le había hablado la abuela Mariah delante de la iglesia.

–Tenía los ojos cerrados y no le vi la cara, pero sé que estaba contento. Me acarició el pelo y dijo: «Davida, eres una chica lista por acordarte de eso». Abrí los ojos y ya estaba saliendo por la puerta.

¿Qué pasaba en el pueblo de Jacob's Rest? Parecía que el calor, el aislamiento o quizá simplemente la proximidad de los grupos raciales hacían que nadie pudiera resistirse a ejercer poder sobre los demás. El propio Emmanuel había estado a punto de tocarle el pelo húmedo a Davida delante de la cabaña del comisario porque había experimentado el placer de saber que la joven estaba bajo su mando y que iba a mantener sus secretos a buen recaudo. ¿No era aquella sensación de poder una extensión de la fantasía del *induna* blanco a la que el Partido Nacional estaba dando ahora categoría de ley?

–¿Alguna vez le comentaste a Anton lo de la conexión

con el mirón? ¿Le preguntaste qué era el olor a hojas de eucalipto machacadas?

–El comisario Pretorius vino otra vez tres o cuatro días más tarde, y después de eso ya no fue fácil hablar con Anton. No sé lo que era el olor y el comisario nunca volvió a mencionarlo.

–¿Siempre le llamabas «comisario»?

El papel de atrevida se evaporó y Davida volvió a mirar al punto mágico situado frente a su puntera derecha.

–Le gustaba que le llamara «comisario» antes y durante, y Willem después.

Sí, bueno. Una relación con un holandés de moral recta con afición a la pornografía y al adulterio tenía que implicar necesariamente un grado desmesurado de reglas misteriosas y complicaciones. Emmanuel recorrió la habitación con la mirada y se fijó en la cama hecha de cualquier manera y en las motas de polvo que danzaban sobre el suelo de cemento pintado. Parecía que Willem recibía en su casa la dosis de orden que necesitaba y después iba a esa habitación a revolcarse en el desorden.

–¿Visitabas a Pretorius en la cabaña de piedra? –preguntó. La cabaña de piedra estaba tan escrupulosamente limpia como el estudio cerrado de la inmaculada casa de estilo holandés de El Cabo, sólo que sin la ayuda de una criada.

–Sí.

–Cuando terminabas de llamarle comisario Pretorius y después Willem, ¿le limpiabas la cabaña?

Davida levantó la vista y sus ojos grises despidieron chispas de indignación.

–No soy una criada –dijo.

No, no era una criada y tampoco era especialmente maniática con el cuidado de la casa. Alguien había limpiado la cabaña hasta dejarla como una planta de hospital. Sólo faltaba el penetrante olor a desinfectante de pino.

–¿Era el comisario muy maniático con el orden de la cabaña? Ya sabes, ¿tenía un sitio para cada cosa y cada cosa tenía que estar en su sitio?

–No. No le importaba demasiado el orden.

–No en esta habitación y no en la cabaña –dijo Emmanuel.

En todos los demás aspectos de sí mismo, Willem Pretorius se había cuidado mucho de mantener una apariencia ordenada. La casa blanca inmaculada con su inmaculada esposa blanca, el uniforme policial almidonado y las camisas interiores impolutas eran señales externas de su alma pura y sin mancha. Si se le daba la vuelta a la moneda aparecía el Willem oculto, desnudo en una cama deshecha de una habitación de mala muerte con una sonrisa en la cara. ¿Por qué estaba tan limpia la cabaña? El comisario no estaba esperando visita.

–¿A qué fuiste a la cabaña? –preguntó Emmanuel.

–A coger las fotos –contestó Davida, ahora nerviosa. Desencorvó los hombros y se puso derecha–. No quería que las encontrara nadie.

–¿Limpió tu madre la cabaña, Davida?

–No.

–¿Qué opinaba tu padre de tu relación con el comisario Pretorius? ¿Le parecía bien?

Aquello la desconcertó y se llevó la mano a la mejilla sonrojada.

–¿Qué está diciendo? Mi padre murió cuando yo era pequeña, en un accidente en una granja.

–Pensaba que Willem Pretorius había acordado hacer un pago a tu padre a cambio de recibirte como esposa.

–¿Có... cómo? ¿De dónde se ha sacado eso? Eso es mentira.

–¿De qué mentira estamos hablando? ¿La del pago a cambio de la esposa o la de que tu padre está muerto?

Davida escondió rápidamente su miedo y su perplejidad en su papel de tímido pajarito.

–Le he contado la verdad sobre lo que había entre el comisario Pretorius y yo. Hasta le he contado lo que estábamos haciendo cuando le dispararon. ¿Por qué iba a mentirle ahora, oficial Cooper?

–No lo sé –contestó Emmanuel, que se había percatado

del uso correcto de su cargo–, pero seguro que tienes tus razones.

Se dirigió a la puerta, consciente de que Shabalala le estaba esperando fuera y de que la investigación estaba tomando velocidad. Tenía que conseguir que la relación entre el acosador y el asesino del comisario fuera lo suficientemente sólida para poder sostenerse ante un tribunal. Necesitaba pruebas.

–¿Va a llevarme a la comisaría? –preguntó Davida.

–No.

El Departamento de Seguridad y los hermanos Pretorius eran las últimas personas a las que iba a exponerla. No corría peligro mientras siguiera siendo una mujer mestiza anónima que trabajaba para un anciano judío en una tienda ruinosa del pueblo. Cuando se revelara que había sido la amante del comisario Willem Pretorius, iban a ir a por ella, y el castigo por sus faltas iba a ser atroz.

–¿Qué hago ahora?

Parecía desorientada, ahora que todos los detalles de su vida secreta habían salido a la luz.

–Quédate aquí. Puedes ayudar a tu abuela en el jardín, pero no salgas a la calle hasta que vuelva yo y te diga que puedes andar por el pueblo.

–¿Cuándo será eso?

–No lo sé –dijo Emmanuel, que abrió la puerta hasta la mitad y entonces se detuvo–. ¿Qué pasó en abril?

–¿Cómo sabe eso?

–No lo sé. Por eso pregunto.

Davida vaciló y, a continuación, contestó:

–Tuve un aborto. El doctor Zweigman se encargó de que todo quedara limpio y curado, pero el comisario pensaba que había matado al bebé. Tuvieron una discusión a raíz de aquello. Yo nunca hablé del doctor Zweigman con el comisario después de aquello y nunca hablé del comisario con el doctor Zweigman, pero todos lo sabíamos.

–Lo siento –dijo Emmanuel antes de abandonar la habitación y salir al jardín. Sentía haberse enterado de la existencia de Jacob's Rest. También sentía haber descubierto que el interruptor de apagado, el que le permitía soportar las investigaciones de asesinato más truculentas sin involucrarse emocionalmente, había dejado de funcionar.

17

–Hojas de eucalipto machacadas... –le dijo Emmanuel al mecánico cuando él y Shabalala volvieron al taller–. ¿Qué te echas en las manos que tenga ese olor en particular?

Anton revolvió en un cubo de madera y sacó una lata con un dibujo de una hoja alargada de la que salían disparados unos rayos picudos.

–Desengrasante. Lo usamos los mecánicos para limpiarnos. Te quita la suciedad de alrededor de las uñas y de entre los dedos.

–¿Quién utilizaría este producto en concreto? –preguntó Emmanuel mientras levantaba la tapa y olía la espesa pasta blanca. El olor a hojas de eucalipto era intenso–. ¿Sólo los mecánicos o cualquiera que arregle maquinaria?

–Bueno, no es barato, así que no lo usaría alguien que estuviera trasteando con una bicicleta o con una bomba para sacar agua de un pozo. El único sitio del pueblo donde lo he visto aparte de aquí es el taller de Pretorius.

–¿Es de ahí de donde sacas tus existencias?

Anton se echó a reír.

–¡Por Dios santo! ¿Se imagina a Erich Pretorius dejándome comprar algo en su negocio? No, le encargo a mi hermana pequeña que me traiga dos o tres botes cuando viene de Mooihoek en vacaciones. Está estudiando en un internado allí. Este fin de semana estuvo aquí sólo por el funeral.

–¿Te darías cuenta si te faltara una lata?

–Desde luego. Tengo que repartir mis existencias a lo largo de todo el año. Como le he dicho, es caro. La remesa de diciembre me tiene que durar hasta Semana Santa, y después tengo que estirar la siguiente hasta agosto.

–¿Diciembre y agosto? –Emmanuel le devolvió la preciada lata de desengrasante a Anton y sacó su libreta. Tenía algo rondándole la memoria–. ¿Por qué esos meses en particular?

–Las vacaciones de los colegios –dijo Shabalala–. Mi hijo pequeño también viene a casa en esas fechas.

El acosador había actuado durante dos períodos bien diferenciados: agosto y diciembre. Emmanuel echó un vistazo rápido a sus notas. Efectivamente, así era. Repasó fechas concretas con Anton. Las agresiones habían tenido lugar durante las vacaciones y en ninguna otra época del año. Quizá el agresor tenía debilidad por las colegialas. O quizá él mismo estaba de vacaciones.

–Caballeros –dijo Zweigman, que apareció con una lata de galletas de mantequilla de su mujer como excusa para meterse en la conversación–. Mi mujer se va a enfadar si no le doy esto como le había prometido.

–El acosador..., ¿por qué pensaba usted que era blanco? –le preguntó Emmanuel.

–No tengo pruebas. Solamente me da la sensación de que su color de piel es la razón por la que nunca le cogieron ni le llevaron a juicio.

–De acuerdo –dijo Emmanuel, que incluyó a los tres hombres en la conversación–. Vamos a suponer que el acosador era holandés. ¿Sabéis de algún hombre blanco que sólo venga al pueblo en esos períodos largos de vacaciones escolares?

Zweigman, Anton y Shabalala negaron con la cabeza. Emmanuel continuó:

–¿Qué chicos blancos estaban estudiando en internados el año pasado? Me refiero a chicos de más de catorce años.

–Los Loubert, Jan y Eugene –dijo Anton–. Luego también Louis Pretorius, y me parece que el hijo de los Melmon, Jacob. De los chicos holandeses de las granjas no sé.

–¿Y Hansie?

Era una idea absurda, pero tenía que agotar todas las vías que pudiera. Reducir el número de sospechosos reuniendo a duras penas información sobre colegiales blancos era, cuando menos, un método rudimentario.

–Estaba con la formación –contestó Shabalala–. El agente pasó la segunda mitad del año en la academia de policía.

–Y de los chicos que estaban estudiando fuera el año pasado, ¿alguna vez pillaron a alguno en los caminos *kaffir* por la noche?

–A Louis y a los Loubert –respondió Anton–. Usaban el camino para conseguir…, eh…, cosas que al comisario le parecían malas para la salud.

–¿Alcohol y *dagga* de Tiny? ¿Eso?

–*Ja* –dijo Anton levantando las cejas con un gesto de asombro–. Pensaba que el comisario Pretorius y los mestizos éramos los únicos que lo sabíamos. Se mantuvo bastante en secreto.

–Es un pueblo pequeño –dijo Emmanuel–. ¿Cuál de esos tres chicos podría haber tenido acceso al desengrasante?

–Louis desde luego –de nuevo contestó Anton–. El chico siempre anda trasteando con los motores y arreglando cosas. Es muy mañoso y Erich le deja llevarse todo lo que quiera del taller.

–¿Pasó Louis en casa las vacaciones de agosto y de diciembre? –preguntó Emmanuel a Shabalala.

–Sí –respondió Shabalala–, venía siempre en vacaciones. A la señora no le gusta que pase demasiado tiempo lejos de casa.

Eso eran tres de tres para Louis. Conocía el camino *kaffir* casi tan bien como un nativo, había pasado las vacaciones en el pueblo y tenía fácil acceso al desengrasante con olor a eucalipto. Esos hechos por sí solos justificaban un interrogatorio, a pesar de que la idea de que el muchacho fuera el acosador seguía pareciendo absurda.

Emmanuel volvió a la cuestión de las habilidades manuales de Louis. El primer día de la investigación había dado a entender claramente que el as de la mecánica era su padre. Eso había dicho.

–Yo pensaba que el comisario estaba dejando que Louis le ayudara a arreglar una vieja motocicleta –dijo Emmanuel.

–Al revés: el comisario estaba ayudando a Louis. No hay prácticamente nada sobre mecánica que no sepa ese chico, pero el comisario siempre le estaba pidiendo ayuda cuando se cargaba algo.

–¿Crees que Louis es capaz de terminar de montar esa motocicleta Indian sin ayuda?

–Completamente –dijo Anton mientras metía su preciada provisión de desengrasante en el cubo de madera–. No entiendo por qué fue a la escuela de estudios bíblicos cuando tendría que haber estado trabajando en el negocio de su hermano. Ser mecánico le pega muchísimo más que ser pastor.

–Ya, pero no le pega a su madre.

La señora Pretorius tenía una idea muy clara del futuro de su hijo pequeño: un futuro sin manchas de aceite ni monos de trabajo.

–La pregunta sobre las vacaciones escolares es interesante –intervino Zweigman educadamente–, pero eso no explica por qué las agresiones terminaron en mitad de las vacaciones de Navidad y no se han repetido.

–Tiene razón. La última agresión de la que hay constancia es del 26 de diciembre. ¿Cuántas vacaciones quedan después de eso?

–La primera semana de enero –contestó Shabalala, con una voz tan débil que Emmanuel se volvió hacia él. El agente zulú tenía exactamente la misma expresión que había tenido en la orilla del río justo antes de que sacaran del agua al comisario Pretorius. Su rostro reflejaba una tristeza tan profunda que no se podía expresar con palabras.

–El Drakensberg –dijo Emmanuel, recordando las divagaciones etílicas de Hansie en el *veld*. ¿Cuándo había mandado el comisario «muy lejos» a Louis al enterarse de que bebía alcohol y fumaba *dagga*?–. ¿Era allí donde estaba, Shabalala?

–*Yebo* –respondió el zulú–. El comisario llevó al hijo pequeño, Mathandunina, a un sitio en los montes Drakensberg, en Natal, el primer día de enero. No sé por qué.

Emmanuel anotó el nombre y el teléfono de Van Niekerk y una pregunta en una hoja de su libreta, la arrancó y se la dio a Zweigman.

–Llame a este número y pregunte a esta persona, el inspector Van Niekerk, si tiene una respuesta a esta pregunta. El agente Shabalala y yo estaremos de vuelta dentro de menos de una hora. Si no, vaya a buscarnos a las celdas de la comisaría.

Eran las doce y cinco y la señorita Byrd estaba sentada en los escalones traseros de la oficina de correos, masticando un sándwich de carne en conserva preparado con gruesas rebanadas de pan de molde blanco. Se sobresaltó al ver acercarse al oficial y al policía zulú.

–La pieza del motor que está esperando Louis Pretorius... ¿ha llegado ya? –dijo Emmanuel.

–Llegó el día antes de que falleciera su padre. Una tragedia, ¿verdad? Que el comisario no pudiera montar en la moto después de todo lo que habían trabajado Louis y él. Tenerlo tan cerca y no...

–Pensaba que Louis venía a la oficina de correos todos los días a ver si había llegado la pieza.

–No –dijo la señorita Byrd con una sonrisa–. Viene a buscar el correo para su madre. Es muy atento para esas cosas, un encanto de chico.

–Sí, y Lucifer era el más hermoso de todos los ángeles de Dios –contestó Emmanuel.

Shabalala y él volvieron al camino *kaffir*. Echaron a andar a la vez en dirección al cobertizo del comisario. Emmanuel le había hablado al agente zulú de la agresión en la cabaña de piedra y el traqueteo mecánico que había oído justo antes de desmayarse.

–Parece que desmontó la moto después de terminarla, para que nadie supiera que tenía un medio de transporte –dijo Em-

316

manuel, conjeturando cómo se habían sucedido los acontecimientos–. Me apostaría algo a que Pretorius no tenía ni idea de que había llegado la pieza de Jo'burgo.

–A mí no me dijo nada.

Apretaron el paso y fueron corriendo a la par por el tramo del *veld* que rodeaba la parte posterior de la comisaría de policía y describía una curva junto a las vallas traseras de la fila de casas que daban a la calle Van Riebeeck. El sol del mediodía había achicharrado las nubes dejando al descubierto una bóveda azul.

–No tienes por qué entrar –dijo Emmanuel cuando se detuvieron delante de la puerta del cobertizo–. Sea verdad o no, esto va a traer problemas serios.

–Ese de ahí dentro… –contestó Shabalala, que ni siquiera había sudado con la carrera– es el único que sabía por qué caminos *kaffir* corría el comisario. Quiero oír lo que tiene que decir sobre eso.

Emmanuel empujó la puerta con el hombro esperando encontrar resistencia, pero no hubo ninguna. La puerta se abrió y dejó ver el oscuro interior del cobertizo. Emmanuel entró. Ni Louis ni la moto estaban allí. Se acercó al lugar en el que había estado apoyada la Indian sobre unos soportes y lo único que encontró fue una gran mancha de aceite.

–Ese cabroncete se ha ido en la moto. ¿Tienes idea de adónde puede haber ido, Shabalala?

–Oficial…

Dickie y dos nuevos miembros del Departamento de Seguridad apartaron al agente zulú de la puerta abierta por la fuerza y le mandaron otra vez hacia el *veld* a empujones. El subinspector Piet Lapping entró vestido con una camisa llena de manchas de sudor y ceniza y unos pantalones arrugados. La falta de sueño le había dado a su rostro de facciones duras el aspecto de una bolsa de canicas metida en una media de nailon blanca.

–Subinspector Lapping.

Emmanuel olió la ira y la frustración que salían directamente de su piel llena de gotitas de sudor y se concentró en mantener la calma. El Departamento de Seguridad no podía haberle pillado. Aún no.

–Siéntate.

Piet señaló la silla que había delante del escritorio de la zona de caza. Dickie y sus dos amigos *bulldozer* le siguieron y se apostaron a los lados de la puerta. Emmanuel obedeció y se sentó.

–Dickie –dijo Piet, que alargó la mano, cogió una fina carpeta que le dio su segundo al mando y la sostuvo en alto para verla más de cerca–. ¿Sabes lo que es esto, Cooper?

–Una carpeta –contestó Emmanuel. Era la carpeta con información traída expresamente por un mensajero el día de su viaje a Mozambique.

–Una carpeta... –Piet hizo una pausa y hurgó en el bolsillo del pantalón en busca de un cigarro–. Enviada expresamente por la jefatura de policía del distrito para nosotros. ¿Habías visto alguna vez esta carpeta en particular, Cooper?

–No, nunca la había visto.

Piet encendió el cigarro y dejó que la llama de su mechero plateado ardiera más tiempo del necesario antes de cerrarlo con un fuerte chasquido. Le puso la carpeta a Emmanuel en las piernas con delicadeza.

–Mírala bien. Ábrela y dime si ves algo raro en el contenido.

Emmanuel levantó la tapa amarilla e hizo como si comprobara lo que había dentro antes de cerrar la carpeta y poner las manos encima.

–Está vacía.

–¿Has oído, Dickie? Está vacía –la ceniza del cigarro del subinspector cayó sobre la carpeta, pero Emmanuel no hizo nada para quitarla–. Ahora veo claramente que a Cooper le ascendieron tan deprisa porque es muy listo. Tiene lo que hay que tener aquí arriba, en la *kop*, que es donde importa. ¿Verdad, oficial?

Emmanuel se encogió de hombros. No estaban manteniendo una conversación. El subinspector Lapping estaba siguiendo el calentamiento estándar del manual de interrogatorios, según el cual el interrogador tenía al menos que hacer el intento de obtener información a través de una confesión voluntaria. Dar palizas a los sospechosos era un castigo para las manos y los músculos del cuello y, por lo que indicaba su aspecto, Piet venía de pasar una dura noche en las celdas de la comisaría.

–No estoy enfadado –el subinspector se puso en cuclillas como si fuera un cazador observando un rastro–. Sólo quiero saber cómo coño conseguiste sacar el contenido de un expediente confidencial que estaba guardado bajo llave.

Al ver de cerca la cara llena de marcas de Piet, Emmanuel se fijó en las ojeras azules del cansancio y olió la mezcla repulsiva de sangre y sudor que desprendía su cuerpo. Era un fétido olor a matadero revestido del suave aroma a lavanda de una marca de jabón vulgar.

Emmanuel hizo todo lo posible por no echarse hacia atrás para apartarse del agente del Departamento de Seguridad.

–A lo mejor se olvidaron de meterlo en la jefatura –dijo.

Piet sonrió y dio una profunda calada al cigarro.

–Mira, me tragaría esa explicación si fuera cualquier otro equipo de la policía. Pero estamos hablando de mi equipo, y mi equipo no comete errores.

–Yo volvería a contactar con la jefatura de policía y averiguaría quién mecanografió el informe y envió la carpeta –sugirió Emmanuel.

–Todo eso ya lo he hecho –contestó Piet con un tono casi amable–. Y lo que he averiguado es lo siguiente: tú, oficial Cooper, fuiste la persona que ayudó al mensajero a registrar la carpeta en el buzón de la policía cuando llegó al pueblo.

–Estaba siendo amable. Se supone que un departamento de la policía tiene que ayudar a otro, ¿no?

–Mi primera idea es que tu querido amigo Van Niekerk te dio el chivatazo de lo que había en la carpeta. Sabías que iba a llegar el expediente y te las arreglaste para robar el contenido de alguna forma. ¿Te dejó abrir el buzón de la policía alguna de esas solteronas de la oficina de correos? Hemos estado demasiado ocupados para preguntárselo en persona, pero creo que una hora conmigo bastará para que se abran, por así decirlo.

Los agentes del Departamento de Seguridad se rieron de la provocadora expresión de Piet y Emmanuel notó la expectación del equipo ante la posibilidad de interrogar a dos damiselas del campo. La amable y confiada señorita Byrd, con su afición a los sombreros de plumas... Cinco minutos con el subinspector Lapping y quedaría destrozada para el resto de su vida.

—¿Cómo es que andáis detrás de empleados de correos? Pensaba que teníais en el bote a un comunista, listo para confesar. ¿Es que ha salido algo mal en la comisaría?

Los oscuros ojos de Piet estaban muertos en el mismo centro.

—Lo primero que vas a tener que aceptar, oficial, es que soy más inteligente que tú. Sé que fuiste tú quien cogió esos papeles y voy a averiguar cómo. También voy a averiguar por qué.

—¿Entonces no tenéis confesión? Qué lástima. Paul Pretorius estaba convencido de que sólo harían falta un par de horas para que el sospechoso se abriera, por así decirlo.

Piet sonrió y el oscuro centro de sus pupilas se avivó con un brillante destello de determinación.

—Le prometí a Dickie que podría encargarse de ti si llegaba el momento, pero he cambiado de opinión. Voy a disfrutar viéndote crujir yo mismo.

—¿Igual que has hecho crujir al sospechoso en comisaría? —dijo Emmanuel. El subinspector Lapping podía ser un agente del Departamento de Seguridad, pero tenía superiores ante los que responder, inspectores y comisarios ansiosos por lograr una victoria contra los enemigos del Estado.

El subinspector Lapping parpadeó con fuerza, dos veces, se levantó y se dirigió resueltamente hacia la puerta. Alargó la mano y Dickie le puso encima un sobre marrón con una mirada que hizo que un escalofrío recorriera la espalda de Emmanuel.

¿Qué narices tenían? Era algo bueno. Tenía que serlo.

«Mantén la calma», se dijo a sí mismo. «Has vivido una guerra. Has visto cosas que han matado a otros hombres y has sobrevivido.» ¿Qué motivo había para tener miedo?

—¿Sabes lo que hay aquí dentro? —dijo Piet sujetando el sobre a la altura de sus ojos.

—No tengo ni idea.

Emmanuel se dio cuenta de que su voz sonaba relajada a pesar de que el estómago le daba vueltas. ¿Qué narices había en el sobre? ¿Se las habían arreglado para conseguir un nuevo informe sobre su pasado en las últimas catorce horas?

Piet abrió el sobre y sacó dos fotos, que sostuvo en alto con la precisión de una maestra.

—Dime, Cooper, ¿habías visto antes estas fotos?

No había tiempo para volver a ponerse la máscara de indiferencia. Intentó entenderlo, ver todos los ángulos a la vez, pero no conseguía ir más allá de las explícitas imágenes en blanco y negro de Davida Ellis, primero con las piernas abiertas y después estirada en la cama como una gata esperando a que la acariciaran. Sus copias estaban de camino a Jo'burgo, sanas y salvas debajo de una capa de rulos de plástico rosa en el equipaje de Delores Bunton. A menos que... A menos que el Departamento de Seguridad hubiera interceptado de alguna forma el paquete que llevaba su mensajera.

—Entonces... —Piet apagó el cigarro con el tacón del zapato—. Las habías visto.

—¿De dónde las habéis sacado?

—Las encontramos exactamente donde tú las dejaste. Debajo de tu almohada.

¿Estaba diciendo la verdad o sólo intentaba pillarle mintiendo? No tenía ni idea, y así era justamente como les gustaba tenerle a los chicos del Departamento de Seguridad. Hasta que supiera exactamente de dónde habían salido las fotografías, iba a intentar ganar tiempo e información.

—¿Qué hacíais en mi habitación? —preguntó—. Ya la registrasteis el otro día y no encontrasteis nada.

—Ha salido a la luz información nueva —dijo Piet mientras le hacía una seña a Dickie, que cogió las fotos pero se quedó de pie al lado de su compañero–. Información relacionada con tus gustos personales.

Dickie chasqueó la lengua con desaprobación y lanzó una mirada lasciva a las fotos de la mujer.

–Eso son dos leyes infringidas, Cooper. Si fuera una mujer blanca o con la piel clara, quizá podríamos haber hecho la vista gorda, pero esto…, esto es serio.

–¿De dónde habéis sacado esa información? –preguntó Emmanuel. Tanto Dickie como Piet parecían estar siguiendo el plano personal. Estaban asociando las fotografías a sus supuestas perversiones y no a la investigación del homicidio. Bien. Eso significaba que el paquete de fotografías que había enviado por la mañana en el autobús Intundo Express estaba a salvo. La sensación de victoria desapareció enseguida. Seguía metido en un buen lío: habían encontrado material prohibido en su poder.

–¿Quién nos ha contado lo de las fotos, Dickie?

–Un pajarito –contestó Dickie como si la expresión se le acabara de ocurrir a él.

Emmanuel echó un vistazo a las fotos. Si sus copias estaban sanas y salvas de camino a Jo'burgo para Van Niekerk, entonces éstas tenían que haber salido de la caja fuerte de la cabaña del comisario. Era la única explicación lógica, y todos los hilos que había atado por la mañana indicaban que el ladrón había sido el hijo menor del comisario.

–¿Ha sido el guapito de Louis quien os ha dicho dónde podíais encontrar las fotos? –Emmanuel mantuvo la mirada fija en Dickie para ver si el nombre y la descripción provocaban alguna reacción. Lo que recibió no fue una contracción sutil de la mandíbula sino un gruñido con los dientes a la vista.

–¿Cómo puedes pronunciar su nombre siquiera después de lo que has…?

–¡Dickie! –le interrumpió Piet–. Ya sé que esta clase de actos te afectan, pero tienes que apartar tus sentimientos personales del trabajo. Somos mineros y nuestro trabajo es encontrar la veta de oro entre la porquería. No puedes dejar que te altere la porquería.

¿«Actos»? A Emmanuel se le quedó grabada la palabra. ¿Qué clase de actos afectarían a Dickie tanto como para justificar una sesión de terapia de su superior en mitad de un interrogatorio? La respuesta le hizo enderezarse en su asiento. ¿Qué profundidad tenía el hoyo que había cavado el angelical muchacho para él?

—¿Louis dice que he abusado de él?

—¿Qué estás haciendo exactamente en el cobertizo, Cooper?

—Recoger pruebas.

Emmanuel contuvo el pánico que estaba creciendo en su interior. El muchacho rubio le había tendido una llamativa trampa con fotografías prohibidas como cebo y la había rematado con una acusación que garantizaba el escándalo entre todos los hombres de pelo en pecho de Jacob's Rest.

Dickie dio un resoplido.

—Un pervertido buscando a un pervertido. Ésa es buena.

—Vuelve atrás y quédate con los otros —ordenó Piet a su compañero mientras estiraba los tensos músculos de los hombros—. Estoy demasiado cansado para interrogar al oficial Cooper y enseñarte los detalles sutiles del trabajo.

—Pero...

Piet le lanzó una mirada que le hizo retroceder pesadamente y volver a su rincón, desde donde dirigió una mirada feroz a Emmanuel, como si fuera culpa suya que le hubieran dejado fuera de la acción.

—Bueno, ¿en qué quedamos? —preguntó Emmanuel—. ¿Me gusta mirar a chicas morenas o perseguir a jovencitos blancos?

—No se excluyen mutuamente. Pudiste utilizar las fotografías para despertar el interés de un muchacho que sin ellas no veía ningún atractivo en ti. ¿Lo captas?

—¿Por qué narices iba a decidir enseñarle fotografías de una mujer mestiza a un muchacho afrikáner para excitarle? ¿Qué sentido tiene eso?

—A lo mejor son las únicas fotografías que pudiste conseguir.

–Somos policías. Cualquiera de nosotros puede conseguir fotos de una chica blanca haciendo de todo menos tirarse a un gorila. Los polis y los delincuentes siempre tienen el mejor material, lo sabes.

–Tienes razón –dijo Piet, que se dio unas palmaditas en el bolsillo de la camisa y sacó una cajetilla de tabaco aplastada–. Pero eso no elimina la denuncia de Louis Pretorius. Un jurado no va a tener en cuenta sutilezas como la raza de la mujer de las fotos. El hecho de que sea una mujer mestiza sólo hará que te caigan más años de cárcel.

¿Por qué se había puesto Louis en evidencia tan abiertamente? Tenía que haberse dado cuenta de que colocar las fotos en su habitación le iba a delatar como la persona que había robado las pruebas de la cabaña, y aun así lo había hecho.

–¿Me ha denunciado Louis formalmente, por escrito y bajo juramento? –preguntó Emmanuel. ¿Hasta dónde llegaba el empeño de Louis en mantenerle acorralado y fuera de juego?

–Sí.

–Enséñame la denuncia –dijo Emmanuel. Los hombres del Departamento de Seguridad estaban en mitad de la resolución del caso más importante de sus carreras. ¿De dónde habían sacado tiempo para redactar una denuncia formal sobre un intento de corrupción de un muchacho afrikáner de pueblo a manos de un pervertido inglés? Moco de pavo en comparación con conseguir una confesión de un miembro del Partido Comunista involucrado en el asesinato premeditado de un comisario de policía casado con la hija de Frikkie van Brandenburg.

–Tú a nosotros no nos pides nada –contestó Piet.

–Arréstame y acúsame –dijo Emmanuel claramente, para asegurarse de que no hubiera ninguna confusión. No se creía que tuvieran algo más que la denuncia verbal de Louis, y eso no bastaba para meter entre rejas a otro policía blanco. En ese preciso momento tenía cosas mejores que hacer que servirles de descanso a los exhaustos agentes del Departamento de Seguridad.

–¿Sabes lo que creo? –dijo Piet–. Creo que el expediente

que robaste contenía los trapos sucios sobre ti y tu amigo Van Niekerk, sobre el cariño que os tenéis el uno al otro y el interés que compartís por los jovencitos. Me juego lo que quieras a qué ésa es la razón por la que te dio el chivatazo.

–¿Por qué no llamas a la jefatura de policía y les pides que te digan exactamente lo que había en la carpeta? ¿O es que no es buen momento para admitir que has perdido los documentos? Ni la confesión ni el expediente. A tus superiores les va a encantar cuando se enteren.

Hubo movimiento en la puerta y Dickie se hizo a un lado arrastrando los pies para dejar entrar en el cobertizo al policía con cara de pan y el traje mal cortado.

–*Ja?* –Piet dio permiso para hablar al recién llegado.

–Ya ha pasado una hora, subinspector. Ha dicho que le buscáramos y le avisáramos de la hora.

Piet miró el reloj sacudiendo la cabeza con cansancio. ¿Cómo había pasado tan deprisa el tiempo?

–Puedes irte, Cooper, pero antes tengo que advertirte una cosa.

Emmanuel se preparó para la amenaza. No pensaba ocupar un segundo plano en la gran orquestación de acontecimientos de Piet pidiéndole que especificara la naturaleza de su advertencia.

–Louis ha venido a la comisaría y se ha quejado a su hermano de tus... atenciones. Tienes suerte de que estuviéramos allí para impedir que Paul Pretorius y los otros vinieran a por ti directamente. No puedo prometerte nada en lo que respecta a tu seguridad porque en este momento tenemos cosas más importantes de las que ocuparnos.

Los agentes del Departamento de Seguridad recuperaron parte de su entusiasmo. Le dejaban irse porque era un obstáculo menor para el buen desarrollo de su investigación. Una hora sacudiendo el árbol para que cayera información sobre el expediente desaparecido y las alegaciones de Louis era todo lo que se habían permitido mientras Cara de Pan vigilaba el auténtico trofeo en las celdas de la comisaría. A saber en qué postura habrían dejado al joven del Fort Bennington College mientras ellos se tomaban un pequeño descanso: ¿colgado de los pulgares o asfixiándose en una saca de correos húmeda?

−¿Se te ha ocurrido pensar que el hombre de la comisaría no ha confesado el crimen porque no es el asesino? −dijo Emmanuel.

Piet la emprendió contra él:

−El *kaffir* estaba en el río a la misma hora y en el mismo sitio que el comisario Pretorius. Tenemos al hombre correcto y antes de esta noche tendremos una confesión firmada. ¿Qué tienes tú, Cooper? Unas tristes fotos de una furcia·mestiza y una familia entera de afrikáners preparados para desollarte vivo. Si estabas en el caso era sólo porque el inspector Van Niekerk se moría por tener alguna participación en la acción, y ahora ha llegado el momento de que te vayas a tomar por culo y nos dejes seguir con nuestro trabajo. Esto te queda muy grande. ¿Te enteras?

−Perfectamente −dijo Emmanuel. ¿Cómo acabaría el día: hecho un cromo por los golpes de los hermanos Pretorius o entre rejas con el asesino? Un jugador apostaría dos a uno por una paliza. Las únicas incógnitas eran el momento y la dureza del castigo.

El cobertizo se vació. La gran explanada del *veld* se extendía hasta el horizonte. ¿Cómo iba a encontrar a un muchacho en un espacio tan grande?

La llamada, una serie de breves silbidos seguidos de un suave zureo, no era nada que Emmanuel hubiera oído antes. Salió al camino *kaffir* y el reclamo se repitió con una fuerza y una insistencia que llamaron y mantuvieron su atención por segunda vez. Hubo movimiento tras una espesa maraña de vegetación y Shabalala surgió de entre la maleza como una aparición. El agente zulú se levantó cuan largo era y agitó la mano en dirección a los arbustos con una insistencia que parecía decir «echa a correr como un condenado», de modo que eso fue lo que hizo Emmanuel. Echó a correr por la hierba y la tierra, seguido ahora por el sonido de unas voces masculinas procedentes del jardín del comisario. Estaba a la altura del asilvestrado seto cuando Shabalala le agarró y le tiró al suelo.

Emmanuel notó el sabor del polvo en la boca y sintió cómo el hombro se le contraía de dolor cuando el zulú le sujetó contra el suelo con sus fuertes manos.

–Chist –dijo Shabalala poniéndose el dedo en los labios y señalando el cobertizo del comisario.

Emmanuel se asomó por el pequeño hueco que había abierto Shabalala entre la vegetación que los tapaba. Los hermanos Pretorius estaban en el cobertizo vacío, buscando al policía inglés que había intentado corromper a su hermanito. Henrick y Paul fueron los primeros en salir al camino *kaffir*, con los rifles colgados a la espalda en bandolera en una demostración de fuerza armada.

–Joder –dijo Paul, pronunciando la palabra con auténtico veneno. Su frustración se percibía claramente en la postura tensa de sus hombros.

–No puede haberse ido muy lejos –dijo Henrick, más tranquilo que su hermano–. Coge a Johannes e id bordeando el hospital y las casas de los mestizos. Erich y yo iremos en esta dirección por delante de las tiendas. Nos encontramos detrás de Kloppers.

–¿Y si no está en el camino *kaffir*? ¿Y si se ha ido por el campo?

–Los ingleses de la ciudad no van por el campo –contestó Henrick con desprecio–. Estará en el pueblo, escondido en algún sitio como una rata.

Johannes, el tranquilo soldado de infantería del cuerpo del ejército de los Pretorius, salió del cobertizo con las manos bien metidas en los bolsillos.

–La moto. Se la han llevado, pero no entiendo cómo. Louis todavía está esperando a que llegue la pieza de Jo'burgo.

–No estamos buscando la puta moto –contestó Paul, pagando sus frustraciones con su hermano–. Estamos intentando encontrar a ese policía.

—Bueno, en el cobertizo no está —dijo Erich mientras se unía al trío de hombres con músculos superdesarrollados—. Ha debido de oírnos y se habrá ido por el *veld*.

—Si anda por ahí, no va a durar mucho —dijo Henrick—. Vamos a mirar primero en el camino *kaffir* y después en la pensión Protea. Si no le encontramos, nos sentaremos a decidir en qué casas buscar.

Los hermanos se dividieron y partieron por el camino de hierba en direcciones opuestas. Johannes era el único que parecía no estar seguro del propósito de la misión. Echó una última mirada de desconcierto al cobertizo vacío antes de seguir a Paul con paso firme hacia el hospital Gracia Divina.

La partida de caza inició su primer rastreo del pueblo. Los Pretorius habían decidido tomarse la justicia por su mano y nadie iba a impedírselo.

—¿Cómo voy a encontrar a Louis y a esquivar a sus hermanos al mismo tiempo? —se preguntó Emmanuel en voz alta. El reducido tamaño del pueblo hacía imposible escapar de la familia Pretorius, y la extensión ininterrumpida del *veld* hacía improbable poder encontrar al muchacho sin una partida de búsqueda.

—Le encontraremos —dijo Shabalala.

Emmanuel se volvió hacia el policía zulú. Shabalala tenía que saber con exactitud cuánto cubría el agua antes de meterse.

—Louis les ha dicho a sus hermanos que he abusado de él. No es verdad, pero los hermanos le creen, y si te pillan conmigo, te van a castigar a ti también.

—Mire eso.

El policía negro hizo caso omiso de la advertencia y señaló una hondonada poco profunda cavada en la tierra y camuflada entre los espesos matorrales. En el hueco había una lata envuelta en una tela impermeable. Sacó el paquete y se lo dio a Emmanuel para que lo inspeccionara. Emmanuel desenvolvió la lata y olisqueó el envoltorio de hule, todavía húmedo.

—Gasolina —dijo—. ¿De Louis?

–Creo que el hijo pequeño la tenía aquí guardada para llenar la motocicleta. La lata está vacía.

–Mathandunina tiene pensado salir de viaje –dijo Emmanuel. La frontera internacional estaba a sólo unos kilómetros de allí. Si Louis entraba en Mozambique, tardarían meses en dar con él, y eso suponiendo que la policía mozambiqueña decidiera cooperar–. ¿Puedes indicar hacia dónde se dirige Louis?

–Puedo encontrar el lugar adonde ha ido el hijo pequeño –dijo Shabalala sin arrogancia–. Iré al cobertizo y seguiré las huellas. Tiene que seguirme por aquí, por el *veld*. No es conveniente que esté en el camino.

–De acuerdo –dijo Emmanuel.

El agente zulú caminó hasta el cobertizo desierto y se quedó quieto durante un rato, examinando las huellas en la arena. Giró en dirección al hospital Gracia Divina y echó a andar a un ritmo pausado. Louis no había salido disparado por el *veld* en medio de una nube de humo de gasolina y hierba aplastada como un adolescente impulsivo desfogándose. Se había mantenido cerca de los límites del pueblo por algún motivo. Y tenía que haber uno, pensó Emmanuel. Todo lo que había hecho Louis hasta entonces estaba planeado y bien pensado. El joven era lo suficientemente astuto para engañar a su propio padre sobre la moto: toda una hazaña, teniendo en cuenta lo reservado y embustero que había sido el comisario. De tal palo, tal astilla.

Emmanuel aceleró el paso para alcanzar a Shabalala, que siguió el rastro hasta el borde de las canchas del Club Deportivo. Pasaron del lado blanco de Jacob's Rest a las filas de casas de los mestizos, y a continuación a los caminos que conducían al poblado negro, en dirección norte. ¿Adónde demonios iba Louis?

Los edificios del hospital aparecieron ante ellos. Emmanuel y Shabalala pasaron sigilosamente por delante del depósito de cadáveres y del ala reservada a los pacientes de color. Era el mismo tramo del camino *kaffir* en el que había aparcado el comisario cuando había ido a recoger a Davida

329

Ellis para ir a retozar al aire libre por última vez..., y donde Donny Rooke había tenido la mala fortuna de encontrarse al mismo tiempo.

Más adelante, a la izquierda, se veía la fila de eucaliptos que identificaba la casa de la abuela Mariah. A Emmanuel le vino un recuerdo a la cabeza y apretó el paso. También él tenía buenos motivos para conocer aquel lugar. Había sido allí, a la vista de la valla trasera, donde se había topado con la presencia humana acechante, respirando en la oscuridad.

Shabalala dio un giro de noventa grados y salió del camino *kaffir* en dirección al *veld*, de forma que quedó casi justo delante de Emmanuel.

–¿Qué pasa? –preguntó Emmanuel cuando llegó al lugar donde el agente zulú se había agachado para inspeccionar una zona en la que la tierra estaba removida.

–Ha salido del camino y ha aparcado la moto aquí –dijo Shabalala señalando unas marcas en la tierra que no habrían tenido sentido más que para un rastreador–. El hijo pequeño ha aparcado y se ha ido andando en esa dirección.

Miraron hacia la fila de eucaliptos. La puerta del jardín trasero de la abuela Mariah se mecía con la brisa, colgando de las bisagras. Los pensamientos sobre la labor parapolicial de los hermanos Pretorius se esfumaron y Emmanuel fue corriendo con Shabalala en dirección al camino *kaffir* y a la puerta abierta.

Nada más entrar en el jardín, Emmanuel vio a la abuela Mariah en el suelo, tendida en un surco de tierra removida y con un corte en la frente que regaba de sangre las semillas recién plantadas con un reguero rojo y continuo. Se acercó a ella corriendo y comprobó si tenía pulso. Débil, pero tenía. Se volvió hacia Shabalala, que estaba echando prudentemente el cierre de la puerta del jardín desde dentro.

–Sal por la puerta delantera y ve a buscar al viejo judío. Dile que se traiga el maletín y el juego de costura de su mujer.

Shabalala vaciló.

–Sal por delante –insistió Emmanuel. A los mestizos de

Jacob's Rest no les iba a quedar más remedio que convivir con la impactante imagen de un hombre negro saliendo y entrando de casa de la abuela Mariah a la vista de todo el mundo–. Los Pretorius todavía están en los caminos *kaffir*, así que tienes que ir por las calles principales. Vuelve lo antes posible sin causar revuelo.

–*Yebo*.

El agente zulú desapareció en el interior de la casa y Emmanuel se quitó la chaqueta y se la puso debajo de la maltrecha cabeza a la abuela Mariah. Volvió a tomarle el pulso. No había cambios, así que fue a registrar la antigua habitación del servicio, convencido ya de que la encontraría vacía. Metió la cabeza y buscó indicios de la presencia de Davida antes de mirar debajo de la cama para asegurarse de que no estaba allí escondida.

–¿Davida? Soy el oficial Cooper. ¿Estás aquí?

Abrió el armario. Unos cuantos vestidos de algodón y un abrigo de invierno con botones de carey falso. Salió al jardín, donde mojó su pañuelo con agua de la regadera y limpió con delicadeza la cara ensangrentada de la abuela Mariah. Aquel destrozo era exactamente lo que sugería la información del expediente de los abusos: una escalada de violencia que había desembocado en privación de libertad y a saber qué otras cosas. El comisario sólo había retrasado lo inevitable al enviar a Louis a una granja en la montaña y después a la escuela de teología, donde, por lo visto, el Espíritu Santo no había conseguido apagar el fuego del pecado que ardía en su interior.

La abuela Mariah dio un gemido de dolor pero siguió inconsciente. Mejor. En el debilitado estado en que se encontraba, la desaparición de su nieta iba a ser una carga pesada sobre los hombros de la anciana, normalmente fuerte. Tendría suerte si levantaba la cabeza de la almohada en los días siguientes.

Zweigman entró apresuradamente en el jardín con Shabalala siguiéndole de cerca. El alemán de pelo cano se puso a trabajar enseguida, comprobando los signos vitales y determinando el alcance y la gravedad de las lesiones con sus manos expertas.

–Son graves. Pero no mortales, gracias a Dios.

–¿Cómo de graves?

–Una laceración en el cuero cabelludo que va a haber que coser. Conmoción cerebral severa, pero no hay fractura de cráneo –Zweigman el cirujano había tomado las riendas–. Vamos a tener que llevarla dentro para poder limpiarla y empezar a cerrar esta herida. Por favor, entre en la casa y busque toallas y sábanas mientras el agente Shabalala y yo la llevamos a un dormitorio.

Emmanuel obedeció y Zweigman se puso enseguida a prepararlo todo. Abrió su maletín de médico y depositó vendas, agujas, hilo y antiséptico en un tocador situado junto a la cama de matrimonio en la que Shabalala había tumbado a la abuela Mariah, aún inconsciente.

Emmanuel le hizo un gesto a Shabalala para que saliera al jardín. Se quedaron en la puerta trasera, mirando la franja de tierra removida llena de sangre.

–Davida no está. El hijo menor del comisario se la ha llevado. No puede haber otra explicación –dijo Emmanuel.

–Voy a ver.

Shabalala examinó las marcas del suelo. Fue avanzando lentamente hasta la puerta del jardín, la abrió y siguió en dirección al *veld*. ¿Por qué, se preguntó Emmanuel, le parecía necesario que el agente zulú confirmara lo obvio? ¿Era porque seguía sin fiarse de su instinto en lo relacionado con Davida y, por lo tanto, no conseguía librarse de la molesta sensación de que quizá, sólo quizá, de algún modo Davida y Louis estuvieran juntos en aquello? Dos amantes desventurados unidos por el asesinato a sangre fría de Willem Pretorius. Pero aquella conclusión no era más descabellada que la revelación de que el muchacho era, con toda probabilidad, el acosador.

Shabalala volvió a entrar en el jardín y echó el cierre a la puerta. Traía un gesto sombrío en el rostro.

–Así es –dijo–. El hijo pequeño se ha llevado a la chica y se han ido en la moto.

–¿Se la ha llevado o se ha ido ella con él?

Shabalala señaló las huellas de una refriega en la tierra.

–Ella ha salido corriendo, pero él la ha atrapado y ha ido tirando de ella hasta el sitio donde estaba la anciana tendida en el suelo. Después de eso, la chica se ha ido con él sin resistirse.

–¿Por qué iba Louis a enseñar sus cartas sin esperar siquiera a que le interrogáramos?

–Tenemos que encontrar a Mathandunina –dijo Shabalala con sencillez pero con elocuencia–. Así lo sabremos.

Encontrar a Louis iba a ser una tarea ingente para la que hacía falta personal y tiempo: dos cosas que Emmanuel no tenía y que probablemente no fuera a conseguir en el futuro inmediato.

–¿Qué dirección ha tomado? –preguntó Emmanuel, visualizando la enorme extensión de *veld* que rodeaba Jacob's Rest y llegaba hasta la frontera con Mozambique. Volvió a llevar su pensamiento al jardín ensangrentado. Tenía que trabajar con lo que tenía: un rastreador zulú-*shangaan* y un enigmático judío alemán. Podría haber sido peor: podrían haberle dejado con el agente Hansie Hepple.

–Hacia el poblado. También es el camino que lleva a la finca del *nkosana* King y a la granja de Johannes, el cuarto hijo.

–¿Adónde iría un chico blanco en una moto con una joven mestiza a la que tiene retenida contra su voluntad?

La historia entera llevaba impreso el sello del desastre. Era imposible que Louis no se diera cuenta.

–No al poblado.

–Ni a la granja de su hermano. Vaya adonde vaya, Louis va a llamar mucho la atención. Yo diría que va a tener que quedarse bien escondido hasta que haya…

–Acabado con ella –Zweigman completó la frase desde el oscuro pasillo en el que había aparecido con los pantalones y la camisa de tendero manchados de sangre de la operación–. Era eso lo que estaba pensando, ¿verdad, oficial?

–No sé qué pensar. Tal como lo veo yo, todo el asunto del secuestro no tiene ninguna lógica.

–A lo mejor tiene muchísima lógica para Louis Pretorius –dijo Zweigman, que se metió la mano en el bolsillo y sacó un trozo de papel que le entregó a Emmanuel–. Su inspector me ha dicho que le pasara esto cuanto antes.

Emmanuel desdobló la hoja de papel con renglones y leyó la información. En lo más recóndito de los montes Drakensberg de Natal había una granja, un retiro, conocida como Suiwer Sprong, los Manantiales Puros, adonde los afrikáners ricos de alta cuna que tenían estrechos lazos con el nuevo partido en el poder enviaban a sus vástagos para que fueran «reconducidos» hacia el Señor. El electrochoque, los fármacos y la hidroterapia eran algunos de los métodos a través de los cuales esa «reconducción» se transmitía de las manos del Todopoderoso a la minoría sufridora. Un tal doctor Hans de Klerk, que se había formado con el pionero alemán de la eugenesia Klaus Gunther antes del estallido de la Segunda Guerra Mundial, era el director del tinglado.

–Una granja manicomio con orientación religiosa. ¿Está seguro de esto Van Niekerk?

–Su inspector parece un hombre seguro de muchas cosas. Está convencido de que ese sitio del Drakensberg es la única institución a la que acudiría una familia como la de los Pretorius en busca de tratamiento para una enfermedad psicológica.

Deberían pedir que les devolvieran el dinero. Fuera cual fuera la terapia que había hecho Louis, no había calado. Unas semanas de vuelta en Jacob's Rest y había vuelto a las andadas de un modo más peligroso que antes.

Emmanuel analizó todos los pasos que habían conducido al secuestro y a la agresión. Louis no estaba tan trastornado como para no ser consciente de que Davida Ellis era la única que podía relacionarle con el caso de los abusos y el asesinato de su padre. Si quitaba de en medio a Davida, lo único que se interpondría entre él y la libertad sería la palabra de un policía inglés al que había acusado de intentar seducirle. Era un plan ingenioso, bien ejecutado. Por ahora.

–Puede que este secuestro no sea tan irracional como parece –dijo Emmanuel, que recordó la información del expediente del caso de los abusos. Al leerlo había tenido la sensación de que el agresor se encaminaba hacia una culminación violenta de sus fantasías–. Louis consigue terminar lo que empezó en diciembre y consigue eliminar a la única persona que puede señalar una relación, por vaga que sea, entre él y el asesinato de su padre.

–Si es así –observó Zweigman en voz baja–, la mantendrá con vida hasta que haya hecho realidad sus fantasías.

–Eso creo –dijo Emmanuel, que no quiso ahondar en el comentario del alemán. Se volvió hacia Shabalala–. ¿A qué lugar donde no le puedan encontrar podría haber ido Louis a esconderse? Tiene que ser un sitio en el que quepan dos personas. No creo que vaya a la cabaña del comisario, no está lo suficientemente escondida. ¿Hay una cueva o, no sé, un antiguo refugio de caza?

El agente zulú miró al cielo durante unos instantes para pensar. Después cogió un largo palo rápidamente y trazó un mapa esquemático en la tierra. Dibujó tres cruces que prácticamente no podían estar más lejos unas de otras.

–En la finca del *nkosana* King hay tres lugares que yo conozca. El comisario y yo nos escondíamos muchas veces allí cuando éramos niños. El hijo pequeño, Louis, también ha estado en esos sitios con su padre, cuando la finca todavía era de la familia.

–¿Podemos ir a los tres en una tarde?

–Están lejos unos de otros, y a éste de aquí tenemos que ir a pie. Es una cueva en lo alto de la ladera de una montaña y la maleza es espesa por esa zona.

–¿Y los otros dos?

–Éste es una vieja casa en la que vivía un afrikáner solo. Se está derrumbando, pero algunas de las habitaciones tienen techo.

–¿Cómo es? La zona de alrededor de la casa.

–Llana. La casa es triste, igual que el hombre blanco que vivía en ella.

–Ése no es el sitio.

Emmanuel visualizó el lugar del crimen junto al río, la gran extensión de tierra y el cielo que brillaba con una luz puramente africana. Era un hermoso lugar para morir. Louis y su padre compartían la afición a los placeres prohibidos de la carne y quizá eran lo suficientemente parecidos para que a ambos les gustara cortejar a las mujeres en lugares al aire libre. Nada como la belleza pura de la naturaleza para suscitar una fantasía en la que Adán y Eva devoraban la manzana entera y las leyes de segregación racial no existían.

–¿A cuál de esos lugares llevarías a una chica para enseñarle las vistas?

Shabalala señaló el lugar en el que estaba la cueva de la montaña.

–Desde la cornisa que hay delante de la cueva se ve todo el campo y un abrevadero al que van los animales. Es un lugar que conmueve el corazón.

Justo la clase de lugar aislado y romántico al que un joven holandés trastornado podría llevar a hacer su última excursión a una mujer. El amor de los afrikáners por la tierra era tan tenaz como el virus de la gripe.

La cueva era una posibilidad remota, pero tenía sentido. El muchacho no había salido disparado por el *veld* con una joven prisionera sin tener ya un escondite concreto en la mente. Y Louis no se iba a esconder en una granja con el suelo pisoteado por peones y rebaños de ganado. El feudo personal de King, anteriormente la casa familiar de los Pretorius, tenía muchos espacios abiertos y muy poca gente que pudiera estropear la ilusión de que Sudáfrica estaba realmente vacía cuando llegó el hombre blanco. Louis podría esconderse allí durante un buen rato sin llamar la atención.

–¿Cuánto hay que andar para llegar a ese sitio? –preguntó Emmanuel.

–Tenemos que aparcar y después caminar una media hora hasta el pie de la colina y otros quince minutos hasta la cima.

Emmanuel lo redondeó a una hora. El rastreador zulú-*shangaan* recorría más distancia en menos tiempo que cualquier persona a la que hubiera conocido en su vida, y eso incluía a soldados corriendo como condenados para huir de una lluvia de granadas de mortero.

–Deberíamos ir a mirar la cueva. Un lugar aislado y protegido en una zona desierta parece apropiado para lo que seguramente ha planeado Louis. No tengo nada que respalde mis argumentos. Sólo es una corazonada, nada más.

–Su instinto y el conocimiento de la tierra de Shabalala es lo único que tiene, oficial, así que debe ponerse en marcha y debe hacerlo enseguida –dijo Zweigman–. Los de la comisaría de policía no van a mover un dedo para salir a buscar a una chica mestiza.

–No, a menos que sea comunista –contestó Emmanuel, que se volvió hacia el enorme hombre negro que tenía al lado. Sin la ayuda de Shabalala, las cosas sólo podían ir de mal en peor.

–Tenemos que ir a buscar mi coche y ponernos en marcha hacia la finca de King. ¿Aún puedo contar contigo?

–Hasta el final –dijo Shabalala.

18

Se arriesgaron a utilizar las calles principales con la esperanza de que los Pretorius aún estuvieran merodeando por el camino *kaffir*. Todo estaba despejado cuando entraron cautelosamente en la calle Piet Retief y pasaron por delante de los negocios de los blancos. El taller estaba abierto, pero supervisado temporalmente por un viejo mecánico mestizo que gritaba órdenes desde la sombra a los negros encargados de manejar los surtidores de gasolina. Tampoco había rastro de Erich el lanzallamas ni de su hermano mayor Henrick en el almacén de material agrícola Pretorius.

Una camioneta Chevy cargada con los grandes y oxidados discos de un arado los cubrió lo suficiente para poder pasar por delante de la comisaría y llegar al camino de tierra que conducía a la pensión Protea. Emmanuel y Shabalala atravesaron el jardín rastrillado y bien cuidado. El sol hizo brillar los tapacubos plateados del Packard negro. Se oyó el chasquido de una rama al romperse y el agente zulú se puso tenso, como un gato. Sonó otro chasquido y el policía negro dejó escapar el aliento que había estado conteniendo.

–Hay alguien detrás de la gran jacaranda –dijo–. Tenemos que irnos de aquí enseguida.

El coche estaba aparcado más allá de la jacaranda y no había forma de llegar a él sin que atraparan a uno de los dos en la emboscada. No podía arriesgarse a perder a Shabalala. Emmanuel comprobó su línea de retirada. Estaba despejada. Le hizo un gesto con la cabeza a Shabalala y los dos salieron corriendo a toda velocidad hacia la valla encalada y la calle de tierra, que acababan de rociar con agua para que no se levantara polvo.

—¡Vamos, vamos! —gritó Paul Pretorius, metido totalmente en su papel de soldado, gritando órdenes a su segundo al mando.

Johannes salió de detrás de la valla y se apostó en medio de la entrada para coches. Emmanuel oyó el crujido de la gravilla bajo las botas de Paul detrás de ellos. Shabalala se separó y se dirigió hacia la derecha de Johannes. Emmanuel se dirigió hacia la izquierda y los dos fueron corriendo a toda velocidad hacia el sorprendido cuarto hijo del comisario. Los Pretorius pensaban que Emmanuel iba a estar solo y su chapucera emboscada reflejaba que estaban convencidos de que un policía inglés con un traje limpio era una presa fácil.

—Mantente firme —gritó Paul Pretorius.

Cuando Johannes se movió para impedirle el paso, del oscuro pozo de la memoria de Emmanuel emergieron salvajes entrenamientos de rugby en el internado y violentos partidos en campos de juego dejados de la mano de Dios. Alargando el brazo izquierdo, empujó con fuerza a Johannes en el pecho y oyó con satisfacción el crujido del cuerpo del cuarto hijo al golpear el suelo de tierra. Era la primera vez que las enseñanzas impartidas con mano dura por los señores Strijdom y Voss le habían servido para algo.

—Por aquí —dijo Shabalala, que salió corriendo hacia la calle Piet Retief y cruzó el sudoroso asfalto para llegar al camino *kaffir* del otro lado. Un grito procedente del almacén de material agrícola bastó para hacerles llegar al camino de hierba en un tiempo récord. Ahora los perseguía todo el clan Pretorius.

—Aquí.

Shabalala retiró dos estacas sueltas de una cerca con las tablas astilladas y se metieron arrastrándose en un jardín achaparrado con un ahumadero en el centro. El jardinero, con los ojos lechosos, la cara huesuda y el pelo blanco ceniciento, levantó la vista y dio un respingo.

Shabalala se puso un dedo en los labios y el anciano siguió quitando hierbas del macizo de flores como si no ocurriera nada extraño.

–¿Peter?

–¿Sí, señora? –contestó el jardinero mientras Emmanuel y Shabalala se ponían a cubierto detrás del ahumadero. Se apoyaron en la pared de chapa ondulada y esperaron a que aparecieran los Pretorius o la fisgona señora blanca.

–¿Qué ha sido eso, Peter? Me ha parecido oír algo.

–Sólo ha sido el viento, señora.

–Está bien –la voz fue disminuyendo de volumen cuando la señora volvió a la sala de estar–. Asegúrate de que no quede ni una mala hierba, ¿eh?

–Sí. Ni una, señora.

Peter levantó rápidamente su mirada de ojos lechosos para ver dónde estaban el policía blanco y su primo tercero político, el agente de policía Samuel Shabalala.

–No os paréis. Vamos por allí.

El sonido de la voz de Henrick Pretorius dejó a Emmanuel paralizado contra la pared del ahumadero. Un simple grito del jardinero o de la señora y se acabaría la misión de rescate. Shabalala estaba apoyado tranquilamente en la pared del ahumadero. Emmanuel se dejó guiar por la actitud del agente negro y relajó la mandíbula. El ruido de las pisadas fue disminuyendo y desapareció cuando los Pretorius prosiguieron la búsqueda.

–Mi coche no nos sirve –dijo Emmanuel–. Si tienen una pizca de cerebro, habrán rajado las ruedas o habrán dejado a alguien sentado en el parachoques vigilándolo.

–Tenemos que encontrar otro coche. Hay uno cerca de aquí.

–¿Dónde?

–En la comisaría.

–¿En la comisaría? ¿Cómo vamos a hacer eso, agente?

Shabalala se dirigió a la parte delantera del ahumadero

y señaló una casa de ladrillo con cristales de colores en la puerta principal y una valla de ruedas de carromato a lo largo del ancho porche.

–El joven policía. Vive con su madre y sus hermanas. Ésa es su casa.

–¿Quieres que Hansie vaya a buscar el coche?

–No se me ocurre nadie más que pueda llevarse la furgoneta policial de delante de la comisaría.

–Que Dios nos asista.

Emmanuel cruzó la calle con Shabalala y llamó a la puerta de la casa con dos golpes limpios. A través de los cristales de colores vio al joven policía dirigirse hacia la puerta por el pasillo.

La puerta se abrió y Hansie se asomó con un gesto sombrío en la cara. Tenía los ojos azules enrojecidos y la nariz encendida con un tono rosa pálido de sonársela una y otra vez.

–Tengo el colgante –dijo sorbiéndose la nariz–. Lo he recuperado como me pidió, oficial.

–Bien hecho –dijo Emmanuel entrando en el pasillo y obligando a Hansie a retroceder unos cuantos pasos. Shabalala cerró la puerta después de entrar–. Necesito que me consigas una cosa más, agente.

–¿El qué?

–La furgoneta de la policía –dijo Emmanuel–. Necesito que vayas a la comisaría a buscar la furgoneta de la policía.

–Pero el subinspector Lapping me ha dado el día libre. Me ha dicho que no tenía que volver hasta mañana.

–Yo he decidido volver a ponerte de servicio –dijo Emmanuel, haciendo que pareciera un ascenso instantáneo–. Eres el mejor conductor del cuerpo. Mejor que la mayoría de los miembros de la policía judicial con los que trabajo en Jo'burgo.

–¿De verdad?

El muchacho se animó tanto con el halago que se olvidó del colgante y de su día libre.

–De verdad –contestó Emmanuel mientras miraba a Hansie a los ojos para ver cuánto estaban calando sus palabras en el chico–. Quiero que vayas a la comisaría, cojas la furgoneta y vuelvas aquí con ella. ¿Puedes hacerlo?

–Ja.

–Si alguien te pregunta adónde vas con la furgoneta, di que ha habido un robo y que estás buscando… –sus conocimientos urbanos chocaron contra la realidad de la vida en el campo. ¿Qué había en Jacob's Rest que se pudiera robar? Shabalala proporcionó la respuesta:

–Una cabra. Estás buscando una cabra robada.

–¿Te has enterado?

–Estoy buscando una cabra robada.

–Ve directo a la comisaría y vuelve directamente aquí con la furgoneta –Emmanuel repitió las instrucciones con la esperanza de que el atolondrado cerebro de Hansie retuviera parte de la información.

–Sí, oficial.

El muchacho se estiró el uniforme y marchó hacia la puerta con la precisión de un muñeco de cuerda. Todo –arrestar a Louis, rescatar sana y salva a Davida Ellis y hacer justicia– estaba en manos del agente de policía de dieciocho años Hansie Hepple. A Emmanuel le invadió una sensación de pavor.

En ese momento apareció una escuálida muchacha rubia con las manos y el delantal llenos de pegajosa masa de pan. Sus ojos azules, más oscuros y opacos que los de su hermano, brillaban trémulos con una tenue luz interior.

–Era un colgante muy bonito –dijo en afrikáans–. Hansie ha llorado cuando ha tenido que pedirle a su novia que se lo devolviera, y ella se ha enfadado con él. Mi madre ha ido a la tienda a comprar bicarbonato para calmarle el estómago a Hansie.

–Tenemos que encontrar una forma alternativa de salir de aquí. Éste no es lugar para que acaben unos hombres como nosotros –le dijo Emmanuel a Shabalala.

Avanzaron por el agreste terreno, atraídos por la gran mole de altos peñascos y nubes que se alzaba imponente ante ellos. Antiguamente, mucho antes del hombre blanco, la montaña debía de haber tenido un valor espiritual. Emmanuel sintió la atracción que ejercía sobre él mientras se esforzaba por entender el rumbo que seguía Shabalala, que se orientaba hábilmente a través del paisaje borroso y monótono de ramas, espinos y termiteros.

Tras cincuenta y cinco minutos de caminata y un breve descanso, llegaron al pie de la montaña y se encontraron con una pared de roca maciza suavizada aquí y allá por matas de hierba y árboles raquíticos que crecían en grietas abiertas en la roca por siglos de vientos y lluvias. Como formación natural, tenía un aspecto hermoso pero hostil.

–¿Cómo subimos? –preguntó Emmanuel mientras apoyaba la espalda en una roca calentada por el sol situada junto a la ladera de la montaña como una canica de un niño. Era un gusto poder descansar, sentir el aire entrar y salir de los pulmones sin la sensación de intenso ardor causada por la falta de oxígeno.

–La rodeamos y después subimos –contestó Shabalala. Emmanuel advirtió con satisfacción que la caminata a campo traviesa había hecho sudar al agente zulú.

–¿La cabra está en la montaña? –preguntó Hansie después de dar un buen trago de agua a su cantimplora. La cara del joven policía había pasado del blanco al rosa y finalmente a un rojo fuego de hoguera de carbón que rivalizaba en intensidad con el color de una raja de sandía.

–Eso espero –dijo Emmanuel mientras seguía a Shabalala, que había empezado a rodear la base de la enorme formación rocosa. Caminaron cinco minutos hasta llegar a una profunda hendidura en la ladera de la montaña. Shabalala señaló un camino que subía serpenteando y se perdía de vista tras un árbol azotado por el viento con las ramas descoloridas, blancas como huesos.

–Por aquí –dijo Shabalala, que los llevó por el estrecho sendero de tierra, aflojando el paso de vez en cuando para examinar una mata de hierba o una rama partida.

–¿Hay algún rastro de ellos? –preguntó Emmanuel mientras caminaba dificultosamente sobre pedruscos y raíces descubiertas. Louis y Davida podían estar a cien kilómetros en dirección contraria.

—Hay tres caminos que llevan a la cueva. Lo único que puedo decir es que no han venido por éste.

—A lo mejor no han venido ni por éste ni por ninguno.

El miedo que se había apoderado de él desde que habían salido del pueblo a toda velocidad y se habían puesto en camino hacia la montaña estaba ahora clavado en su estómago como una astilla. Había preparado un plato con las sobras que le habían ido tirando a lo largo de la investigación y ahora estaba a punto de averiguar si todas las corazonadas y conjeturas llevaban a algún lado.

Shabalala se detuvo en la intersección de tres caminos que se juntaban en uno solo y examinó el suelo y las piedras de alrededor.

—Están aquí —dijo.

Emmanuel tuvo un momento de alivio y después avanzó rápidamente camino arriba, con los exhaustos músculos estimulados por la adrenalina. Louis les sacaba tres horas largas de ventaja y a saber qué habría sido de Davida Ellis en ese tiempo.

El sendero de hierba terminaba en una cornisa rocosa amplia y plana que sobresalía sobre la abrupta pendiente de la ladera de la montaña y ofrecía una impresionante vista del terreno agreste que se extendía hacia los cuatro puntos cardinales. Un águila marcial, con sus plumas blancas en el pecho centelleando en fuerte contraste con el cielo claro, volaba en círculos frente a ellos en una corriente de aire caliente. A lo lejos, en la llanura, el agua de un abrevadero emitía destellos a la luz del sol del final de la tarde. Era tal como había dicho Shabalala: un lugar que conmovía el corazón.

—Es ahí —dijo el agente zulú señalando la oscura boca de la cueva, abierta en la roca al final de la cornisa.

—Oficial...

—Chist... —Emmanuel mandó callar a Hansie—. Quédate

detrás de este arbusto y vigila el camino. Si viene alguien, llámame, ¿entendido?

–*Ja*. Le llamo.

–Bien.

Emmanuel abrió la funda que llevaba en la cadera, por primera vez desde su llegada a Jacob's Rest, y sacó su revólver Webley estándar del calibre 38. Con Shabalala a su lado, atravesó corriendo la cornisa, aguzando el oído para intentar captar ruido de voces o el chasquido del cerrojo de un rifle. Un inquietante silencio los siguió hasta el interior de la cueva.

Emmanuel recorrió el interior de la cueva con la mirada. Era una cavidad ovalada abierta en la montaña, lo suficientemente grande para que una tropa de Voortrekker Scouts pasara la noche dentro cantando canciones hasta el amanecer. La luz difusa de la tarde iluminaba una perturbadora escena doméstica. En medio de la cueva había una cama preparada con una fina colchoneta, una sábana y una manta gris, y al lado, un farol y un cubo de agua. Encima de una piedra plana había un recipiente con galletas, lonchas de cecina y dos platos y tazas esmaltados. Una Biblia abierta, una caja de cirios y una cuerda descansaban sobre una mochila vacía que hacía las veces de altar. Emmanuel desenfundó la pistola.

–¿Dónde están? –preguntó. La cueva estaba acondicionada como un lugar para vivir, un sitio en el que dormir, comer y hacer quién sabe qué con la Biblia y la cuerda. El muchacho tenía la firme intención de pasar la noche y posiblemente más tiempo escondido en su capilla privada.

–Voy a ver –contestó Shabalala. Examinó las huellas del suelo y salió de la cueva para seguir investigando fuera. Regresó enseguida–. Se han ido por el camino estrecho a un lugar en el que hay una cascada. Es primavera, la cascada llevará agua.

–¿Podemos seguirlos?

–Es estrecho. Sólo hay sitio para que camine una persona. Puedo llevarle.

–Vamos –dijo Emmanuel–. No quiero arriesgarme a encontrar un segundo cadáver en el agua.

Emmanuel se puso detrás de su compañero y se acercaron a la entrada del camino, que se perdía en la ladera de la montaña como la cola de una serpiente. Un cántico en afrikáans entonado por una voz dulce y suave los detuvo a la entrada. Dieron unos rápidos pasos y se quedaron agachados detrás de un espinoso arbusto con el joven agente de policía, que tenía las mejillas encendidas y estaba muy nervioso.

–¿Qué pasa? –preguntó Hansie.

–Aparezca quien aparezca por ese camino, no hagas el menor ruido –dijo Emmanuel–, ¿entendido? Ni un susurro.

Davida Ellis llegó a la superficie plana de la cornisa dando traspiés, descalza y protegiéndose el estómago con los brazos. Estaba empapada y el vestido verde claro se le pegaba a la piel morena. Las gotas de agua caían en la superficie de la roca, formando un pequeño charco a sus pies. Estaba temblando, a pesar de la suave temperatura primaveral.

Louis Pretorius apareció desnudo de cintura para arriba y con un rifle colgado del hombro como un explorador nativo. Siguió cantando mientras se secaba la cara y el pelo con un pañuelo que después volvió a meterse en el bolsillo de los vaqueros húmedos. Las palabras del cántico en afrikáans se elevaron volando en círculos hasta las nubes, como siguiendo una senda rápida hasta el Todopoderoso. Louis tenía el rostro y la voz de un ángel.

Terminó su canción y apoyó suavemente la mano en el hombro de Davida. La joven se estremeció cuando la tocó, pero Louis no pareció notar su reacción. Le dijo al oído:

–«Os rociaré con agua pura y quedaréis limpios.» Ezequiel 36, 25. Se siente uno bien al ser purificado y convertido en una persona nueva, ¿verdad? –desplazó la mano hasta el cuello de Davida y le acarició las delicadas protuberancias de la tráquea con los dedos–. Dios nos oye mejor si hablamos alto y alzamos la voz hacia Él.

Emmanuel se preparó para echar a correr por la cornisa si el muchacho le rodeaba el cuello con las manos a Davida.

–Aaaarrrgh...

Hansie, escandalizado, soltó un resoplido que atravesó el espacio abierto y rebotó en las duras superficies rocosas. Tirar una piedra habría tenido el mismo efecto. Louis se puso tenso y movió el rifle hasta tenerlo delante del pecho y descansando firmemente sobre las manos. Puso el dedo en el gatillo y apuntó hacia el arbusto con el cañón del rifle.

–Sal de ahí –dijo con un tono casi amable–. Sal o vacío la recámara en los arbustos. Palabra.

–No... –dijo Hansie, que se levantó de un brinco con las manos en alto en señal de rendición–. No dispares. Soy yo, Hansie.

–¿Quién está contigo? –preguntó Louis–. Tú no tienes cabeza para haber llegado hasta aquí solo.

–¿Cabeza? ¿Qué...?

Emmanuel y Shabalala se levantaron. Emmanuel no quería que Louis se dejara llevar por el pánico y mandara a Davida directa a Dios Nuestro Señor por el precipicio que tenía a la izquierda, a menos de un metro de sus pies. Y ni en sueños iba a dejar que Hansie Hepple llevara a cabo las negociaciones para la liberación del rehén.

–Oficial Cooper –dijo Louis dirigiéndole un saludo con la cabeza, como habría hecho con alguien a quien se hubiera encontrado en una esquina por la calle o en las escaleras de la iglesia–. Veo que ha salido del aprieto que le había preparado. Y se ha traído al agente Shabalala para que le haga compañía. ¿Qué les trae a los tres a la montaña?

–Eso mismo podríamos preguntarte a ti –contestó Emmanuel, que mantuvo un tono amistoso y se fijó en la enorme confianza con que el muchacho sin camisa sujetaba el rifle. Parecía haber nacido para ser bandolero. Davida temblaba a su lado–. Esto queda muy lejos para venir a darse una ducha, ¿no, Louis?

Mientras hablaba, Emmanuel intentó evaluar cuál era el estado de Davida. Ella le miraba fijamente, con el gesto mudo y conmocionado que había visto tantas veces en los rostros de los civiles atrapados en el choque de dos ejércitos en guerra. Sus ojos suplicaban que la rescataran y la devolvieran a su situación anterior.

–Actúo a las órdenes de Dios. No espero que entienda lo que estoy haciendo hoy aquí, oficial.

–Explícamelo. Quiero entenderlo.

–Y Él limpiará los pecados del mundo –dijo Louis rodeándole el brazo a Davida con la mano y acercándosela a la cadera de un tirón–. He purgado su ser físico de inmundicia con piedras y agua pura y ahora voy a limpiar su alma del pecado que ha hecho de ella la encarnación de la impureza.

–La última vez que lo miré tú no eras Dios Nuestro Señor. Eras Louis Pretorius, hijo de Willem e Ingrid Pretorius, de Jacob's Rest. ¿Qué te da derecho a limpiar el alma de nadie salvo la tuya propia?

–«Puso en mi boca un cántico nuevo, una alabanza a nuestro Dios: verán esto muchos, y temerán, y confiarán en el Señor.»

En un intercambio de versículos de las Escrituras con Louis, Emmanuel estaba seguro de llevar las de perder. El joven Pretorius estaba tan sumergido en su visión divina que ni siquiera se daba cuenta de que las cosas que les había hecho a Davida y a su abuela eran pecado en sí mismas. Para Louis todo eran visiones divinas confirmadas por un coro de ángeles.

–Pero… –intervino Hansie, que estaba teniendo dificultades para seguir la conversación–. Esa chica es mulata. ¿Qué haces aquí con uno de ellos?

El fuego de los ojos de Louis tenía un brillo tan intenso que podría haber competido con la mirada incendiaria de su abuelo Frikkie van Brandenburg.

–Cuando era niño hablaba como un niño, y cuando crecí, dejé atrás todas las cosas infantiles. Tú, Hansie, eres una de esas cosas infantiles.

–¿Qué estás diciendo? –dijo Hansie–. No deberías estar lavando o haciendo yo qué sé qué a uno de ellos. Va contra la ley, y sé que a tu madre tampoco le va a gustar verte tan cerca de uno de ellos.

–Mi misión no os incumbe a mi familia terrenal ni a ti. He recibido la llamada de Dios y estáis impidiendo que se lleven a cabo Sus obras.

–A ver si lo he entendido bien –dijo Emmanuel, intentando evaluar el alcance de los delirios de Louis–. ¿Dios, el redentor de las almas, te ha ordenado robar fotos pornográficas, mentir, llevar a cabo una agresión y secuestrar a una mujer impura? ¿Cuándo recibiste esa llamada, Louis? ¿En Suiwer Sprong o después, en la escuela de teología?

A Louis pareció demudársele el hermoso rostro.

–Todo lo que hago lo hago al servicio del Señor.

–¿Te ordenó el Señor que abusaras de aquellas mujeres el año pasado?

–Eso fue obra del diablo. Me liberé de sus cadenas y he quedado limpio de todos mis pecados.

–¿Es así como expulsaron de ti el pecado en la granja?, ¿con duchas al aire libre y con miedo?

Van Niekerk había incluido la «hidroterapia» en la lista de remedios que ofrecían en la granja manicomio cuasi religiosa. ¿Qué métodos había empleado el doctor de formación alemana Hans de Klerk para limpiar el pecado del joven Pretorius?

Louis pestañeó con fuerza.

–Todo lo que me hicieron me lo hicieron al servicio del Señor. Estaba perdido y ahora he hallado el camino.

A Emmanuel le acometió un sentimiento súbito de lástima. Louis había sido criado por su madre de tal forma que creyera que era la luz del mundo, pero había heredado de su padre el gusto por la vida al margen del estricto código moral del *volk*. Se debatía entre dos mundos, estaba perdido y se había vuelto más peligroso tras un período de «reconducción» en un lugar recóndito de los montes Drakensberg.

–¿Era tu padre la encarnación de la impureza, Louis? –preguntó Emmanuel. Le interesaba conocer la postura de Louis frente a la hipocresía del comisario.

–El diablo llevó a mi padre por el mal camino con sus obras, igual que a mí –y mirando al agente zulú, añadió–:

Mi padre era un buen hombre, ¿eh, Shabalala? Un hombre piadoso.

—Yo lo creo así.

—No estoy poniendo en duda la bondad de tu padre —dijo Emmanuel—, solamente me pregunto cuánto se esforzó en su lucha contra el diablo. Tú te fuiste a la granja y venciste al diablo, pero tu padre se quedó y, bueno…, dejó ganar al diablo unas cuantas noches a la semana. Durante casi un año.

—¡El comisario Pretorius no estaba aliado con el diablo! —la voz de Hansie subió tres octavas—. Usted no le conocía. Él era puro por dentro y por fuera.

—Ningún hombre es puro por dentro y por fuera —contestó Emmanuel, que volvió a dirigir su atención a Louis y mantuvo un tono apacible y pacífico—. Tú sabes lo que es luchar contra el diablo, ¿verdad, Louis? Tú quieres ser piadoso, y sin embargo aquí estás, subido a una montaña con una mujer aterrorizada, un arma y una cuerda enrollada en tu Biblia.

—Esta mujer es la causa de todos los problemas —dijo Louis, que cerró la mano con fuerza alrededor del antebrazo de Davida hasta que ella dio un grito ahogado de dolor—. Es a ella a la que hay que limpiar para liberarla de su naturaleza carnal.

—¿Igual que limpiaste a tu padre en el río? —dijo Emmanuel, poniendo a prueba la conexión entre el acosador y el asesino. Un joven desequilibrado con un rifle con mira y convencido de ser Dios era un animal peligroso—. Eso fue lo que hiciste, ¿no? Preparaste un encuentro cara a cara con el Todopoderoso y después arrastraste su cuerpo hasta el agua para dejarle limpio de pecado. ¿Fue así como ocurrió?

—No sé de qué está hablando.

—Mataste a tu padre para purgarle, ¿verdad, Louis?

—Por supuesto que no.

—Sabías que no iba a dejar de pecar, así que le ayudaste a salir de la trampa de Satanás. Lo entiendo. Entiendo cómo ocurrió.

Louis redujo la fuerza con la que tenía agarrado el brazo de Davida y lanzó una mirada condenatoria al policía inglés.

–Yo quería a mi padre. Cuando el diablo me tenía en sus garras, mi padre rezó conmigo y juntos encontramos la forma de salir de aquello. Yo jamás le habría puesto la mano encima. Él me salvó.

–¿No le disparaste en el río?

–No. Honrarás a tu padre y a tu madre para que se prolonguen tus días en la tierra. Ésa es la promesa de Dios.

–Pero tú espiabas a tu padre cuando estaba vivo. Eso no es algo muy honroso, ¿no?

–Presenciaba lo que hacía –dijo Louis, que soltó el brazo de Davida y se apartó el pelo rubio despeinado de la frente–. Tenía que presenciar la gravedad de sus malas acciones para entender cuánto se había apartado del buen camino.

–¿No disfrutabas con ello? –preguntó Emmanuel al tiempo que veía cómo Davida se desplomaba contra la pared rocosa y tomaba enormes bocanadas de aire. Seguía temblando y probablemente estuviera en estado de shock–. ¿No te daba ningún placer observar a tu padre acostarse con una de las mujeres con las que te habías propasado tú en diciembre del año anterior? ¿Cuántas veces presenciaste cómo tu padre se apartaba del camino, Louis?

–No me acuerdo –masculló el muchacho.

–Con una vez tenía que bastar, ¿no? Ves a tu padre con una mujer mestiza y lo sabes, ¿no? Sabes que se está cometiendo un pecado sin tener que volver una segunda y una tercera vez.

–Estaba presenciándolo. No disfrutaba con lo que veía.

–¿De verdad? –Emmanuel se había metido en un campo de minas y no pensaba salir de él hasta que hubiera encontrado lo que buscaba–. Yo creo que estabas haciendo algo que empieza por *p*, pero no era presenciar. Obtenías tanto placer como tu padre, sólo que desde lejos.

–Shabalala –el joven descamisado recurrió al policía negro–, tú conoces a mi familia. Somos de pura sangre afrikáner. Tú eres de pura sangre africana. Este asunto ha ocurrido por culpa de aquellos entre nosotros que tienen sangre impura, ¿a que sí?

–Tu padre era puro. La mujer es pura. Cuando estaban juntos, no había ningún mal en ellos.

–No es posible que creas eso –contestó el chico, desconcertado ante el comentario sosegado e indulgente de Shabalala–. Ella es la razón por la que mi padre se apartó del buen camino y fue asesinado. La culpa es de ella.

–Esa mujer de ahí. Era la pequeña esposa de tu padre y te repito que no había ningún mal en ellos. El comisario llegó a un acuerdo según la antigua tradición para tenerla como esposa, y no quería que ella sufriera ninguna ofensa mientras estuvo vivo y ni siquiera ahora que ya no está.

Louis se sonrojó al oír las críticas del agente zulú, pero no bajó el arma.

–Vuestras costumbres nativas no son para el *volk*. Nuestro Dios no nos permite mancillar nuestros cuerpos ni nuestra sangre con aquellos que pertenecen a una esfera inferior. Así es como está escrito.

Davida, sin dejar de temblar, había ido desplazándose muy lentamente a lo largo de la pared rocosa y ahora estaba demasiado lejos del profeta adolescente para que pudiera alcanzarla con el brazo.

Emmanuel dio un paso adelante y atrajo la atención de Louis hacia sí.

–¿Alguna vez le diste a tu padre la oportunidad de venir aquí y limpiarse de sus pecados en la cascada? –le preguntó.

–No.

–¿Por qué no?

–Nunca encontraba el momento de sacar el tema. No sabía cómo decirle que sabía lo que estaba haciendo.

–Bueno... –dijo Emmanuel–, ¿qué tal cuando terminaba y los dos estabais satisfechos y en paz con el mundo? Podrías haberle abordado en el camino *kaffir* y haber intercambiado impresiones con él antes de rezar juntos.

–Es usted un inglés depravado. Es una pena que mis hermanos no le hayan cogido y le hayan dado una lección.

Emmanuel se encogió de hombros y miró hacia la inmensa extensión de terreno de detrás de la cornisa. Sólo unos centímetros separaban a Davida de la boca de la cueva y de la seguridad.

–«Por sus obras los conoceréis» –dijo Emmanuel, sacando una frase bíblica de los profundos sótanos de su memoria–. ¿Qué va a pensar un jurado de un chico afrikáner que está aquí con una chica mestiza secuestrada? ¿De verdad crees que tus correligionarios van a entender que la lavaste para purgarla y que espiaste a tu padre mientras mantenía relaciones sexuales con ella para atestiguarlo ante el Señor?

–Dios es mi guía y mi báculo. No le corresponde al hombre juzgar lo que he hecho.

–Las cosas han cambiado, Louis. Al deshacerte de tu padre, te deshiciste de la única persona que estaba dispuesta a infringir la ley para protegerte.

Louis tenía el dedo bien firme en el gatillo.

–Yo no tuve nada que ver con lo que le pasó a mi padre. Su vida fue segada antes de tiempo y yo ruego al Todopoderoso que vea la verdadera naturaleza del corazón de mi padre y perdone sus faltas.

–Louis… –los ojos azules e inexpresivos de Hansie se llenaron de lágrimas de frustración–. Dile al oficial que todo esto es un error. Tú no tocaste a esas mujeres mestizas y el comisario no hizo lo que él dice… Lo del sexo, el diablo y la pequeña esposa.

Louis sonrió. Verdaderamente era el más hermoso de los ángeles de Dios.

–¿Sabes lo que me dijo mi padre una vez, Hansie?

–No.

–Que no puedes conocer a Dios hasta que no has luchado contra el diablo y el diablo ha ganado.

Se volvió hacia Davida para ilustrar lo que quería decir y vio que la joven no estaba. El muchacho sostuvo el rifle con soltura y, levantándolo hasta la altura de los ojos, apuntó a la boca de la cueva, donde apareció fugazmente la oscura silueta de la joven. Louis había adoptado la clásica posición del tirador, con las piernas abiertas para dar estabilidad al tronco e incrementar las posibilidades de dar en el blanco.

–¡Suelta el arma, Louis! –gritó Emmanuel a través de la cornisa, apuntándole directamente con su pistola–. Suéltala o disparo.

La sombra desapareció de la boca de la cueva y Louis bajó el rifle lentamente hasta la cadera. Movió los dedos sobre el cañón pero el arma se quedó donde estaba.

–No te muevas –dijo Emmanuel con voz clara y tono autoritario mientras reducía la distancia que le separaba del muchacho–. Tira el arma al suelo y mándala hacia mí de una patada. Vamos.

Louis soltó el arma, que cayó y fue traqueteando por la cornisa, donde el agente Shabalala la cogió y se la colgó a la espalda. El hijo menor del comisario se desplomó y se quedó agachado, contemplando los kilómetros y kilómetros de *veld* moteado de verde y marrón. Era media tarde y la luz tenía una tonalidad suave y delicada que daba a los matorrales la apariencia de dibujos pintados a mano sobre el lienzo de la tierra.

–Ahora ella no se va a salvar nunca –dijo Louis.

Emmanuel le hizo un gesto a Shabalala para que montara guardia mientras él examinaba la cueva.

–Davida –llamó mientras entraba en la extraña casa de montaña de Louis. La joven estaba sentada con las piernas flexionadas debajo del cuerpo cerca de la entrada de la cueva. Emmanuel se agachó a su lado pero no la tocó, a pesar de que le temblaba el cuerpo violentamente. Ya había tenido suficientes hombres blancos intentando ayudarla para el resto de su vida.

–Tranquila, ya estás a salvo –dijo. Tenía la piel llena de finos arañazos rojos del lavado con piedras y agua pura de manantial al que la había sometido Louis–. ¿Te ha hecho daño en algún sitio que yo no pueda ver, Davida?

–No como está pensando. No de esa forma.

–¿Puedes contarme lo que ha pasado?

–No, ahora no. ¿Ha encontrado a mi abuela?

–Zweigman está con ella. Ha dicho que está herida, pero se va a poner bien. Ya sabes que él la cuidará bien.

354

–Bien. Bien.

Davida se echó a llorar y Emmanuel cogió la manta gris de la cama preparada por Louis. Se la puso delante para que la viera.

–¿Puedo ponerte esto encima? Tienes que secarte y entrar en calor antes de irnos.

–Fuera. Me la pongo fuera. No quiero quedarme aquí.

Salieron de la cueva y Davida se quedó acurrucada cerca de la entrada; su intuición le decía que se mantuviera cerca de un lugar en el que poder refugiarse. Emmanuel le puso la manta sobre los hombros y se fijó en que Davida no había mirado hacia donde tenían a Louis vigilado.

–Huele a él –dijo–. Como a flores en una tumba.

–Vas a tener que dejártela puesta hasta que entres en calor, después volveremos a Jacob's Rest.

–Me iré cuando se vaya usted –contestó mientras apoyaba la barbilla en las rodillas y observaba las nubes blancas alargadas que se extendían por el cielo. Emmanuel se acercó a Shabalala y se quedó a su lado. El agente zulú parecía cansado, como si aquel final fuera más horrible de lo que se había imaginado.

–¿Y ahora? –preguntó Louis, levantando la voz por encima del lloriqueo de Hansie–. ¿Me va a detener?

–No tengo elección –respondió Emmanuel–. Se te acusa de una agresión y de un secuestro. Ambos hechos son delitos y tendrás que ser juzgado.

–Mi madre... –dijo Louis con un destello de miedo en la mirada–. Se va a enterar de las distintas formas en que el diablo me llevó por el mal camino.

–Sí, muy probablemente.

Emmanuel comprobó la posición del sol. Tenían que ponerse en marcha si querían llegar a Jacob's Rest antes de que anocheciera. La comisaría de policía seguía siendo territorio prohibido. Tendrían que utilizar la tienda de Zweigman como celda de detención para Louis, al menos hasta que dejaran a Davida Ellis en casa sana y salva. Después tendría que salir rápidamente hacia Mooihoek con el hijo menor del comisario detenido. Los Pretorius le desollarían vivo y prepararían una sopa con sus huesos si le pillaban con su angelical hermanito.

–¿Le va a meter en la cárcel? –preguntó Hansie, escandalizado.

–Ahí es donde suele acabar la gente acusada de agresiones y secuestros, Hepple. Es la ley.

–Pero no es justo que metan en la cárcel a un blanco por culpa de uno de ellos. No es lo correcto.

–Lo que es correcto y lo que no le corresponde decidirlo a un juez. Reunir pruebas, preparar el expediente y presentar el caso ante el tribunal: ése es mi trabajo. Y también el tuyo.

Emmanuel miró a Davida para ver si había dejado de temblar. La larga caminata para volver al coche iba a ser complicada, con Hansie, Louis y una mujer traumatizada a remolque.

–Yo la cojo a ella –le dijo a Shabalala–, tú coge a Mathandunina.

Se separaron para encargarse de sus respectivas tareas, pero no llegaron muy lejos. El sonido inconfundible del seguro de un arma les pilló a mitad de un paso. Emmanuel se volvió y vio a Hansie quieto, con la cara sucia de lágrimas y mocos, apuntándole directamente a la cintura con su revólver Webley. Recibir un tiro en el estómago de un muchacho afrikáner sin cerebro era una forma horrible de morir.

–Agente Hepple –utilizó su rango para recordar al adolescente que era un agente del orden–. Baja el arma, por favor.

–No. No voy a permitir que lleve a Louis a la cárcel.

–¿Qué deberíamos hacer con tu amigo, agente Hepple?

–Dejar que se vaya.

–De acuerdo –dijo Emmanuel, dejando que Hansie ocupara el repentino vacío de poder.

–Vete –instó el joven policía a su amigo–. Vete. Corre.

El profeta descamisado estaba agachado, mirando hacia el campo, como hechizado por los colores del *veld* que se extendía bajo sus pies.

–Louis –la voz de Hansie sonó aguda y áspera en aquel escenario de rocas y nubes–. ¿Qué haces? Vete.

El muchacho se levantó y se acercó al borde de la plataforma rocosa, donde estiró los brazos para sentir el viento que soplaba desde el monte. Se volvió y se quedó mirando hacia la cueva. Su pelo brillaba como un halo.

–Éste es un lugar sagrado. ¿Lo nota usted, oficial? Lo cerca que está el poder de Dios.

–Lo noto –dijo Emmanuel.

–Tiene razón, oficial. Tendría que haber traído a mi padre aquí y haber intentado salvar su alma. Si lo hubiera hecho, ahora estaría vivo.

–Salvarle no era responsabilidad tuya –contestó Emmanuel, que sentía cómo la gravedad tiraba de los talones de Louis, amenazando con arrastrarle y lanzarle al vacío desde el borde de la cornisa–. Un hombre es responsable de la salud de su propia alma. Tú no hiciste nada malo.

Louis sonrió.

–El pecado es no haberlo intentado. Le dejé a la deriva en un mar de iniquidad.

–Hablar no es fácil entre padres e hijos. Tú mismo has dicho que era difícil sacar el tema de lo que estaba haciendo tu padre.

–No quería que dejara de hacerlo. Había noches, justo después de que mi padre terminara, que me quedaba tumbado en la hierba y miraba las estrellas. Qué felicidad sentía dentro de mí, al saber que él y yo nos parecíamos. Era hijo de mi padre, no Mathandunina.

Hansie bajó el revólver, que quedó apuntando a algún lugar entre la pelvis y las rótulas de Emmanuel. Seguía sin haber margen para hacer un movimiento brusco hacia Louis, que permanecía peligrosamente cerca del precipicio. El agente Hepple era demasiado necio para darse cuenta de que la amenaza a su amigo de la infancia venía exclusivamente de dentro de sí mismo.

–¿Te acuerdas, Shabalala? –dijo Louis cambiando al zulú–. Cuando era pequeño, la gente decía: «Mira ése, ¿de quién es hijo? ¿De verdad puede ser hijo de ese hombre de ahí?».

—Tu padre sabía muy bien que eras hijo suyo —contestó Shabalala—. Te quería muchísimo.

—Por eso me duele no haber hecho nada para salvarle.

—Tú no estabas en el río —dijo Shabalala, lanzando un cabo salvavidas con la esperanza de que llegara a las manos del muchacho—. El hombre que disparó a tu padre es el único que tiene culpa en este asunto.

—El pecado se paga con la muerte. Yo lo sabía y aun así no hice nada, porque lo que hacía mi padre también me daba placer a mí. Mi madre se va a enterar de esto pero no lo va a entender. No me va a perdonar nunca.

—Tu madre también te quiere.

—Va a caer en desgracia por mi culpa. Su familia la va a repudiar si voy a la cárcel.

—Tú eres querido por tu madre —dijo Shabalala caminando lentamente hacia el chico—. Ella volverá a recibirte en sus brazos. Es así.

Emmanuel notó en la cara el viento frío que se levantaba desde el *veld*. Ni siquiera Shabalala, con su asombrosa rapidez, sería capaz de alcanzar al joven melancólico a tiempo para impedir que pusiera a prueba sus alas de ángel.

—Dile a mi madre que lo siento, ¿eh, Shabalala? Dile que sé que algún día nos encontraremos en la hermosa orilla.

—*Nkosana*...

Shabalala echó a correr a toda velocidad hacia el muchacho al que había visto tropezar y caer de niño. Llevaba las manos extendidas con una promesa muda: «Agárrate a mí y yo te mantendré a salvo».

—Cuídate —dijo Louis antes de dar un paso atrás y caer por el precipicio en los brazos del Señor. Se oyó el chasquido seco de unas ramas y después el soplo del viento al perturbar el silencio.

19

Emmanuel se quedó al borde del precipicio. No había ni rastro de Louis Pretorius. No estaba en una grieta con heridas leves ni colgando peligrosamente de una rama esperando a que le rescataran. El muchacho había caído hasta el *veld*.

–Tengo que ir a buscarle –dijo Shabalala dirigiéndose al camino que conducía al pie de la montaña. Respiraba pesadamente, moviendo arriba y abajo su enorme pecho bajo el tejido almidonado del uniforme–. Tengo que encontrarle y llevarle de vuelta a casa.

–No ha sido culpa tuya –dijo Emmanuel, que sintió el dolor del policía negro. Lo tenía metido muy adentro, como una espina–. Has hecho todo lo posible por Mathandunina en sus últimos momentos.

Shabalala asintió con la cabeza pero guardó silencio. Podrían pasar años antes de que la espina saliera a la superficie y cayera.

–Nos vemos en la roca –dijo Emmanuel. Dejó que el agente negro siguiera con la tarea de recuperar al muerto. Ninguna cosa que dijera podría quitarle a Shabalala el dolor que sentía por no haber salvado al hijo de su amigo–. Te esperaremos allí hasta que estés listo.

El agente zulú se puso en marcha sin volverse a mirar la cueva en la que tantas horas había pasado jugando de niño. No volvería a ese lugar si no era acompañado de una poderosa mujer sanadora, una *sangoma*. La atmósfera estaba tan cargada de fantasmas y espíritus que uno no podía coger aire sin atragantarse. Había que recoger el cuerpo y el espíritu de Mathandunina y llevarlos juntos de regreso a casa para evitar que se derramara más sangre y sucedieran más desgracias.

Shabalala desapareció entre la maleza y Emmanuel se sacó del bolsillo el frasco de pastillas blancas. «Un lugar que te conmueve el corazón o te lo aplasta», pensó mientras se tomaba los calmantes y contemplaba las llanuras africanas. La luz de aquel lugar era totalmente distinta de la luz blanca y fría del sol que iluminaba el cielo en Europa durante el invierno, pero la muerte de Louis le hizo sentirse igual que allí: viejo y cansado.

–Querido Jesús –dijo Hansie, que estaba rezando arrodillado y con las manos entrelazadas, hablando entre sollozos de dolor–, ayúdale. Dale fuerzas para superar la caída. Levántale, Señor.

–Está muerto, Hansie.

–Ja… –el muchacho hizo un ruido lastimero y se apoyó en los talones echándose hacia atrás–. Tendría que haber ayudado a bajarle de la montaña cuando usted lo dijo.

Emmanuel no tenía fuerzas para reprender a Hansie. Esperó a que disminuyera la intensidad de los sollozos del muchacho.

–Tú no podías saber que iba a pasar esto –dijo.

Hansie sacudió la cabeza como para despejarla.

–Lo siento, oficial. Todavía no entiendo lo que ha pasado.

–Con el tiempo. Quizá.

Emmanuel se acercó a donde estaba Davida, sentada con la manta sobre los hombros. Había dejado de temblar y tenía la mirada fija en la impresionante vista.

–Tenemos que irnos.

Adónde exactamente, no lo sabía. Llevar a Davida de vuelta a Jacob's Rest estaba totalmente descartado. En cuanto se propagara la noticia de la muerte de Louis, la joven se convertiría en leña para el fuego que iba a envolver a la pequeña localidad. Correría menos peligro fuera del pueblo, con su madre en la finca de King.

Davida se levantó y dejó caer la manta al suelo. Se acercó a la cornisa y miró al vacío.

—Espero que se lo coman los leones —dijo.

El grupo de luces de la casa de Elliot King resplandecía en el horizonte con un intenso brillo que contrastaba con el cielo nocturno. Emmanuel respiró hondo. Tenía náuseas. En la parte trasera de la furgoneta, Shabalala acunaba el cuerpo de Louis Pretorius: un caparazón hueco de carne y huesos, ahora destrozado e irreparable. El agente zulú estaba convencido de que el espíritu de Louis estaba fraguando una violenta venganza contra ellos. La única forma de evitar problemas, según había dicho Shabalala, era devolver el cuerpo del muchacho a su madre, pero Emmanuel no podía permitirlo.

—Aparca cerca de las escaleras —dijo cuando cruzaron el paso canadiense que daba acceso a la entrada para coches. Tenían que dejar a Davida con su madre y después llevar a Louis al depósito de cadáveres más cercano. Sin duda la policía llevaría a cabo una investigación de la muerte y no podía descartarse una investigación pública. El foco alumbraría todos los secretos de Jacob's Rest.

Hansie paró la furgoneta en la entrada, detrás del Jaguar rojo, y apagó el motor.

Elliot King y su sobrino perfecto, Winston, estaban de pie en lo alto de las escaleras del porche. El mundo se estaba desmoronando mientras ellos tomaban el aperitivo y admiraban su trocito particular de paraíso.

Un guarda negro con un uniforme de Bayete Lodge surgió de la nada y se puso en guardia delante de la furgoneta policial con una porra en la mano. Como todos los jefes, el adinerado inglés tenía su propio ejército privado.

King mandó retirarse al guarda con un movimiento de su

gin tonic y Emmanuel llevó la mano al tirador de la puerta. Davida le agarró del brazo y se echó a temblar.

–No quiero salir –dijo.

–Hepple, ve a la casa y trae al ama de llaves, la señora Ellis –le ordenó al agente–. Dile que venga inmediatamente.

Hansie salió por la puerta del conductor y subió las escaleras de dos en dos. Se cruzó con los King, que bajaban hacia la furgoneta.

–Ahora viene tu madre –le dijo Emmanuel a Davida, que se le acercó y se quedó pegada a él–. Yo tengo que hablar con King.

–No deje que se acerquen a mí –dijo.

–No les voy a dejar –prometió Emmanuel antes de abrir la puerta y salir de la furgoneta. King y Winston miraron la figura acurrucada de Davida a través de la luna delantera.

–¿Está herida? –preguntó King.

–¿Dónde está mi Davida? –dijo la señora Ellis bajando las escaleras a trompicones y dirigiéndose al triángulo de hombres blancos que se encontraban entre ella y su hija.

Emmanuel hizo señas a King y a Winston para que se apartaran y dejaran al ama de llaves convencer a Davida de que saliera del vehículo y entrara en la casa.

–Llévela dentro. Le tomaré declaración dentro de un rato. Quédese con ella hasta que vaya yo.

–¿Declaración? –el ama de llaves estaba confundida y asustada–. ¿Por qué tiene mi niña que prestar declaración?

–Llévela dentro –repitió Emmanuel– y dele una manta y una taza de té. Que no se enfríe.

–¿Davida? ¿Cariño? –la señora Ellis se inclinó hacia el interior de la furgoneta y rodeó con los brazos la figura que estaba allí escondida hecha un ovillo–. Soy mamá. Vamos, mi niña…

Davida estiró los brazos y las dos mujeres se quedaron fuertemente abrazadas. Emmanuel se alejó para intentar no oír el ruido de los sollozos.

–Vamos, cariño… –dijo la señora Ellis mientras llevaba a Davida hacia las escaleras.

Emmanuel observó a las mujeres desaparecer en el interior de la casa. Enseguida iría a hablar con Davida sobre el hombre del río.

–¿Ha sido usted? –dijo Winston–. ¿Le ha hecho usted esos moratones y esos arañazos, oficial?

–No.

–Ha sido Louis –interrumpió Hansie–. Se los ha hecho Louis.

–¿Louis Pretorius? –preguntó Winston.

–*Ja*. Se la ha llevado a la montaña y la ha lavado con piedras debajo del agua. Estaba intentando salvarla. Eso es lo que ha dicho.

–¿La ha violado? –preguntó King.

–Creo que no –contestó Emmanuel, seguro de que bajo el agua de la cascada había ocurrido otra cosa, posiblemente igual de desagradable e insultante.

Winston parecía estupefacto y furioso.

–Tendré más detalles cuando haya hablado con ella.

Emmanuel mantuvo a King y a Winston apartados de la furgoneta. No le gustaba la expresión de la mirada de Winston.

–Bueno –dijo el joven–, ¿dónde está Louis? ¿Está detenido?

–Está en la furgoneta con Shabalala –contestó Hansie–. Shabalala quiere que le llevemos a casa con su madre, pero no podemos. Aún no.

–¿Qué? –dijo Winston, que salió corriendo hacia la parte trasera de la furgoneta y forcejeó con el tirador de la puerta. Emmanuel le agarró, le dio la vuelta cogiéndole de los hombros y le empujó con fuerza hacia la casa. Winston se volvió y se acercó otra vez a él. Emmanuel le paró en seco poniéndole las dos manos en el pecho.

–Apártate de la furgoneta.

–Tiene que pagar por lo que ha hecho –dijo Winston.

–Pagará –contestó Emmanuel–. Ahora apártate de la furgoneta.

Winston se quedó observándole fijamente unos instan-

363

tes y Emmanuel reconoció algo en su mirada. ¿Dónde había visto antes esa mirada? Winston dejó de mirarle y se alejó resueltamente en dirección a la casa. King le tendió una mano compasiva pero Winston le apartó de un empujón y se marchó escaleras arriba.

«Aquí pasa algo», pensó Emmanuel. ¿Por qué estaba Winston tan furioso por una agresión a la hija de un ama de llaves?

—Tiene que apartarse —le dijo Emmanuel a King—. No quiero verles ni a usted ni a Winston a menos de tres metros de esta furgoneta policial. ¿Entendido?

King asintió con la cabeza.

—¿Y ahora qué?

—Voy a tomar declaración a Davida y después trasladaremos a Louis a Mooihoek.

—¿No van a llevarle a casa?

—No —contestó Emmanuel—. Vuelva dentro y termínese su copa. El agente Hepple le acompaña.

Hansie siguió a los ingleses escaleras arriba y se situó entre el porche y el vehículo. Emmanuel abrió las puertas traseras de la furgoneta e hizo un gesto a Shabalala para que saliera. La tensión en la cara y el cuerpo del agente zulú era evidente.

—¿Estás bien? —preguntó Emmanuel.

—Éste… —dijo Shabalala pegando la mano a la puerta—. Va a causar problemas allá donde vaya. Va a intentar llevarse con él al otro lado a uno de nosotros. Tengo esa sensación.

—Llevarle a casa también causaría problemas. No va a ser fácil ocuparse de él vayamos donde vayamos.

—Lo sé —el policía zulú miró a Emmanuel a los ojos—. Tiene que tener cuidado, *nkosana*. Mathandunina sabe que fue usted quien descubrió lo de la montaña y que fue usted quien le quitó a la pequeña esposa. Usted la ha tocado y a él eso no le gusta.

—Yo no he hecho eso.

—Le ha puesto su manta encima, a eso me refiero, *nkosana*.

—Bueno, entonces… —dijo Emmanuel cuando se le pasó la vergüenza por haber negado la acusación. ¿Cómo iba a saber un cádaver que había mantenido una conversación con Davida en su habitación o que verla tan cerca de la cama de hierro forjado le había estimulado los sentidos?–. ¿Qué debemos hacer, Shabalala? No se me ocurre ninguna forma de evitar los problemas con Louis.

–Tenemos que decirle a su madre dónde está. Quizá si hacemos eso no acabemos tan mal.

–Cuando lleguemos al sitio donde van a examinar el cadáver, llamaré a la señora Pretorius y le diré dónde está su hijo.

–Bien –contestó Shabalala, que aún parecía preocupado–. Voy a decírselo, y, si lo oye bien, no querrá que se derrame más sangre.

–Eso estaría bien –dijo Emmanuel. Menos derramamiento de sangre. Se había pasado tres años esperando eso mismo y, sin embargo, había regresado a casa y había vuelto directo a la compañía de los muertos.

Emmanuel leyó por segunda vez la declaración manuscrita y miró a Davida. Estaba sentada al otro lado de la mesa, sonrojada e incómoda, como si el calor del fogón de la cocina hubiera empezado a afectarla de repente. La señora Ellis pululaba cerca del hombro de su hija, como un ángel de la guarda temeroso de no cumplir un encargo importante.

–El hombre del río. ¿Estás segura de que no viste quién era?

–Sí.

–¿Conocías al hombre que disparó al comisario Pretorius, Davida?

–No –contestó rotundamente–. No vi quién era. No sé quién era.

–Hablaba como el acosador, ¿no? ¿Como alguien poniendo una voz falsa?

–Sí.

–Louis ha reconocido que era el acosador –dijo Emmanuel–, pero ha negado haber matado a su padre.

–¿Cree a ese holandés loco y no me cree a mí? –sus ojos

grises echaban chispas de rabia–. Los blancos siempre dicen la verdad, eso es lo que creen ustedes los policías. Así es fácil atrapar a los delincuentes. Sólo hay que buscar la piel oscura, no hace falta molestarse en encontrar pruebas.

El acento de la joven le llamó la atención. No era exactamente aristocrático, pero intentaba serlo a toda costa.

–¿En qué colegio estudiaste, Davida?

–¿Qué?

–Dime en qué colegio estudiaste.

–En la Stonebrook Academy –hizo una pausa–. ¿Por qué?

–Tu acento –dijo Emmanuel– es... elegante.

–¿Y?

–¿Qué haces en Jacob's Rest, trabajando para el viejo judío y su mujer en su pequeña fábrica de trapos?

–Mi abuela y mi madre viven aquí –contestó–. Vine para estar con ellas.

–Seguro que tenías mayores aspiraciones, ¿no? Un acento como ése cuesta caro.

–Me gusta cortar patrones.

–¿Suspendiste el examen para entrar en la universidad, Davida?

La joven le lanzó una mirada furiosa y después decidió que era mejor no defenderse del insulto a su inteligencia. De pronto vio claros los peligros que encerraban las respuestas que diera. Mantuvo la boca bien cerrada.

–Díselo, Davida –dijo la señora Ellis, asumiendo la lucha por su hija–. Aprobó con muy buenas notas y la aceptaron en la Universidad de Western Cape. La mejor de su clase en cuatro asignaturas.

–¿Qué pasó?

–Vino a vernos a la abuela y a mí en las vacaciones de Navidad y decidió quedarse un año. Va a ir a la universidad el año que viene, ¿verdad, Davida?

Emmanuel se echó hacia delante en su silla, sintiendo un hilo que le arrastraba hacia Davida por lo bien que la comprendía. Todos esos días pasados en compañía del viejo judío y su mujer, leyendo, soñando con el mundo exterior.

Él había hecho lo mismo en el internado: mirar hacia el mundo que se abría más allá de los polvorientos campos del colegio.

—Mírame, Davida —dijo, y esperó a que ella obedeciera—. No te ibas a ir a ningún lado, ¿verdad?

—No —susurró.

—Por eso el comisario construyó la cabaña. Una casita fuera del pueblo para los dos. Un hogar.

—Así es.

—No... —balbució la señora Ellis—. Eso no tiene sentido.

Emmanuel siguió mirando a los ojos a Davida y el hilo que le unía a ella se tensó. La joven empezó a respirar con dificultad.

—Pretorius llegó a un acuerdo para que fueras su pequeña esposa... Fue así, ¿verdad, Davida?

—¡¿Qué?! —exclamó la señora Ellis, abandonando su actitud de criada perfecta y dando una palmada en la mesa—. No puede usted venir a mi casa y hablarle de esa manera a mi hija. Mi niña no tiene nada que ver con el comisario Pretorius. Le llevó unos papeles un par de veces de parte del señor King, pero nada más.

Davida aparentaba cien años más que su madre en edad y en sabiduría cuando se apoyó en los azulejos con hermosas escenas campestres y se rodeó la cintura con los brazos.

—Madre...

La habitación se quedó en silencio durante unos instantes.

—No. No —dijo la señora Ellis acercándose a su hija—. Esa vida no es para ti, mi niña. Tú vas a ir a la universidad para no tener que ser esa clase de mujer. Tú vas a valerte por ti misma y a tener una profesión.

—¿En qué país te crees que vivimos, madre? —la pregunta estaba cargada de tristeza—. Una mujer mestiza no puede escoger la vida que quiere llevar. Ni siquiera después de ir a la universidad. Esto, lo que hay aquí, es como son las cosas.

Emmanuel quería apartar la mirada del rostro de la señora Ellis, en el que apareció escrita claramente la muerte de todo aquello con lo que había soñado para su hija. Vio la tragedia desplegarse sobre la mesa de la cocina.

El ama de llaves puso la palma de la mano en la cara de su hija y le quitó una lágrima de la mejilla.

–No pasa nada, mi niña –dijo, dibujando un nuevo panorama para el futuro–. Nos olvidaremos de este asunto y seguiremos como antes. Eres lo bastante joven para empezar de nuevo sin que nadie lo sepa... ¿Verdad que sí?

–¡Oficial! –llamó Hansie desde fuera–. ¡Oficial! Venga, deprisa.

De la parte delantera de la casa llegó un ruido de pisadas y cristales rotos. Emmanuel salió de la sofocante cocina a toda prisa y atravesó el discreto lujo de la sala de estar con motivos primitivos en dirección al porche. Elliot King chocó contra el mueble bar, manchándose el traje de lino con la sangre que le salía de la nariz. Winston estaba de pie a su lado con el puño cerrado.

–Joder –dijo el inglés, que encontró una servilleta bordada y se la puso en la nariz para contener la hemorragia–. Dios, cómo escuece.

Emmanuel miró por encima de King y vio alejarse los faros traseros de la furgoneta de la policía en la oscuridad. Bajó las escaleras de un salto hacia la entrada de gravilla y echó a correr.

–Shabalala se ha ido... –le gritó Hansie.

Emmanuel atravesó corriendo el paso canadiense y avanzó por el oscuro camino de tierra que dividía en dos la finca de King. Corrió durante cinco minutos. El ruido del motor se fue apagando hasta extinguirse. Emmanuel se detuvo e intentó recuperar el aliento. Apoyó las manos en las rodillas y trató de entender qué había ocurrido.

Al cabo de un minuto, se enderezó y echó una mirada a las estrellas que salpicaban el cielo nocturno. La única persona que esperaba que se mantuviera a su lado se había ido con el cadáver de Louis a causa de una superstición nativa. Los policías negros ni siquiera tenían permitido conducir vehículos oficiales. Emmanuel se dio la vuelta y echó a andar lentamente hacia la casa de King. «¿Así es como termina todo?», se preguntó. ¿Abandonado y con las manos vacías en un camino desierto en medio del campo?

El silencioso paisaje amortiguó el crujido de sus pisadas y el silbido de su respiración entrecortada. Había vivido días peores avanzando penosamente por campos encrudecidos por el invierno, pero éste era el equivalente en tiempos de paz. En cuanto Shabalala entregara el cuerpo de Louis a su madre, la familia Pretorius explotaría. Davida y la finca de King iban a ser el blanco de una venganza extrema.

Había echado a correr a un ritmo constante cuando oyó un ruido débil que venía de atrás. Miró por encima del hombro y, en medio de la oscuridad, vio parpadear las luces rojas traseras de la furgoneta, que venía hacia él circulando marcha atrás por el camino de tierra. Se dirigió hacia ella y abrió la puerta del conductor cuando el vehículo se detuvo.

–¿Qué ha pasado?

–El chico joven –dijo Shabalala, que tenía el labio superior hinchado por un golpe reciente–. Se ha peleado con el *nkosi* King y luego ha venido a la furgoneta y se ha peleado conmigo. Ha dicho que quería a Louis pero yo no quería dejarle entrar, así que ha dicho que iría a buscar una pistola y, ¡pum!, me dispararía a mí y también a la furgoneta. Se ha ido corriendo a la casa y el *nkosi* King me ha dicho que me fuera de allí porque el chico hablaba en serio.

–¿Te ha puesto Winston ese labio así?

–*Yebo* –contestó el agente–. Le he dejado que me pegara muchas veces, pero no quiero que me pegue muchos tiros.

–Has hecho bien –dijo Emmanuel. Se volvió y miró hacia las luces de la casa. Algo se había desatado dentro de Winston–. Quédate aquí. Mandaré a Hansie a buscarte cuando todo se haya calmado.

–Volveré cuando usted me diga.

–Gracias –dijo Emmanuel. Shabalala había actuado en contra de su instinto y había dejado pasar la oportunidad de llevar a Louis con su madre. Las violentas amenazas de

Winston eran razón suficiente para no volver a la casa, pero el agente zulú había mantenido el rumbo.

Emmanuel regresó corriendo a la casa y encontró a Hansie esperándole junto al paso canadiense. El uniforme del muchacho estaba lleno de polvo y tenía incrustadas pequeñas piedrecitas de la gravilla.

–El Winston ese me ha tirado por las escaleras de un empujón –dijo Hansie–. Después ha ido a por Shabalala.

Emmanuel intentó encontrarle sentido al comportamiento de Winston. ¿Quién es tan tonto como para ir detrás de la policía? ¿Por qué motivo? Subió las escaleras a toda velocidad, pensando en el labio hinchado de Shabalala y en el aspecto desaliñado de Hansie.

–Hepple, quédate aquí fuera y asegúrate de que no entra ni sale nadie de la casa.

–Sí, señor.

El porche estaba vacío y Emmanuel entró en la casa. Siguiendo el ruido de las voces, atravesó la sala de estar hasta llegar a la cocina, donde se detuvo junto a la puerta abierta. La señora Ellis estaba inclinada sobre King limpiándole la sangre de la nariz con una pequeña toalla húmeda y Winston estaba de pie en un rincón mirando al suelo. Davida estaba sentada junto a la mesa, dando vueltas a una cuchara en las manos.

–Cuidado –se quejó King–. Tienes que ser más delicada conmigo, Lolly.

–Calla… –le susurró el ama de llaves al oído–. No es para tanto, tontorrón.

Emmanuel entró en la cocina.

–Sois una familia –dijo, atónito ante la revelación–. Madre, padre, hermana y hermano.

–No diga tonterías –dijo King antes de dirigir una mirada de advertencia a cada uno de los miembros de su familia ilegítima–. No tiene pruebas que demuestren sus acusaciones, y como vuelva a repetir esa calumnia, mis abogados se encargarán de usted, oficial.

–Shabalala tenía razón –dijo Emmanuel sin hacer caso a King y dirigiéndose directamente a Davida. De repente la venta de la granja de los Pretorius por debajo de su valor había cobrado sentido–. El comisario sí pagó a cambio de una esposa, pero no en ganado o con dinero, sino en tierras. Las tierras que estamos pisando ahora mismo.

Davida miró a su padre, esperando alguna señal.

–King fue quien limpió la cabaña cuando murió el comisario –continuó Emmanuel–. Te mandó a buscar las pruebas que se le hubieran podido pasar a él cuando fue a limpiar. Fue así, ¿verdad?

–Davida –dijo King, utilizando el nombre de la joven como un objeto contundente–, el oficial lleva traje, pero es policía y su trabajo es hacer cumplir la ley. ¿Entiendes lo que te estoy diciendo?

–Sí, señor King.

–Ya no tienes que protegerle, Davida. Cuéntame lo que pasó.

Davida guardó silencio bajo su máscara de tímido pajarito y Emmanuel se preguntó cómo iba a hacer para penetrar en ella.

–¿Cómo que pagó a cambio de una esposa? –dijo la señora Ellis mientras dejaba la toalla húmeda en la mesa–. ¿Qué significa eso?

–Sólo son jueguecitos del oficial, Lolly –dijo King.

Winston dio un resoplido de incredulidad y el ama de llaves retrocedió medio paso y lanzó una mirada feroz al inglés herido.

–Tú sabías lo que estaba pasando –le dijo.

–No –contestó King. Su voz sonó relajada, pero había empezado a darse golpecitos en el muslo con el pulgar–. Pretorius era alguien con quien hacía negocios, nada más.

–Dices que no te gustan los afrikáners, pero con ése te pasabas horas hablando del amor que los dos le teníais a África. ¿Por qué pasabas tanto tiempo con él?

–Negocios –dijo King–. Conviene tener intereses en común con la persona con la que estás negociando, sea quien sea. Si pasó algo entre Davida y ese holandés, fue elección de ella, no tuvo nada que ver conmigo.

La bofetada llegó sin avisar. Un arco de sangre carmín salió de la nariz herida de King y salpicó el uniforme almidonado de la señora Ellis y los azulejos pintados a mano. Emmanuel le sujetó la mano al ama de llaves antes de que le golpeara por segunda vez.

–¡Mentiroso! –gritó la señora Ellis con una furia cargada de frialdad–. Dijiste que ésta era mía pero faltaste a tu promesa. La robaste y la vendiste.

–Lolly... –en los orificios nasales de King aparecieron pompas rojas al intentar contener la hemorragia y hablar al mismo tiempo–. No hagas esto. No delante de la policía, por el amor de Dios.

Los años de duro trabajo la habían convertido en una mujer fuerte y a Emmanuel le costó mantenerla apartada de King. Si la soltaba, le iba a arrancar los ojos.

–¿Cómo pudiste hacerle eso? Iba a estudiar para ser maestra, o incluso médico...

–Por Dios, Lolly, ¿cuánto te crees que tardaría una chica mestiza como ella en ganar una cantidad parecida siquiera a la que sacamos con el acuerdo de las tierras? ¿Quince o veinte años, teniendo suerte? Pretorius estaba dispuesto a darme mucho más de lo que valía ella...

Emmanuel soltó a la señora Ellis y dejó que saliera disparada. Elliot King no sabía cuándo era el momento de cerrar la boca.

–Lolly... –intentó esquivar los golpes, pero el ama de llaves le abofeteó y le clavó las uñas en la piel bronceada del cuello y la barbilla. La silla se inclinó hasta caer y King fue detrás, aterrizando en el suelo con un fuerte golpe.

La señora Ellis le siguió hasta el suelo y empezó a arrancarle mechones de pelo. Emmanuel la dejó unos instantes más, y al ver que la mujer no daba muestras de ir a parar, la apartó. Ya tenía un cadáver del que ocuparse.

–Bueno... –dijo Emmanuel, que levantó del suelo a la vengativa mujer y le sujetó suavemente los brazos a los lados del cuerpo hasta que relajó los músculos y se desplomó contra él, casi sin poder respirar–. Ya pasó.

Winston se acercó a su madre y ella se movió violentamente hacia él. Emmanuel la sujetó.

–Tú lo sabías –gritó la señora Ellis–. Los dos lo sabíais.

–No –dijo Winston–. Yo he estado los últimos seis meses supervisando el complejo de Santa Lucía. No supe nada del acuerdo de las tierras hasta que ya estaba cerrado. Yo jamás habría dejado que ese holandés la tocara.

–Eso es mentira...

–No pienso asumir la responsabilidad de haber tomado parte en ese acuerdo –dijo Winston.

–Basta –dijo Davida empujando su silla hacia atrás y levantándose de un salto–. ¡Ya basta!

King se levantó con dificultad, agarrándose al respaldo de una silla para sostenerse. Su pelo parecía un nido abandonado. La señora Ellis empezó a llorar silenciosamente y Emmanuel la soltó y dejó que se echara en los brazos de Davida.

A Emmanuel le sonaba el nombre de Santa Lucía. Rebuscó en su memoria hasta dar con el cartel del embarcadero de Lorenzo Márquez y el precioso velero de madera que tenía detrás, amarrado en el atracadero.

–¿Qué es Santa Lucía? –preguntó.

–Una isla –contestó King, contento de apartar la atención del acuerdo de las tierras–. Abrimos otro complejo allí a principios de año.

–¿Qué haces en la isla, Winston?

–Soy el encargado –dijo.

Emmanuel asimiló esa información. El asesino del comisario se había escabullido entrando en Mozambique. ¿Y si simplemente había vuelto a casa?

–¿Qué opinabas tú del comisario Pretorius? –le preguntó a Winston.

–*Die Afrikaner Polisie Kaptein* me era indiferente –respondió Winston imitando a la perfección la áspera lengua afrikáans.

A Davida se le abrió la boca de asombro y Emmanuel se volvió hacia ella. Tenía la cara completamente pálida.

–Si cerrara los ojos –dijo Emmanuel–, pensaría que eres un auténtico afrikáner. Un afrikáner acostumbrado a dar órdenes.

Winston se quedó muy quieto.

–Mucha gente sabe imitar ese acento.

–¿Te habló Davida alguna vez del hombre que abusó de las mujeres mestizas el año pasado?

Winston se encogió de hombros.

–Todos nos enteramos de aquello.

–Ponía otro acento para no revelar su propia voz –dijo Emmanuel.

–¿Y?

–¿Te dijo Davida alguna vez que el hombre hablaba con acento?

–No me acuerdo –contestó Winston.

–¿Se lo dijiste, Davida?

–No... –dijo Davida, enroscándose un dedo alrededor de otro–. No me acuerdo.

Emmanuel mantuvo la mirada fija en Davida.

–¿Fue la voz de Winston la que oíste en el río?

–No fue él –contestó rápidamente–. Fue otra persona. Se lo juro.

–¿Dónde estabas el miércoles pasado por la noche, Winston?

La señora Ellis dejó de llorar y la habitación quedó en silencio. Davida tenía la cara transida de la impresión. En el rostro ensangrentado de King había aparecido el gesto de horror que indicaba que estaba empezando a comprender.

–¿Estabas en la parte sudafricana de Watchman's Ford el miércoles pasado por la noche, Winston? –preguntó Emmanuel. En ese momento empezó a sonar un teléfono en otra parte de la casa.

–Estaba en Lorenzo Márquez recogiendo provisiones para la isla –contestó King metiéndose en la conversación–. Mañana por la tarde puedo tener en su mesa una docena de declaraciones firmadas de testigos que den fe de ello.

–No lo dudo –dijo Emmanuel. El teléfono siguió sonando

insistentemente. Se acercó a la puerta y exclamó–: ¡Agente Hepple! Entre, por favor.

Hansie asomó la cabeza por la puerta.

–¿Puedes coger el teléfono y decir que el señor King y Winston están ocupados?

–Sí, señor.

–Bueno, ¿dónde estabas el miércoles pasado por la noche, Winston? –volvió a preguntar al tiempo que dejaba de sonar el timbre del teléfono–. Tómate tu tiempo e intenta acordarte.

–Ya se lo he dicho, Winston estaba comprando provisiones...

–Todo el mundo fuera de esta habitación –dijo Emmanuel–. Winston, tú te quedas.

–Oficial... –dijo Hansie nerviosamente desde la puerta–. Es para usted. El teléfono.

–¿Quién es?

–Es el viejo judío. Dice que es urgente y que le diga que se ponga ahora mismo. Inmediatamente.

Davida se le acercó corriendo y dijo «La abuela Mariah», en voz baja para que su madre no lo oyera.

–Voy a ver qué ocurre –dijo Emmanuel, y dirigiéndose a Hansie añadió–: Quédate vigilando y no dejes que salga nadie hasta que vuelva yo. ¿Entendido? Nadie.

–Nadie –repitió Hansie, que se apostó en medio de la puerta con los brazos en jarras, haciendo una imitación exacta de un anuncio de reclutamiento de la policía que había aparecido en los periódicos ingleses y afrikáners. «¿Por qué quedarte en la granja o trabajar en una tienda?», parecía decir el anuncio. Y efectivamente, ¿por qué, si unos meses de formación te daban poder automáticamente sobre el noventa por ciento de la población?

Emmanuel entró en el despacho en el que King le había enseñado los hechizos de los nativos que guardaba Pretorius padre y descolgó el teléfono del escritorio.

–¿Oficial Cooper? –la voz de Zweigman sonaba como si acabara de correr dos kilómetros con zapatos de madera.

—¿Es la abuela Mariah?

—No, se está recuperando. ¿Y Davida?

—También recuperándose.

—¿Y el chico?

—Detenido —contestó Emmanuel—. Lo trasladaremos a Mooihoek dentro de unas horas.

—Bien —dijo Zweigman, y bajando la voz hasta que fue sólo un susurro añadió—: No se acerque al pueblo y tenga cuidado también en las carreteras.

—¿Qué ha pasado?

—Los hermanos han registrado mi casa y la de Anton. Nada serio. Libros rotos, muebles volcados. Unos aficionados haciendo un poco de teatro...

El viejo judío ni se había inmutado tras los actos de los matones Pretorius. Sin duda había visto quemar libros suficientes como para llenar varias bibliotecas en las hogueras nazis y había sido testigo de cómo bombardeaban un continente hasta reducirlo a escombros. No se asustaba fácilmente.

—Siguen buscándole —añadió Zweigman.

Emmanuel escuchó con atención. Era imposible volver al pueblo después de lo que le había pasado a Louis en la montaña.

—¿Por qué ha dicho lo de las carreteras? —preguntó. Si no podía llegar a Mooihoek esa noche, tenía que buscar un plan alternativo. En la finca de King era una presa fácil para los hermanos Pretorius y el Departamento de Seguridad.

—El Departamento de Seguridad ha enviado cuatro equipos de hombres para instalar controles de carretera en todas las entradas y salidas del pueblo.

—¿Por qué?

—Eso no lo sé. Han ordenado a Tiny que llevara su mejor alcohol a la comisaría y él ha sido quien me ha pasado la información.

—¿Tiene alguna idea de dónde están los controles?, ¿o de qué están buscando?

—No tengo ni idea.

Emmanuel se paró a analizar su situación. Si los controles estaban entre la finca de King y Mooihoek, estaba sitiado hasta el amanecer.

–Doctor –dijo tras una pausa–, ¿cuál es la mejor forma de conservar un cadáver durante una noche?

Emmanuel se sentó enfrente de Winston en la mesa de la cocina y le observó durante unos instantes. El resto de la familia estaba en la sala de estar, bajo la vigilancia de Hansie. Winston parecía sereno. La llamada de Zweigman le había dado tiempo para pensar.

–Hablemos del comisario Pretorius –empezó Emmanuel. Mantuvo un tono amistoso y relajado.

–Sólo le vi unas cuantas veces –dijo Winston.

–Es curioso cómo se repite la historia. Tu madre debía de tener más o menos la edad de Davida cuando empezó la relación con tu padre. Quizá algo más joven.

–Nunca he hecho el cálculo –contestó Winston.

–Yo creo que sí lo has hecho. Tú sabes mejor que la mayoría de la gente la clase de vida que le esperaba a Davida.

–Mi madre ha tenido una vida muy cómoda.

–A un hijo se lo quitan y lo disfrazan para que se haga pasar por blanco, a la otra la venden a cambio de unas tierras. ¿Eso es una vida «cómoda»?

Winston se levantó repentinamente y se acercó al fogón, donde se calentó las manos a pesar del calor que hacía en la cocina.

–Cometí un error –dijo–. Ahora me doy cuenta.

–Explícame eso, Winston.

–Es a por mi padre a por quien tendría que haber ido.

Emmanuel preguntó sosegadamente:

–¿Mataste al comisario Pretorius en Watchman's Ford el miércoles pasado por la noche?

Winston le miró a los ojos.

–Le quitó a Davida las pocas oportunidades que ya tenía ella de por sí. Eso era imperdonable.

–¿Le mataste, Winston?

–El miércoles por la noche estaba en Lorenzo Márquez. Estuve comprando provisiones para el complejo de Santa Lucía. Tengo cinco testigos que podrán atestiguarlo en los tribunales.

–¿Sólo cinco? Seguro que tu padre puede permitirse más.

–Sí, sí puede. Pero cinco serán suficientes.

–Tengo curiosidad por una cosa –dijo Emmanuel–. Al comisario Pretorius lo arrastraron hasta el agua, ¿por qué?

–A lo mejor el asesino no quería dejarle en la arena con la bragueta abierta y apestando a sexo. A lo mejor el asesino sintió lástima de él al final.

–¿Entonces te arrepientes de haber disparado al comisario Pretorius el miércoles pasado por la noche?

Bajo la superficie del rostro de Winston se dejó ver un carácter duro. Sobrevivir como un impostor en el mundo del hombre blanco le había enseñado a proteger a toda costa a su familia y a sí mismo. Sonrió pero no dijo nada.

Emmanuel se preguntó en qué clase de mundo vivía Winston King. Su vida entera era una mentira. Hasta su piel clara y sus ojos azules eran mentira. Tampoco era ninguna ayuda el hecho de que viviera en una época en la que el término «inmoralidad» se aplicaba al sexo entre personas de distinta raza y no al montón de leyes que privaban a tanta gente de libertad.

–¿Y qué pasa con Davida? –preguntó Emmanuel–. ¿Tienes idea de lo que le va a pasar a ella?

–Ella no mató a Pretorius. No se la puede acusar.

Emmanuel sintió ganas de abofetear a Winston. No daba ninguna muestra de arrepentirse de haber asesinado al comisario Pretorius ni de entender cómo iban a afectar sus actos a su hermana de piel más oscura.

–¿Davida sigue con su vida como si nada? ¿Eso es lo que crees? –dijo Emmanuel–. ¿Todo gracias a ti?

–Va a ir a la Universidad de Western Cape y va a vivir su propia vida. Eso es bastante, ¿no?

–Davida es un testigo clave en el asesinato de un policía

blanco. Le van a hacer pasar un auténtico calvario. Los tribunales. La prensa. El escándalo la va a acompañar el resto de su vida. ¿De verdad te crees que va a ir a la universidad?

–No pensé tan a largo plazo –masculló Winston–. No lo pensé.

–No tenías que hacerlo –dijo Emmanuel–. Eres blanco, ¿recuerdas?

Emmanuel se sentó al lado de Shabalala y analizó el estado de salud del caso. Estaba maltrecho, pero aún podría sobrevivir. Tenía una declaración escrita de Davida para el expediente y una mentira de cinco frases de Winston para confirmar que la noche del asesinato del comisario Pretorius estaba comprando provisiones en Lorenzo Márquez. No era una confesión, pero bastaría para hacer pasar a Winston por un interrogatorio formal en un futuro cercano. Ahí se acababan las buenas noticias.

–¿A tres kilómetros siguiendo la carretera principal? –dijo Emmanuel, repitiendo la información que le había dado el agente zulú con la esperanza de haber entendido algo mal. Los hombres del Departamento de Seguridad estaban justo entre ellos y Mooihoek.

–*Yebo*. Hay un coche y dos hombres en el control de carretera, esperando.

–¿Es posible sortearlos de alguna manera?

–Cruzando muchas granjas y atravesando muchas vallas, pero no de noche. No a oscuras.

Ahora la furgoneta de la policía estaba aparcada en la rotonda de entrada a la casa de King. Van Niekerk no tenía poder para retirar un control de carretera del Departamento de Seguridad, y a Emmanuel tampoco le apetecía demasiado contarle al inspector el lío en el que estaba metido.

–No nos van a dejar pasar sin registrar el vehículo –dijo Emmanuel–. Vamos a tener que pasar la noche aquí y ver cómo están las carreteras al amanecer.

–¿Qué vamos a hacer con él, con el hijo pequeño?

–El almacén de hielo de King. Está fuera, detrás del porche trasero. Zweigman ha dicho que es el mejor sitio para dejarle.

–Su hogar –dijo Shabalala–, ése es el único sitio en el que dejarle.

–No es que se parezca mucho a un hogar después de las mentiras que contó su padre.

–Para vivir en este país, un hombre tiene que mentir. Si dices la verdad… –Shabalala juntó las manos y dio una fuerte palmada– te destrozan.

20

Caía por el cielo, con el cuerpo retorciéndose y arqueándose en el aire como una hoja llevada por el viento. Le llegó el olor de la artemisa y el sonido de la voz dulce y aguda de Louis Pretorius entonando un cántico en afrikáans. Una rama se partió y él siguió cayendo a una velocidad de vértigo hacia la dura corteza terrestre. Gritó pidiendo ayuda y sintió una ráfaga de viento frío pasarle por la cara mientras caía en picado sin detenerse.

Emmanuel se incorporó, tratando de recuperar el aliento en medio de la oscuridad. Tanteó a su alrededor; sus dedos rozaron una manta y los duros bordes de una cama de hierro forjado. No tenía ni idea de dónde estaba. No recordaba haberse tumbado en una gran cama con sábanas suaves en una habitación que olía a paja y a cemento frescos.

A la derecha de la cama encontró una caja de cerillas y, a la tenue luz de la llama, vio una vela sin usar con la mecha nueva. Encendió la vela e intentó volver a respirar con normalidad. Los sencillos dibujos tribales del suelo de cemento desnudo le ayudaron a situarse. Supo dónde estaba. Una habitación de invitados recién terminada anexa a la parte trasera de la casa de Elliot King.

El suave crujido de la alfombrilla de juncos a los pies de la cama le alertó de la presencia de ella, y Emmanuel levantó la vela para iluminar el resto de la habitación. Estaba sentada en el suelo con la barbilla apoyada en las rodillas flexionadas, como una niña pensativa.

–¿Te ha mandado tu padre? –preguntó–. ¿O tu hermano?

–¿Estaba soñando con la montaña? –dijo ella echándose hacia delante y poniendo los codos en el colchón. Emmanuel estaba sudado y tembloroso, pero ella no dio muestras de tenerle miedo.

–Sí –contestó Emmanuel. Pensó que no tenía sentido mentirle y fue un alivio decirle la verdad a alguien que había estado allí.

–¿Salía él en el sueño?

–Sólo su voz. Cantando –dijo Emmanuel–. Me caía desde la montaña e iba bajando como una piedra. ¿Y tú?

–Él me estaba lavando debajo de la cascada y entonces yo miraba para abajo y me veía la piel de los brazos hecha jirones. Veía el color blanco de los huesos a través de la carne.

–Ahora está muerto. Dejarás de tener esos sueños, pero puede que tarden un tiempo en desaparecer –dijo Emmanuel. Tras la horrible experiencia de la montaña, sabía que él representaba para ella un refugio en el que ponerse a salvo de todas las cosas espantosas que le había hecho Louis en nombre de la pureza. Todas las víctimas de la guerra y la violencia sienten un vínculo con quienes las rescatan. Es un vínculo frágil, sin embargo, y no debe alimentarse. Ése era el momento de decirle que se distanciara. La vida seguiría su curso y ellos volverían a ser dos desconocidos. Así era como tenía que ser.

Davida se acercó un poco más y Emmanuel no la detuvo.

–¿Cree que soy una mala persona? –preguntó ella.

–¿Por qué iba a creer eso?

–Por lo del comisario y lo que hice con él.

–Tenías buenas razones para hacer todo lo que hiciste –contestó Emmanuel, que se dio cuenta, con una sensación de incomodidad, de que aquélla era la primera conversación personal que mantenía con una persona de color desde que había vuelto de Europa. Entrevistas, declaraciones de testigos, interrogatorios formales e informales: tenía contacto con todos los grupos raciales por su trabajo, pero esto era distinto. Ella estaba hablando con él. Un ser humano hablando con otro ser humano. Su piel brillaba como terciopelo marrón a la luz de la vela.

–¿Cree que Dios lo sabe todo?

–Si Dios existe, entenderá la tesitura en la que te pusieron. Eso es lo más filosófico que puedo ponerme a estas horas de la noche.

–Ummm... –contestó ella en voz baja y pensativamente, saboreando la idea de un Dios comprensivo. Alargó la mano y le tocó la cicatriz del hombro. Emmanuel alcanzó a ver un refugio en los ojos de ella y sintió la calidez de su piel y su aliento. «Ve con cuidado», se dijo. «Esto es una operación policial: una investigación de un asesinato en la que ella ocupa un lugar central.» No era momento de rendirse al placer como un policía antivicio al acabar el turno.

–Está herido –dijo ella.

La manga del camisón se le deslizó hacia el codo y Emmanuel le tocó las cicatrices rojas y alargadas del brazo.

–Tú también.

Davida se inclinó hacia delante y le besó. Su boca era cálida y voluptuosa y se dejaba llevar por la de él. Le saboreó con la lengua. Se subió a la cama y se metió entre sus piernas, apoyando las manos en las rodillas de él mientras seguían besándose en un baile infinito.

Emmanuel se apartó. No lo suficiente para convencer a ninguno de los dos de su propósito de distanciarse.

–¿Por qué haces esto? –preguntó.

–Esta vez quiero llevar yo el control –dijo mientras llevaba las manos de los muslos a las muñecas de Emmanuel y se las sujetaba firmemente–. ¿Me deja llevar el control, oficial Emmanuel Cooper?

Le había dado el poder y le había pedido que se lo devolviera casi al mismo tiempo. Aquella referencia directa a su rango le excitó y le avergonzó.

–Sí –dijo él.

El sueño le arrastró, sumergiéndole y llevándole a través de corrientes y remolinos hasta un lugar seguro. Durmió como duermen los muertos, pero los muertos no le molestaron. Estaba en el sótano quemado de sus sueños, con la mujer acurrucada contra su espalda para entrar en calor.

–*¡Levántate!* –le ordenaron con un grito alto y claro en el oído–. *¡Es una orden, soldado!*

Emmanuel hundió la cara en la almohada. No estaba preparado para salir del capullo. La guerra podía continuar sin él.

–*Arriba, ¡vamos!* –dijo el sargento mayor–. *Ponte los calzoncillos. No querrás que te encuentren con el culo al aire, amiguito.*

El frasco de pastillas blancas, todavía lleno casi hasta la mitad, estaba al lado del cabo de la vela. Emmanuel alargó al brazo para cogerlo y, a través de los párpados entreabiertos, vio la pálida luz de la aurora que se colaba entre las cortinas.

–*Olvídate de las pastillas* –dijo el sargento mayor–. *Primero ponte los calzoncillos y después lávate la cara, por Dios. Hueles como un francés.*

Emmanuel se incorporó, atento al ruido de voces procedente del otro lado de la puerta de la habitación. Cogió los calzoncillos y se los puso. Después le tocó el hombro a Davida.

–Levántate –susurró–. Ponte el camisón.

–¿Por qué?

Estaba adormilada y caliente, envuelta en un revoltijo de sábanas.

–Tenemos compañía –dijo mientras la cogía de los hombros y la levantaba para poder pasarle la combinación de algodón por la cabeza–. Pase lo que pase, quédate agachada y no digas nada.

Ahora Davida estaba totalmente despierta y atenta a las pisadas que llegaban hasta la puerta. Se levantó de la cama y se metió en un rincón de un salto, como un gato.

Fuera se oía a King, levantando la voz en señal de protesta:

–No hay necesidad de hacer esto...

Emmanuel se levantó y la puerta se abrió hacia dentro con un fuerte golpe que la dejó destrozada. Las bisagras plateadas salieron disparadas por el aire y Dickie y Piet, dos siluetas negras y compactas en contraste con el fondo grisáceo de la luz del amanecer, aparecieron en el hueco de la puerta.

–¡Abajo! ¡Abajo! –exclamó Piet, con la pistola desenfundada y amartillada y el dedo en el gatillo–. Siéntate.

Emmanuel se sentó al borde de la cama, sabiendo que Davida estaba escondida detrás de él en el oscuro rincón. Estaba agachada y en silencio, pero era inevitable que Piet y su compañero la encontraran.

–Mira en las cortinas, Dickie.

Otros dos hombres del Departamento de Seguridad se llevaron a King a empujones en dirección a las habitaciones principales de la casa.

–¡Eso es mi propiedad! –gritó King enfurecido. Los agentes del Departamento de Seguridad le metieron en la cocina. Uno de ellos se quedó montando guardia en el pasillo mientras el otro volvía a la puerta destrozada. Piet y Dickie habían traído refuerzos. Menos mal que le había despertado el sargento escocés chiflado. Tenía puestos los calzoncillos y Davida llevaba el camisón. Algo es algo.

–En menuda te has metido –dijo Piet–. Los hermanos Pretorius están abriendo el almacén de hielo ahora mismo. ¿Qué van a encontrar, Cooper?

Emmanuel intentó asimilar la información. ¿Había abandonado Shabalala su solitaria vigilancia del almacén de hielo y había ido a Jacob's Rest a llevar la noticia? No. Shabalala no habría dejado a Louis solo ni un segundo.

El ruido, mitad grito y mitad aullido, fue espantoso de oír. Los Pretorius habían encontrado a su hermanito, frío y amoratado, tendido entre cubiteras y refrescos con gas. Emmanuel se levantó, pensando en Shabalala haciendo frente él solo a la cólera de la consternada familia Pretorius.

–Siéntate.

Piet volvió a meter la pistola en la funda y empezó a caminar lentamente por la habitación describiendo un círculo.

Dio una patada a un montón de ropa tirada en el suelo y fue cogiendo objetos y libros al azar. Se detuvo a los pies de la cama y dirigió la mirada al rincón.

–Vaya, vaya, Cooper –dijo–. Esto explica por qué esta habitación huele como una casa de putas.

El miedo le recorrió la columna vertebral como un dedo gélido. Tenía que hacer que Piet se apartara de Davida, aunque sólo consiguiera librarla de las atenciones especiales del subinspector durante unos minutos.

–¿Ése es el único sitio en el que consigues estar con una mujer? –dijo Emmanuel–, ¿en un burdel? No me extraña con una cara como la tuya. Espero que dejes una buena propina.

–Asegura este paquete, Dickie –ordenó Piet señalando el escondite de Davida antes de dar un bandazo y dirigirse hacia la cama, junto a la que seguía de pie Emmanuel. Con una calma inusitada, dijo–: Ahora estás en mi mundo, oficial Cooper. Deberías mostrar un poco de respeto.

En el mundo de Piet, el miedo y el respeto eran lo mismo, y Emmanuel no pensaba mostrar ninguna de las dos cosas sin oponer resistencia. Davida se encogió aterrorizada a la sombra de Dickie y Emmanuel pasó a la ofensiva.

–¿Qué hacéis aquí? –preguntó. Había normas sobre cómo debían tratarse los policías blancos entre ellos, y Piet se estaba moviendo por un terreno pantanoso.

–Me han invitado a venir –contestó Piet mientras rebuscaba en su chaqueta mugrienta y sacaba una cajetilla de tabaco sin empezar. Desprendía un intenso hedor a cerveza, sudor y sangre–. King mandó a uno de sus *kaffirs* a la comisaría a pedirnos ayuda. Un horror, el anciano *kaffir* teniendo que llegar hasta allí en bicicleta de noche…

–¿Para qué iba a necesitaros King?

Ya sabía la respuesta. ¿Por qué esperar a que un equipo de abogados hebreos se pusiera a trabajar cuando podía enfrentar a dos departamentos de la policía y enredar aún más las cosas? King se había olido que Emmanuel estaba fuera del destacamento principal y lo había usado en su contra: estrategia militar elemental. El plan sólo tenía un fallo. El adinerado inglés no contaba con que el Departamento de Seguridad iba a encontrar a Davida con él en la habitación, y, contra toda lógica, Emmanuel se alegró de saberlo. Davida había ido a verle por iniciativa propia.

Piet encendió un cigarro y dio una calada.

–Ayer por la noche conseguimos una confesión –dijo–. El inspector viene de camino desde Pretoria para posar en las fotos. Va a ser un caso muy sonado. Todo el mundo quiere sacar tajada.

–¿Firmó la confesión? –preguntó Emmanuel. Nadie del Gobierno, absolutamente nadie, iba a examinar con demasiada atención la confesión de un conocido comunista, y el que menos Van Niekerk, cuyo objetivo era ascender en el escalafón político aprovechando la coyuntura. Piet y Dickie estaban blindados a prueba de balas y Emmanuel estaba medio desnudo.

–Claro –contestó Piet–. Así que imagínate mi sorpresa cuando oí que tenías a otro candidato para ser el autor del asesinato. Un asesinato del que yo tengo una confesión escrita y firmada.

Si abandonaba ahora, decía que había cometido un error al pensar que Winston King estaba implicado y se disculpaba por las molestias causadas, quizá saldría de allí con vida. El Departamento de Seguridad había sido más hábil que él y ahora iban a colgar a un negro del Fort Bennington College por cruzar el río un miércoles en lugar de un sábado.

Piet se terminó el cigarro en silencio, echando anillos de humo al aire como un adolescente. Mala señal. Se acercó al montón de ropa del suelo, cogió la chaqueta de Emmanuel y revolvió en los bolsillos hasta encontrar lo que buscaba.

Sostuvo en alto la declaración de Davida, sujetándola con el pulgar y el índice.

–¿Tus pruebas? –dijo.

–Una declaración –dijo Emmanuel por toda respuesta. Nadie le iba a impedir al subinspector Lapping leer la larga lista de acusaciones condenatorias dirigidas contra el comisario Pretorius: adulterio, producción de artículos pornográficos, agresión física y conducta impropia constitutiva de delito según la Ley de Inmoralidad.

Piet desdobló el papel y leyó la declaración manuscrita. Al terminar, miró hacia el rincón donde estaba Davida, acurrucada a los pies de Dickie.

—¿Has escrito tú esto? —preguntó.

Davida se arrimó a la pared del rincón, con miedo a levantar la mirada, con miedo a contestar. Dickie se agachó y le dio una bofetada en la cara con la mano abierta que le hizo sangre en la comisura de los labios. El miedo la mantuvo muda.

—Contesta —dijo Dickie.

—Sí —dijo Davida, apretándose la mejilla dolorida con la mano.

—Oye... —Emmanuel llamó la atención de Piet—, ya tenéis vuestra confesión. Esto no es nada comparado con lo que está pasando en la comisaría.

Piet sonrió.

—Me iré cuando hayas recibido tu castigo por desobedecer mis órdenes y ponerme de los putos nervios y ni un minuto antes, Cooper.

El subinspector con la cara llena de marcas se hizo a un lado y dejó ver a Henrick y a Paul Pretorius de pie en la puerta destrozada, hombro con hombro. Levantó el papel para que lo vieran.

—¿Sabéis qué es esto? —dijo—. Es una declaración en la que se afirma que vuestro padre era un pervertido y un mentiroso que se corrompió mezclando su sangre. ¿Qué os parece?

Los hermanos Pretorius se dirigieron hacia Emmanuel enfurecidos. Paró un puñetazo de Paul y se agachó para esquivar el mazazo de Henrick antes de que un golpe en el estómago le mandara hasta la cama tambaleándose. Las vigas de madera del techo se inclinaron sobre él formando un extraño ángulo. Paul le echó el aliento en la cara.

—Vas a pagar —le dijo—. Por Louis y por las mentiras que vas diciendo sobre mi padre.

—Es todo verdad, hasta la última palabra —contestó Emmanuel, que intentó mantenerse relajado cuando empezaron a llegarle puñetazos de todas las direcciones. Notó el sabor de la bilis y la sangre y oyó el sonido húmedo de su cuerpo al rendirse a los golpes. De modo que así era como se había sentido Donny Rooke en el camino *kaffir*: un saco de boxeo del gimnasio privado de la familia Pretorius.

–Quietos, quietos, quietos –ordenó Piet–. No podéis machacarle así de una sola vez. Es peligroso. Tenéis que ir más despacio. Pensad bien dónde y cómo vais a entregar el mensaje.

Emmanuel se incorporó con gran dificultad. Si Piet llevaba la batuta, estaba metido en problemas hasta el cuello. El agente del Departamento de Seguridad podría mantenerle vivo y sufriendo durante días. Piet se quitó la chaqueta y se remangó la camisa hasta los bíceps.

–Henrick, sujétalo contra la cama y que no se levante –ordenó.

–Soy policía –gimió Emmanuel–. Lo que estás haciendo va contra la ley.

–Yo no estoy haciendo nada –dijo Piet–. Esto es una paliza privada propinada por dos hombres a cuyo hermano has matado y escondido en un almacén de hielo.

Aquello no sonaba nada bien. Tampoco era muy exacto, pero un jurado se lo pensaría dos veces antes de castigar a los Pretorius por descargar su ira en el hombre al que Louis había acusado de intentar abusar de él.

–Bueno –continuó Piet–, empieza con una bofetada. Con la mano abierta. Ni muy fuerte ni muy floja. Sólo lo justo para que preste atención.

–Ya estoy prestando atención –dijo Emmanuel al tiempo que Paul le daba un golpe que le dejó un dolor punzante en la mejilla. Ni muy fuerte ni muy flojo. El soldadito de plomo tenía un talento innato.

–Bien –dijo Piet, impresionado–. Ahora formula una pregunta y espera a que responda.

–¿Por qué has contado todas esas mentiras sobre mi padre?

–No son mentiras –contestó Emmanuel–. A tu padre le gustaba tirarse a chicas morenas. Al aire libre y por detrás.

Paul le pegó un fuerte golpe en la cara que hizo salir sangre y saliva disparadas de su boca. Le ardía la piel por encima del ojo izquierdo y se concentró en el encolerizado Paul Pretorius, que estaba forcejeando para que Piet Lapping le soltara.

–Cálmate –dijo Piet–. Eso ha sido demasiado fuerte y demasiado rápido.

–Pero ha dicho...

–Cooper te está poniendo a prueba –señaló Piet con una meticulosidad académica–. Los prisioneros más fuertes hacen eso. Tu labor es mantener la calma.

–Casi se me olvida... –Emmanuel pestañeó para quitarse la sangre que le caía de un corte en la ceja–. Louis fue quien estuvo abusando de esas mujeres mestizas el año pasado. Vuestro padre le mandó a una granja de chiflados. Comprobadlo si no me creéis.

–*Por el amor de Dios, cállate* –susurró el sargento mayor mientras Henrick se levantaba de la cama y empezaba a darle puñetazos indiscriminadamente en todos los sitios que podía. Estaba claro que el discursito de Piet sobre mantener la calma no había calado en Henrick.

–Quítaselo de encima –le ordenó Piet a Paul–. No queremos cargar con la responsabilidad de la muerte de un policía.

El peso de Henrick le abandonó, pero el dolor permaneció y le recorrió el cuerpo en forma de oleadas que le subían desde los dedos de los pies hasta el cráneo. Tenía la boca hinchada y cortada, lo que hacía que provocar a los Pretorius fuera lingüísticamente difícil. Oyó su propia respiración, entrecortada y vencida. Una hora más y sería carne para salchichas.

–Ahora lo entiendes, ¿verdad? –dijo Piet–. Estás metido en la mierda hasta los codos.

Emmanuel se encogió de hombros. Sabía que estaba en un apuro: lo notaba en la cara, en el pecho y en el estómago.

–Trae a la chica –ordenó Piet a su compañero.

Emmanuel se enderezó. Tenía miedo: por sí mismo y por Davida, que se veía delicada y con aspecto de ninfa con su camisón blanco de algodón. Aquélla no iba a ser una buena mañana para nadie. ¿Cómo lo estaría pasando la señora Ellis, sabiendo que su hija estaba encerrada con un grupo de hombres armados y violentos? Hasta King debía de saber que había abierto su puerta a una fuerza que no podía controlar.

–No te asustes –le dijo Piet a Emmanuel cuando empujaron bruscamente a Davida por delante de los pies de la cama–. El trabajo físico ha terminado, ahora vamos a pasar a un castigo más duradero. Un castigo que me has ofrecido tú amablemente, encarnado en esta chica.

Emmanuel intentó levantarse, pero Henrick le frenó violentamente. Davida tenía el rostro surcado de lágrimas, pero no hizo el menor ruido.

–¿Ha merecido la pena? –preguntó Piet–. Espero que sí, porque te vas a pasar los próximos dos años en la cárcel preguntándote por qué tiraste tu vida y tu carrera por la borda a cambio de una noche en la cama con ella.

Emmanuel se pasó la lengua hinchada por el paladar hasta que recuperó un mínimo de sensibilidad. Quería que Davida saliera de la habitación y estuviera a salvo, incluso si eso suponía desobedecer las órdenes de Van Niekerk sacando a la luz su pasado.

–No he incumplido ninguna ley –consiguió pronunciar Emmanuel, arrastrando las palabras pero logrando que fueran comprensibles.

Dickie soltó una risita burlona.

–¿Se te ha olvidado en qué país estás? Te hemos pillado con una mujer de color. Vas a ir a la cárcel.

–No blanco –dijo Emmanuel mientras se imaginaba la reacción de Van Niekerk a lo que estaba haciendo.

–Ya sé que no es de color blanco –contestó Piet–. Por eso estás acabado.

–No blanco –repitió Emmanuel.

Piet le miró anonadado.

—No me jodas —dijo mientras le cogía la mano a Emmanuel y le miraba la piel de debajo de las uñas para ver si tenía pigmento oscuro. Era una prueba de viejas para determinar la raza que se empleaba como si fuera un método científico. Soltó la mano dando un gruñido–. Eres tan blanco como Dickie y como yo.

Emmanuel se agachó, cogió uno de sus zapatos de piel y se lo puso en la rodilla. Metió un dedo debajo de la plantilla y sacó un trozo de papel.

—El informe perdido de los servicios de inteligencia… —dijo Piet sonriendo. La mayoría de los interrogatorios eran aburridísimos: las preguntas repetitivas, las negaciones ahogadas, las palizas de una hora de duración. El trabajo ya no encerraba verdaderas sorpresas.

Piet desdobló la hoja y reaccionó a la información con un suave silbido.

—El pequeño Emmanuel Kuyper —masculló–. Me acuerdo de tus fotos en el periódico. De ti y de tu hermanita. Hicisteis llorar a todo el país.

—¿De qué estás hablando? —dijo Dickie, intentando seguir el hilo de la conversación. No leía mucho, ni siquiera los diarios de la prensa popular que traían más fotos que texto.

—Emmanuel Kuyper. Así se llamaba antes de cambiarse el nombre, probablemente para evitar que le relacionaran con sus famosos padres —explicó Piet–. El Cooper que ves aquí es el niño cuyo padre fue absuelto en un caso de homicidio sin premeditación después de que el jurado considerara que el hombre tenía buenos motivos para creer que sus hijos eran de un tendero mestizo. Mitad malayo, si no recuerdo mal.

—Chorradas —dijo Dickie–. Este hombre no tiene ni una gota de sangre malaya. Mírale. Es blanco, blanco.

—Eso fue lo que provocó el escándalo —dijo Piet, absorto en sus recuerdos, mientras encendía otro cigarro–. La mitad del país pensaba que la historia del padre era una sarta de mentiras, mientras que la otra mitad pensaba que la madre era una furcia. Mientras se celebraba el juicio, la familia del padre dio a los niños en adopción. Cooper y su hermana se fueron a vivir con una familia afrikáner que no quería que los metieran en un orfanato para mestizos. Te criaste en un auténtico hogar afrikáner hasta que terminaste el colegio, ¿eh, Cooper? Seguro que tiraste una antorcha a la hoguera con todos los demás Voortrekker Scouts en la conmemoración de la Gran Marcha.

Emmanuel recuperó la sensibilidad en la boca. Durante los minutos siguientes iba a quemar un par de naves, pero no le importaban las consecuencias, con tal de que Davida saliera de esa habitación ilesa y él pudiera ir detrás.

Piet guiñó los ojos con fuerza y tiró el informe al suelo.

–A lo mejor tu madre se estuvo tirando al malayo –dijo Piet–, pero tú no tienes ni una gota de sangre mestiza.

–Demuéstralo –dijo Emmanuel.

Hubo un silencio mientras Lapping analizaba el problema desde todos los ángulos.

–Muy interesante –dijo–. No podemos acusarte de haber infringido la Ley de Inmoralidad si eres mestizo, pero eso no quiere decir que tu vida no esté a punto de irse al traste si presento una demanda y hago que te reclasifiquen.

–Adelante –contestó Emmanuel.

–Perderás tu trabajo –dijo Paul Pretorius, uniéndose a la conversación–. Perderás tu casa y a tus amigos. Todo.

–También va a perder todo eso una vez que le acusen de haber infringido la Ley de Inmoralidad –el subinspector Lapping dio una vuelta alrededor de Davida mientras pensaba en voz alta–. De esta forma consigue que ni él ni la chica tengan que comparecer en un juicio público y los hace inocentes a los dos, ya que no han cometido ningún delito. Muy inteligente.

–Está intentando escabullirse –dijo Dickie, furioso–. Nos está cambiando las reglas. Mírale. Es blanco.

–Yo pienso que lo es –contestó Piet suavemente–, pero no hay forma de demostrarlo, que es por lo que Cooper ha decidido darnos este informe. Alegar que no es blanco es la manera más fácil que tiene de salir de ésta. No va a la cárcel y puede meterla en todos los coños negros que quiera. ¿Verdad, Cooper?

Emmanuel se encogió de hombros. Su vida se estaba yendo al traste y, mientras, Piet se lo imaginaba pegándose la gran vida en un *shebeen* lleno de mujeres negras. No le sorprendió. Los negros y los mestizos reían más y mejor..., o eso les parecía a los blancos. Iba a echar de menos el trabajo, a su hermana y su vida.

–Consigue escaparse –dijo Paul Pretorius sin poderse creer lo que estaba oyendo–. La reclasificación no es suficiente castigo por lo de Louis.

Piet aplastó la colilla con el tacón e inmediatamente encendió otro cigarro, como si la sustancia que estaba contaminando su sangre fuera oxígeno y no nicotina. Dio una profunda calada hasta que la punta del cigarrillo brilló con un rojo encendido.

–A Cooper se le está olvidando que un hombre de color apenas tiene ninguna protección de la ley –dijo el subinspector mientras le daba el cigarro a Paul–. Ahora nos vamos a ver en la obligación de hacer que el castigo por lo que le ha pasado a Louis sea inmediato y extremadamente físico.

«Mierda», pensó Emmanuel. ¿Es que no había forma de salir del festival de sufrimiento perpetuo de Piet Lapping? El agente del Departamento de Seguridad de la puerta se dio la vuelta y miró hacia la casa llevándose la mano a la funda de la pistola.

–Habla... –ordenó con un grito dirigido al pasillo.

–¿Subinspector Lapping? –llamó la señora Ellis desde la sala de estar, con la voz aguda por el miedo–. ¿Subinspector Lapping?

–Mamá... –susurró Davida antes de que Dickie le tapara la boca con la mano.

–*Ja?* –dijo Piet, que frunció sus protuberantes labios. El sonido de una voz de mujer le aguó la excitación que sentía durante los interrogatorios físicos. Era igual que ver entrar a tu madre cuando estás a punto de llegar al orgasmo.

–Una llamada –dijo rápidamente el ama de llaves, que

de un modo instintivo y en un nivel muy profundo de su ser supo que los hombres de aquella habitación no estaban acostumbrados a que una mujer interrumpiera sus turbios asuntos.

–¿Qué? –respondió Piet. Se dirigió hacia la puerta destrozada y escuchó al ama de llaves. Estaba listo para abalanzarse sobre ella y estrangularla si hacía algo mal.

–Hay un hombre al teléfono. Ha dicho que quiere hablar con un tal subinspector Lapping inmediatamente.

–¿El inspector jefe? –preguntó Dickie.

–No –dijo Piet estirándose y abotonándose las mangas, cuidadoso con las apariencias fuera de la habitación–. No sabe que estamos aquí.

Así que... –el cerebro de Emmanuel dio forma a la idea lentamente pero con determinación– Piet estaba manteniendo aquella excursión en secreto. Estaba resuelto a eliminar cualquier obstáculo que pudiera poner en duda la confesión que le había sacado al comunista la noche anterior.

–Apaga el cigarro y no hagáis nada hasta que vuelva yo –dijo Piet, que salió de la habitación para atender la llamada.

–Tomaos un descanso –dijo Dickie, que ocupó el puesto del jefe y se dio cuenta de que era bastante incómodo–. Cooper y su amiga no se van a ir a ningún lado.

Los hermanos Pretorius se retiraron a la ventana y se pusieron a hablar en voz baja mientras Dickie empujaba a Davida a una silla y se quedaba de pie a su lado. Emmanuel hundió la dolorida cabeza en las manos. Era culpa suya que Davida estuviera allí, en aquella habitación llena de hombres que apestaban a violencia y a odio. El placer les había salido caro.

–Levanta la cabeza –dijo Piet Lapping, que había vuelto a la habitación y estaba inquieto–. Mírame, Cooper.

Piet empezó a caminar nerviosamente de un lado para otro delante de la cama mientras encendía y apagaba el mechero, cuya llama aparecía y desaparecía como la luz de un faro. Algo le había enfurecido y había destruido la calma mística que, según él mismo afirmaba, era la base de su «trabajo».

–De verdad que eres de lo que no hay –dijo Piet casi sin abrir la boca–. Tú y tu amigo mariquita Van Niekerk. Emmanuel no tenía ni idea de qué estaba hablando. Van Niekerk seguía en Jo'burgo y no estaba al corriente de la desgracia de Louis ni de que el interrogatorio del Departamento de Seguridad se estaba llevando a cabo en la reserva de Elliot King. ¿Cómo narices le había localizado?

–¿Qué ha pasado? –preguntó Dickie.

Piet no le hizo caso y se inclinó frente a Emmanuel. Sus ojos como guijarros estaban húmedos de rabia.

–En Mozambique. Fue allí donde las conseguiste. ¿Me equivoco?

Emmanuel levantó una ceja como respuesta. No pensaba darle a Piet lo que quería.

–¿Qué? –dijo Dickie, que se acercó a su compañero pero se mantuvo a una distancia considerable de él por si tenía que apartarse a toda prisa. El subinspector Lapping era impredecible cuando estaba enfadado, y casi nunca estaba tan enfadado.

–Tendría que haberlo sabido –caviló Piet en voz alta–. Aquel día que te fuiste a Lorenzo Márquez a interrogar al vendedor de ropa interior. Me olía que había algo que no encajaba...

–¿Qué vendedor de ropa interior? –Dickie estaba haciendo todo lo posible por participar y ser un auténtico compañero y no solamente un matón.

–Cállate, Dickie –dijo Piet–. Necesito entender bien esto para que no hagamos ninguna tontería. Tengo que pensar.

Piet empezó a encender y apagar su mechero, que sonó como fuego de artillería en aquella atmósfera cargada de tensión. Se le movió un músculo bajo la piel agujereada de la mejilla y Emmanuel contuvo la respiración.

–Va a sacar las fotos a la luz si te tocamos un pelo más de tu preciosa cabeza –dijo Piet al cabo de un buen rato–. Quiere que le llames dentro de diez minutos para confirmarle que estás bien, como una puñetera virgen en su primer baile.

Emmanuel se levantó, con el cuerpo rígido por la paliza que había recibido. Le daba igual lo que le echara encima el Departamento de Seguridad. Van Niekerk tenía las fotos y el poder de esas imágenes no se podía desaprovechar lanzando unos cuantos insultos infantiles. Echó una mirada a Davida y vio que ella lo había entendido. Iban a salir de esa habitación y después iban a correr.

–¿Vas a dejar que se vaya? –dijo Paul Pretorius apuntando a la cara marcada de Piet con un dedo acusador–. Nos prometiste que recibiría su merecido.

Piet le cogió el dedo a Paul y se lo retorció con fuerza hasta que se lo sacó de la articulación.

–¡Aaaah! –gimió Paul Pretorius mientras en la frente le aparecían unas gotas de sudor.

–Vamos a dejar que se vaya porque tu padre fue incapaz de dejarse la bragueta cerrada y ese cabrón astuto de Van Niekerk tiene pruebas.

–Eso es mentira –Paul tenía la cara roja del dolor–. Está mintiendo.

Piet le soltó el dedo dislocado y dijo:

–He pensado en la posibilidad de que estuviera mintiendo, pero ese Van Niekerk tiene algo. Había algo en su voz, se lo he notado: el placer que siente al tener poder sobre nosotros. Sobre mí.

Dickie consiguió dar forma a un pensamiento decente y lo lanzó al ruedo:

–A lo mejor simplemente miente bien.

–Piensa en los hechos –contestó Piet con paciencia–. Van Niekerk sabe mi puto nombre, sabe dónde estoy cuando ni siquiera el inspector jefe tiene ni idea. No estamos hablando de alguien a quien podamos tomarnos a la ligera, y por eso no puedo arriesgarme a pensar que sólo está jugando con nosotros.

Emmanuel pasó cojeando por delante de los hombres del Departamento de Seguridad mientras discutían y le tendió la mano a Davida, que estaba sentada al borde de su silla, preparada para salir corriendo.

–Vámonos –dijo Emmanuel.

Davida se levantó y le cogió la mano. Le rodeó los dedos con los suyos y apretó con fuerza. Emmanuel se volvió hacia la puerta y vio que Piet los estaba mirando fijamente con su cara llena de marcas y con muy malas intenciones. Mala señal. Emmanuel echó a andar. Por favor, Señor. La puerta destrozada estaba muy cerca. Sólo cuatro pasos más.

–Qué bonito –masculló Piet–. Esa forma de mirarla. Es como si te gustara de verdad.

Emmanuel notó cómo los dedos de Davida se separaban de los suyos. Piet tiró de ella con fuerza y volvió a meterla en la habitación, donde la mantuvo inmovilizada rodeándola firmemente con los brazos. Davida se retorció y pataleó, pero siguió atrapada contra el cuerpo del hediondo hombre blanco con la cara llena de cráteres.

–No hagas esto –dijo Emmanuel. Oyó el tono suplicante de su propia voz y volvió a intentarlo, esta vez con más firmeza–: Deja que se vaya, subinspector.

–El trato era que te soltábamos a ti –contestó Piet–. Ella se queda con nosotros.

–¡No! –Davida arqueó la espalda y se retorció para intentar soltarse, pero no podía competir con la fuerza de toro de Piet combinada con su experiencia en el sometimiento de prisioneros conflictivos–. ¡Suéltame!

Piet la levantó del suelo con la misma facilidad con la que habría levantado un cesto de ropa sucia vacío y la lanzó a la cama. Los muelles crujieron y él se sentó a horcajadas sobre ella con un solo movimiento rápido, mientras le sujetaba los brazos sobre la cabeza.

Emmanuel estaba detrás, muy cerca. Su cuerpo malherido halló una pizca de velocidad en una reserva situada detrás de sus maltrechos riñones. Golpeó a Piet con fuerza en un lado de la cabeza y no notó ninguna reacción. Se dispuso a darle un segundo golpe y su mano sólo encontró aire. Dickie y Paul tiraron de él y le lanzaron a la silla. El oscuro miedo del sueño le consumió y fue en aumento.

–Bien –dijo Piet mientras el cuerpo de Davida se tensaba

y le apretaba la cara interna de los muslos–, me gustan las mujeres con carácter, que peleen un poco.

–Tienes todo lo que quieres –dijo Emmanuel–. Ella no te sirve para nada.

–Quiero las fotos. Las fotos por la chica, ése es el trato.

–¿Y si Van Niekerk no quiere soltarlas? –preguntó Emmanuel. Era una posibilidad real–. ¿Qué pasa entonces?

–Bueno... –Piet le apretó la boca a Davida con el pulgar y la obligó a separar los labios–. Puedes mover tu puto culo y largarte de aquí o puedes quedarte y ver cómo me la trabajo. Tú eliges, Cooper.

–No –contestó Emmanuel. Forcejeó con la fuente inagotable de músculo bóer que le mantenía pegado a la silla pero no consiguió soltarse–. No lo hagas.

–No te imaginas lo bonito que puede ser mi trabajo –dijo Piet, que empezó a respirar entrecortadamente mientras el cuerpo que tenía debajo daba sacudidas y se restregaba contra él–. Voy a llegar a conocer a esta mujer de maneras que tú no puedes comprender. La voy a abrir por la mitad y voy a tocarle el alma.

–Por favor... –Davida arqueó la espalda, intentando apartarse del malvado hombre que tenía encima, inclinado a muy poca distancia de ella–. Emmanuel..., ayúdame...

–Espera –dijo Emmanuel. Necesitaba que Piet se parara a escucharle–. Espera. Hablaré con Van Niekerk e intentaré llegar a un acuerdo.

–La chica por las fotos. Ése es el único acuerdo que me interesa. No voy a permitir que tu inspector se quede con pruebas que podrían estropearme el caso más adelante.

–De acuerdo –dijo Emmanuel–. Deja que se levante de la cama y siéntala en la silla. Yo voy a hacer la llamada.

Piet cambió de postura y se paró a pensar en la petición de Emmanuel. Se resistía a abandonar ese íntimo y doloroso tango que bailan juntos el prisionero y el interrogador en la oscuridad de las celdas de detención. Se levantó y dejó que la chica saliera de debajo contorsionándose. Si no conseguía las fotos, le quedaba ese otro incentivo. La tarea de

destrozar a aquella mujer hasta llevarla a donde quisiera.
Emmanuel sentó a Davida en la silla y la dejó sentir el
tacto de sus manos, suave y delicado. Era doloroso mirarla
a los ojos y ver el puro terror que parpadeaba en los oscuros
círculos de sus pupilas.

–No me dejes –susurró–. No te vayas, por favor.

–Tengo que hacerlo –contestó Emmanuel–. Vuelvo dentro
de unos minutos. Te lo prometo.

–¿Lo prometes?

–Sí.

No sabía si volvería con las llaves de su libertad o con las
manos completamente vacías. Tenía que arriesgarse.

–Ve con él –le dijo Piet a Dickie–. Asegúrate de que no
causa problemas.

–Voy yo solo –dijo Emmanuel–. Van Niekerk no hablará si
hay alguien más escuchando. ¿O es eso lo que quieres, subinspector, que Van Niekerk diga que no para que puedas seguir
trabajándote a la chica?

–Largo de aquí –dijo Piet mientras buscaba su tabaco–.
Tienes diez minutos.

–Quince –dijo Emmanuel, que salió de la habitación
arrastrando los pies y pasó por delante del vigilante del pasillo.

21

Emmanuel avanzó lentamente hacia el despacho, sintiendo los tirones de cinco tipos distintos de dolor en los músculos contusionados. El corte de la ceja había vuelto a abrirse y se detuvo para quitarse el hilito de sangre que le obstruía la visión. A través de la neblina roja vio a la señora Ellis de pie en la puerta de la cocina, esbelta y elegante.

–Dios mío..., Dios mío... –susurró–. ¿Han sido ellos?

Emmanuel asintió con la cabeza. Seguía en calzoncillos: un hombre derrotado con un aspecto lamentable y con la piel palpitante y coloreada de púrpura intenso, rojo y amarillo.

–Mi niña... –dijo la señora Ellis, expresando sus peores temores–. ¿Mi niña está sola con esos hombres?

–Sí –contestó Emmanuel mientras se dirigía hacia el despacho cojeando. Tenía quince minutos, veinte como máximo, para cambiar el rumbo de los acontecimientos–. Voy a intentar sacarla.

–¿Intentar? –dijo Elliot King, que apareció delante de Emmanuel con la cara tensa de rabia e impotencia–. Usted la atrajo a esa habitación. Es culpa suya que esté en esta situación.

Emmanuel le pegó un fuerte empujón en el pecho y le lanzó contra una pared. Después se inclinó sobre él hasta quedar a dos centímetros de su cara bronceada.

–Su hija vino voluntariamente y se habría ido voluntariamente de no ser por usted y por su intento poco meditado de manipular las cosas. Todo esto ha sido cosa suya desde el principio.

–Yo mandé llamar a la policía, no a una banda de matones afrikáners. Tendría que haber sabido que no se puede confiar en los holandeses.

–Le confió a Davida, en cuerpo y alma, a un holandés a cambio de unas tierras –dijo Emmanuel–. Ahora ni siquiera tiene control sobre su propia casa. ¿Qué se siente, señor King?

Emmanuel le dio la espalda y entró renqueando en el despacho.

Winston King estaba dentro con el teléfono en la oreja y una lista de nombres tachados apoyada en las rodillas. Colgó y se frotó los ojos con las palmas de las manos.

–Nadie está interesado –dijo–. Botha va a intentar contactar con el comisario principal de la policía más o menos dentro de una hora para ver qué se puede hacer, pero no promete nada. Nadie quiere tener nada que ver con esos cabrones del Departamento de Seguridad. Por una vez tus donaciones no son suficientemente altas.

–El comisario principal no va a contestar la llamada –dijo Emmanuel–. Un miembro del Partido Comunista confesó ayer por la noche haber asesinado al comisario Pretorius. El Departamento de Seguridad tiene una confesión firmada. Nadie se va a enfrentar a ellos.

–Mierda –Winston parecía a punto de vomitar–. Joder.

–Interpretaré eso como una manifestación de verdadero arrepentimiento por tus acciones –dijo Emmanuel mientras le hacía un gesto para que saliera del despacho–. Llega un poquito tarde para el pobre desgraciado al que han pegado hasta hacerle confesar y demasiado tarde para Davida. Otras dos personas van a pagar por ti, pero tú estás acostumbrado a eso, ¿verdad, Winston? A que otro pague el pato.

–Davida no tiene ningún valor para esos hombres –protestó Winston–, ¿por qué la retienen?

–Es una moneda de cambio –dijo Emmanuel–. Quieren

402

cambiarla por una prueba que podría estropearles el caso en el futuro.

—Se lo contaré... —Winston estaba pálido—. Lo confesaré todo si sueltan a Davida. Lo pondré por escrito.

—Espera... —dijo King desde la puerta—. Les daré una buena cantidad a cambio de que se vayan. ¿Cuánto cree que aceptarán?

—Puede que le cueste entender esto —contestó Emmanuel hundiéndose en la silla del despacho—, pero esta situación está por encima del dinero. Esos hombres creen que están protegiendo el futuro de Sudáfrica. Su dinero no significa nada para ellos. No con un comunista listo para ir a juicio.

—No hay nadie que esté por encima del dinero —afirmó King con convencimiento.

—Muy bien —dijo Emmanuel mientras descolgaba el teléfono—, entre ahí con Winston a ofrecerles un soborno y a ver qué pasa.

Los King se quedaron mirando la sangre que le salía de la barbilla y le goteaba sobre el torso magullado.

—¿Va a llegar a un acuerdo para que la suelten? —preguntó Winston, sonrojado por su propia cobardía.

—Voy a intentarlo —contestó Emmanuel poniéndose el auricular en la oreja—. Ahora fuera de aquí, los dos.

Emmanuel levantó la hoja de la ventana y sacó el cuerpo para tomar una profunda bocanada de aire fresco. El sol estaba en el horizonte y una luz dorada iluminaba el río serpenteante y las achaparradas colinas. Iba a ser otro hermoso día, lleno de flores silvestres y gacelas saltarinas recién nacidas. La puerta del despacho se abrió tras él pero Emmanuel no se dio la vuelta. No tenía ganas de enfrentarse a nadie en ese momento ni fuerzas para hacerlo.

—No va a cambiar las pruebas por mi niña, ¿verdad? —dijo la señora Ellis.

—No —contestó Emmanuel.

Van Niekerk había sido rotundo hasta rayar en lo ofensivo. Él no ganaba nada con la propuesta. No tenía motivos para cambiar la mejor arma que tenía para hacer chantaje por una muchacha asustada. Ya tenía criada y cocinera. No le hacía falta otra mujer de color.

«No la van a matar», había concluido el inspector con crudeza. «He visto las fotografías y esos hombres no pueden hacerle nada a esa chica que no le hayan hecho ya. No te involucres y márchate de allí, por el amor de Dios.»

Podía imaginarse a Van Niekerk haciendo exactamente eso. Marcharse abandonando a un ser humano indefenso sin pensárselo dos veces. Ése era su punto fuerte e iba a llevarle a lo más alto.

−¿Qué puedo hacer? −preguntó el ama de llaves con la humildad que le confería su impotencia−. ¿Qué debo hacer para ayudar a mi niña?

Emmanuel oyó un tintineo de cubiertos y olió el café recién hecho. Miró la hora: las 6:50 de la mañana. Le quedaban tres minutos para tomar una decisión. Volver con Van Niekerk y ascender a la cúspide de la pirámide del mal o quedarse allí y caer luchando por defender lo correcto.

Se volvió hacia la señora Ellis. Le había traído un café y un sándwich de jamón con mantequilla cortado en dos triángulos. Suficiente para hacer saltar una chispa.

−¿Qué hay en la despensa? −preguntó.

−De todo −contestó ella−. Estamos bien surtidos, el señor King es muy insistente con eso.

«Que Dios bendiga a los ricos glotones», pensó Emmanuel mientras la chispa intentaba desesperadamente convertirse en una idea viable.

−¿Carne? −preguntó.

−Beicon. Salchichas *boerewors* y carne de caza.

−¿Algo dulce?

−Tengo preparadas unas galletas de mermelada y un bizcocho para el té de la tarde. También fruta seca y dulces comprados.

−¿Sigue aquí el agente Hepple?

−Está esperándole en el porche. Les ha dicho a Johannes

y a Shabalala que no podía volver al pueblo con ellos. Que no podía abandonar su puesto.

–Traiga a Hansie, a Elliot King y a Winston –dijo–. Tenemos que actuar deprisa.

Emmanuel volvió cojeando a la habitación de invitados con la taza de café en una mano y el sándwich a medio terminar en la otra. Se quedó en la puerta dando sorbos al café. El líquido caliente le quemó el corte dentro de la boca, le pasó por el nudo de la garganta y siguió bajando hacia el doloroso agujero provocado por el miedo que tenía en el estómago.

La luz del sol se colaba en la habitación, pero los agentes del Departamento de Seguridad y los hermanos Pretorius conservaban un tono grisáceo, resultado de la falta de sueño, la falta de comida y el exceso de cerveza.

–¿Y bien?

Piet estaba tumbado tranquilamente en la cama, sin duda para que no estuviera fría cuando volviera la mujer. A su alrededor, el suelo estaba lleno de colillas.

Emmanuel se obligó a beber más café con su boca magullada y fue a ver cómo estaba Davida: rígida de miedo, pero aguantando. Le dio el café, y la joven, sedienta, se lo bebió ansiosamente de unos pocos tragos. Alargó la mano para coger el sándwich, pero Emmanuel lo mantuvo bien agarrado. Era una apuesta arriesgada: dependía de un sándwich de jamón para salvar el pellejo a Davida. Vio a Dickie por el rabillo del ojo. El hombretón no apartaba la vista del sándwich.

–El inspector Van Niekerk quiere más tiempo para pensarlo. Va a volver a llamar dentro de media hora con una respuesta –dijo Emmanuel, que dio un mordisco al pan casero y lo masticó antes de continuar–: ¿Podéis esperar tanto?

Piet se levantó y se sacudió la ceniza de los pantalones.

–La respuesta es sí o no.

–¿Qué es lo que más deseas, subinspector? ¿Las fotografías o la oportunidad de bajarte los pantalones por tu país?

Piet se sonrojó.

–¿Y qué coño se supone que tenemos que hacer mientras tu inspector anda pasando el rato por ahí?

Emmanuel se encogió de hombros y miró el reloj. En cualquier momento, la señora Ellis iba a lanzar el primer ataque de la batalla. Dio un mordisco al sándwich y sintió cómo las miradas hambrientas de Dickie y los hermanos Pretorius seguían el movimiento de sus manos. Se lamió la mantequilla de los dedos.

–¿De dónde has sacado esa comida? –le espetó Dickie–. ¿Y el café?

–¿Esto? –dijo Emmanuel levantando el sándwich–. Me lo ha dado el ama de llaves del plato del *braai*.

–¿Qué *braai*? –preguntó Dickie, olisqueando el aire como un perro de caza. El olor del humo del fuego de leña se fue volviendo más intenso y se mezcló con el aroma a beicon, cebollas y salchichas fritas.

–Ese cabronazo, King –dijo Emmanuel sacudiendo la cabeza–, tiene comida suficiente en la cocina para dar de comer a un ejército. Aunque yo nunca tuve nada parecido cuando estaba avanzando por Francia. Mis raciones de combate no traían *boerewors* ni bizcocho.

A Dickie le sonaron las tripas y los hermanos Pretorius se dirigieron a la puerta destrozada. El sonido de la carne friéndose despertaba el interés de cualquier hombre.

–Esperad –ordenó Piet–, esto es un montaje. ¿Por qué iba alguien a encender un *braai* a esta hora de la mañana?

El subinspector era un auténtico fenómeno de la naturaleza, siempre alerta al peligro. No necesitaba comer ni dormir mientras quedara «trabajo» por hacer.

–Para practicar... –dijo Davida echándose hacia delante en su silla con la taza de café vacía pegada al pecho–. El señor King va a servir un *braai* de desayuno para los clientes cuando abra el complejo. Le gusta probar la comida y escoger lo que quiere.

–¿Y qué pasa con la comida que no se come? –preguntó Dickie.

–Se la da a los empleados –dijo Davida–. Los que están construyendo las cabañas.

Dickie dio un gruñido al pensar en toda esa comida de blanco yendo a parar a las bocas de trabajadores negros que se contentaban con una mazorca de maíz asada y un pedazo de pan seco dos veces al día. Olisqueó y le pareció percibir un olor a café recién hecho mezclado con el aroma de la carne asada.

–Subinspector... –suplicó Dickie. Era un hombre grande. Le gustaba desayunar seis huevos rebañados con una hogaza de pan y regados con una cafetera entera de café solo. Su estómago empezó a comerse a sí mismo desde dentro–. Por favor...

Piet miró a sus hombres y vio nacer el inicio de una sublevación. Había sido negligente; llevaban cuarenta y ocho horas sin hacer una comida de verdad. Llevó a la mujer a la cama y la sujetó al somier con sus esposas.

–Media hora –dijo.

Emmanuel le dio a Hansie un plato lleno a rebosar con tres clases distintas de carne y una gruesa rebanada de pan encima. El equipo del Departamento de Seguridad se lanzó sobre el banquete servido por la señora Ellis y por el propio King, ataviado con un delantal de criada para la ocasión. Winston sirvió té y café con el encanto empalagoso que excitaba a las chicas inglesas y hacía a los hombres mirarse bien en los bolsillos en busca de una propina.

–Llévale esto al hombre que está vigilando la habitación –le dijo Emmanuel a Hansie–. Dile que ha dicho el subinspector que vaya a comérselo a la cocina mientras tú montas guardia.

Hansie se fue y Emmanuel esperó. Todo estaba saliendo según lo planeado salvo los nervios de Piet. Estaba comiendo y bebiendo con sus hombres, pero cada pocos minutos se paraba a mirar el reloj y a examinar el lugar.

Emmanuel esperó a que Piet llevara a cabo su inspección

de seguridad y después se metió disimuladamente en el interior de la casa y echó a correr hacia la habitación. Calculó que tenía dos minutos. Sacó un juego de llaves del bolsillo de sus arrugados pantalones y se lo dio a Hansie, que estaba montando guardia delante del dormitorio.

–¿Sabes lo que tienes que hacer?

–Por supuesto –contestó Hansie cogiendo las llaves.

–Bien… –dijo Emmanuel comprobando el pasillo. Vacío–. Acuérdate, no pares hasta llegar a Mozambique.

–Sí, oficial.

Hansie se fue con las llaves del coche tintineando alegremente en las manos.

Emmanuel abrió las esposas de Davida y la liberó. Tenía sangre en las muñecas, pero eso no era nada comparado con cómo iba a dejarla Piet Lapping si seguía allí cuando volviera.

–Tenemos que darnos prisa. Sal por la ventana y ve corriendo directamente a la caseta del vigilante nocturno. Lo más rápido que puedas.

Tenía que salir de la habitación y echar a correr antes de que Hansie arrancara el deportivo y atrajera a los hombres a la parte delantera de la casa. La ventana se abrió con un crujido y Emmanuel levantó en brazos a Davida.

–¿Y tú? –dijo ella.

–No te preocupes –contestó mientras la sacaba por la ventana–. Corre…

Davida salió corriendo por una zona de arbustos con la combinación blanca de algodón. Corrió a toda velocidad y sin mirar atrás. Al ver su silueta alejarse de la casa, un recuerdo afloró a la superficie…

La hermana pequeña de Emmanuel fue corriendo deprisa por el callejón, descalza y con el camisón de nomeolvides azules bordados en el cuello. Emmanuel corrió a su lado. Le llegó el olor de las hogueras de leña mientras avanzaban a toda velocidad hacia la luz del hotel de la esquina. El miedo le hizo insensible al frío de la noche de invierno. Por dentro ardía de rabia por no ser lo bastante fuerte para detener el cuchillo. Cuando fuera mayor, cuando creciera, resistiría y pelearía. Desde detrás les llegaron los gritos de su madre agonizante, que se adentraron con ellos más y más en la oscuridad...

El deportivo se puso en marcha con un rugido y Hansie salió a la carretera a toda velocidad levantando una ola de gravilla. Emmanuel se imaginó la enorme sonrisa en la cara de Hansie al avanzar por el *veld* pisando el acelerador del reluciente Jaguar. Oyó el sonido de un claxon, seguido de pisadas y gritos de sorpresa. El Departamento de Seguridad estaba mordiendo el anzuelo. Los motores se encendieron y las ruedas giraron. La persecución había comenzado.

Intentó oír a Davida, pero con suerte ya habría llegado a la caseta del vigilante y habría escapado. El plan era trasladarla a un lugar seguro que sólo conocían King y sus fieles sirvientes.

Emmanuel se dispuso a salir. Según todos los criterios convencionales, el caso era un fracaso. El hombre equivocado apaleado hasta confesar, el Departamento de Seguridad triunfante y Van Niekerk listo para ascender en el escalafón por medio de chantajes. Haber rescatado a Davida tendría que ser su consuelo. Tendría que conformarse con eso.

–¿Te crees que sabes lo que es el dolor? –Piet estaba de pie en la puerta, tranquilo como una cobra acechando a un ratón de campo–. ¿Una herida de bala y unos cuantos moratones? Eso no es nada. Garabatos de un niño en tu cuerpo.

Emmanuel se giró y se lanzó hacia la ventana abierta. Estaba saliendo con el hígado, los pulmones y el bazo intactos. Unas manos férreas volvieron a arrastrarle al interior de la habitación y el subinspector Piet Lapping dio comienzo a su lección en serio.

Emmanuel notó el sabor de la sangre. Estaba oscuro. Sentía dolor al respirar. Se movía de la conciencia a la inconsciencia en una marea controlada por el agente con la cara llena de marcas. La silueta borrosa de Piet se cernió sobre él y Emmanuel pensó: «Los Pretorius no tienen ni idea de cómo dar una paliza de verdad, Piet hace bien en darles lecciones».

El movimiento de una mancha oscura detrás de la cabeza de Piet fue seguido de un ruido de cristales rotos. El subinspector cayó al suelo. A Emmanuel le salpicó un poco de whisky en el labio cortado e intentó penosamente incorporarse y concentrarse.

–¿Tú? –dijo girándose.

Johannes, el soldado de infantería del ejército de los Pretorius, le levantó del suelo y le arrastró hasta la ventana abierta. A Emmanuel le temblaron los músculos e intentó mantenerse en pie. Imposible. Tenía menos fuerza que un flan.

–¿Por qué? –gruñó Emmanuel mientras el corpulento bóer le cogía en brazos y le sacaba por la ventana como a un saco de pieles de contrabando.

–He encontrado las fotos debajo de la cama de Louis cuando le hemos llevado a casa –dijo Johannes–. Las he quemado. Todo lo que ha dicho usted sobre Louis y mi padre es cierto. Tenía que arreglar las cosas.

–Ah...

Emmanuel pasó por encima del alféizar y fue a parar a un hombro ancho y fuerte. El color liso de un uniforme caqui fue todo lo que vio durante unos instantes; después le llegaron destellos de flores silvestres amarillo fuerte, tierra roja y matas verdes de hierba del *veld*. Oyó el canto de los árboles y olió la promesa de la primavera que se levantaba desde el suelo húmedo. Iba avanzando a campo traviesa sobre los hombros de un gigante. Se le cerraron los ojos.

El agente Samuel Shabalala y Daniel Zweigman, sentados uno junto al otro, observaron cómo aparecía la primera luz del día en el horizonte. Shabalala señaló con el dedo la delgada franja rosa pálido que se iba abriendo paso a través del manto de la noche.

–La luz de Dios –dijo.

–Sí –asintió Zweigman–. Se me había olvidado cómo era.

Emmanuel se obligó a separar los párpados. A ambos lados de su cuerpo, el espacio estaba ocupado por las siluetas imprecisas de los dos hombres. Concentró todas sus energías en mantener los ojos abiertos un segundo más.

–Ah…, ha vuelto con nosotros, oficial.

Dos caras borrosas, una blanca y otra negra, se inclinaron sobre él para examinarle de cerca. Notó el sabor de un líquido amargo en la boca y se lo tragó con dificultad. Le dolía todo.

–Media dosis de pastillas machacadas mezcladas con hierbas silvestres recogidas en el *veld* por el agente Shabalala –explicó la cara blanca–. Es usted el primer paciente al que trato con esta milagrosa combinación de medicinas alemana y zulú. Es un hombre con suerte.

Zweigman. Emmanuel tenía el nombre grabado. Zweigman el tendero y Shabalala el policía. Los dos hombres que habían avisado a Van Niekerk de dónde estaba y le habían salvado el pellejo.

–¿Cuánto tiempo…?

Por entre las gruesas ramas de un árbol se veían parpadear trocitos de cielo. Estaba en algún lugar en el *veld*, envuelto en mantas y tumbado en una fina colchoneta.

–Tres días –contestó el agente Shabalala–. Se fue usted muy lejos, pero ha vuelto.

–¿Y Davida?

–Se fue –respondió Zweigman mientras le apretaba los músculos contusionados del abdomen con los dedos–. Pronto estará usted bien para viajar. Tiene unas ganas tremendas de vivir.

–El subinspector y sus hombres también se fueron –dijo Shabalala–. Se fueron en muchos coches y se llevaron al hombre comunista esposado. Detrás iban muchas cámaras de los periódicos. Ahora son los *indunas*.

Emmanuel sintió cómo le incorporaban con delicadeza hasta sentarle y notó el sabor del agua fría en la boca. Miró a través de los párpados hinchados. Estaba rodeado de *veld* por todas partes, grandes franjas verdes y marrones. Una paloma zureó y la hierba se meció a la luz del amanecer. El paisaje era dorado y le dolía mirarlo, así que cerró los ojos.

–Volví… –masculló Emmanuel. Podría haberse quedado en Inglaterra con su nueva esposa y haber aprendido a soportar la lluvia y el frío. Pero había regresado, sabiendo lo cruel que era aquel país y lo severo que era el Dios que lo gobernaba.

–*Te encanta este puñetero sitio, amiguito* –el sargento mayor aportó su opinión–. *Éste es el país en el que decidiste resistir y pelear. Así de fácil.*

–Me patearon el culo. Perdí el partido –dijo Emmanuel, pensando en el hombre inocente al que estaban a punto de juzgar por el asesinato de Pretorius.

–Está delirando –dijo Zweigman mientras volvía a tumbarle en la colchoneta.

–¿Y tú? –Emmanuel siguió con su conversación con el escocés–. ¿Qué haces aquí?

–*Me invitaste tú* –contestó el sargento mayor–. *Pero creo que ya no me necesitas. Tienes al alemán y al africano, así que puedes estar tranquilo, amiguito. Descansa un poco.*

Zweigman le tomó el pulso al oficial y le envolvió bien el maltrecho cuerpo con las mantas. Cómo había conseguido sobrevivir a la paliza era un misterio, pero las cicatrices, algunas visibles y otras ocultas, le acompañarían hasta la tumba.

–Algún día le contaré por qué acabé escondido en Jacob's Rest –dijo el tendero alemán–. Por ahora le diré que mi mujer y yo nos vamos a ir de aquí, y eso es una gran noticia. Voy a abrir una consulta y a empezar de nuevo. He decidido volver a levantarme y ver si consiguen derribarme.

–¿Por qué?

–Hay que sentir el dolor pero dejar que venza el bien. ¿Qué otra cosa podemos hacer los hombres como nosotros, oficial?

Emmanuel sintió el áspero terreno bajo su cuerpo y oyó la grave voz de barítono de Shabalala cantando una canción zulú. Un negro y un judío le habían salvado la vida, una mujer mestiza había resucitado su lado físico y un auténtico afrikáner había levantado su cuerpo abatido para ponerlo a salvo. Era un rompecabezas de personas que encajaban a pesar de las nuevas leyes del Partido Nacional.

Cerró los ojos y empezó a quedarse dormido. La voz de Shabalala le sacó de la oscura bodega de sus sueños y le llevó hacia la luz del sol. Se vio a sí mismo tendido a la intemperie en el *veld*, malherido pero no derrotado. Zweigman tenía razón. ¿Qué otra cosa podía hacer uno salvo volver a levantarse y enfrentarse al mundo una vez más?

Agradecimientos

Si hace falta un pueblo para criar a un niño, hacen falta dos pueblos para criar a una familia y escribir una novela. Éstas son las personas de mi pueblo a las que debo un agradecimiento.

A Imkulunkulu, el grande de los grandes. A los ancestros. A mis padres, Patricia y Courtney Nunn, por el amor, la esperanza y la fe. A Penny, Jan y Byron, mis hermanos y compañeros de viaje en el camino polvoriento desde la Suazilandia rural a Australia.

A mis hijos, Sisana y Elijah, que no podrían ser más maravillosos. A mi marido, Mark Lazarus, que me dio tiempo y espacio y me dejó usar su impecable talento para la narración. Eres el tejado y las paredes de mi pequeña cabaña. Muchas gracias también a la doctora Audrey Jakubowski-Lazarus y al doctor Gerald Lazarus por su apoyo y su generosidad.

A las agentes literarias Siobhan Hannan, de Cameron Creswell Agency, y Catherine Drayton, de InkWell Management, que tienden un puente entre mi escritorio y el mundo con acierto y entusiasmo. No podría estar en mejores manos.

Por la ayuda de tipo histórico y cultural, quiero expresar un agradecimiento especial a Terence King, escritor, investigador en temas policiales y militares e historiador. A Gordon Bickley, historiador militar. A Audrey Portman, de Rhino Research (Sudáfrica). A la tía Lizzie Thomas por su ayuda con el zulú. A Susie Lorentz por su ayuda con el afrikáans. Cualquier error u omisión es exclusivamente mío.

Quiero dar las gracias también a los miembros de los clanes Nunn y Whitfield por sus historias y recuerdos, tanto los alegres como los sombríos, de la vida en el sur de África.

A las «Chicas» Randwick y las «Chicas» Kingsgrove, por ser una estupenda pandilla de mujeres con las que sobrevivir a la transición a la maternidad. A Kerrie McGovan, por introducirme en los misterios de las intrawebs y por sus deliciosas comidas, tan buenas como las de un restaurante. A Loretta Walder, Maryla Rose y Brian Hunt, que alumbraron el camino en las noches más oscuras.

A los miembros del «Club de la fe ciega», un grupo de amigos de un valor inestimable que, sin tener ninguna prueba, creyeron que terminaría el libro y que se publicaría. Son Penny Nunn, los estupendos turcos Yusuf y Burcak Muraben, Tony McNamara, Steve Worland, Georgie Parker y Paula McNamara.

Un agradecimiento doble a Atria Books y a Judith Curr por darle un hogar a mi libro en Estados Unidos. A Emily Bestler, que sencillamente lo convirtió en un libro mejor y que reavivó mi creencia en la buena estrella. A Laura Stern, a Virginia McRae y a todo el personal de Atria.

Ngiyabonga. Gracias a todos.

NUEVOS TIEMPOS

Últimos títulos publicados